Frederick Forsyth

De Prediker

A.W. Bruna Fictie

Oorspronkelijke titel
The Kill List

Vertaling
Jolanda te Lindert
Omslagbeeld
Hayden Verry / Arcangel Images
Omslagontwerp
Studio Jan de Boer

ISBN 978 94 005 0334 2
NUR 332

Met dank aan luitenant-kolonel (KL) Rob van Putten.

Dit boek is gedrukt op papier dat het keurmerk van de Forest Stewardship Council (FSC®) mag dragen. Bij dit papier is het zeker dat de productie niet tot bosvernietiging heeft geleid. Een flink deel van de grondstof is afkomstig uit bossen en plantages die worden beheerd volgens de regels van FSC. Van het andere deel van de grondstof is vastgesteld dat hiervoor geen houtkap in de laatste resten waardevol bos heeft plaatsgevonden. Daarom mag dit papier het FSC Mixed Sources label dragen. Voor dit boek is het FSC-gecertificeerde Munkenprint gebruikt. Dit papier is 100% chloor- en zwavelvrij gebleekt en wordt geleverd door Arctic Paper Munkedals AB, Zweden.

Voor het US Marine Corps,
een grote eenheid,
en voor de UK Pathfinders,
een kleine eenheid.
Voor de eerste: Semper Fi,
en voor de laatste: liever jij dan ik.

Inhoud

Personages	8
Voorwoord	9
Deel 1 Opdracht	12
Deel 2 Wraak	65
Deel 3 Afrekening	191
Epiloog	260
Dankwoord	262

Personages

de Prediker, terrorist
Tracker, mensenjager
Gray Fox, directeur TOSA
Roger Kendrick, alias Ariel, computergenie
Ibrahim Samir, alias de Trol, computergenie
Javad, CIA-mol binnen de Pakistaanse ISI
Benny, hoofd Mossad-divisie Hoorn van Afrika, Tel Aviv
Opaal, in Kismayo gestationeerde Mossad-agent
Mustafa Dardari, eigenaar Masala Pickles
Adrian Herbert, SIS
Laurence Firth, MI5
Harry Andersson, Zweedse scheepvaarttycoon
kapitein Stig Eklund van de Malmö
aspirant-officier Ove Carlsson van de Malmö
Al-Afrit, Somalisch stamhoofd en piratenhoofdman
Gareth Evans, onderhandelaar
Ali Abdi, onderhandelaar
Emily Bulstrode, koffiejuffrouw
Jamma, privésecretaris van de Prediker
David, Pete, Barry, Dai, Curly en Tim: de Pathfinders

Voorwoord

In het donkere en onbekende hart van Washington bevindt zich een korte en bijzonder geheime lijst. Op deze lijst staan de namen van terroristen die dermate gevaarlijk worden geacht voor de VS, haar burgers en belangen dat ze ter dood zijn veroordeeld zonder dat er zelfs maar een poging is gedaan hen te arresteren, te berechten of een andere correcte procedure te laten volgen. Dit is de 'dodenlijst'.

Elke dinsdagochtend kan deze dodenlijst in het Oval Office worden aangepast door de president en zes mannen; nooit meer, nooit minder. Onder hen de directeur van de CIA en de driesterrengeneraal van het grootste en gevaarlijkste geheime leger ter wereld: het JSOC, het Joint Special Operations Command, dat officieel niet bestaat.

Op een koude ochtend in het voorjaar van 2014 werd een nieuwe naam aan de dodenlijst toegevoegd. Deze man was zo ongrijpbaar dat zelfs zijn echte naam niet bekend was en de gigantische Amerikaanse antiterrorismeorganisatie niet eens een foto van hem had. Evenals Anwar al-Awlaki – de Amerikaans-Jemenitische fanaticus die haatpreken op internet had gezet, op de dodenlijst had gestaan en in 2011 in Noord-Jemen was gedood door een vanaf een op afstand bestuurd vliegtuig, een 'Unmanned Aerial Vehicle' (UAV) gelanceerde raket – preekte de nieuwe aanvulling ook online. Zijn preken hadden zoveel invloed dat jonge moslims in de diasporalanden – landen waar joden zich hebben gevestigd – in ultraradicale islamieten veranderden en in naam van de islam moorden pleegden. Evenals Al-Awlaki sprak ook de nieuwe aanvulling vloeiend Engels. Omdat zijn naam niet bekend was, werd hij de Prediker genoemd.

De opdracht ging naar JSOC, en de directeur hiervan gaf deze opdracht door aan TOSA, een organisatie die zo geheim was dat achtennegentig procent van de Amerikaanse ambtenaren er zelfs nog nooit van had gehoord. Feitelijk is TOSA een bijzonder kleine afdeling, met haar basis in Northern Virginia. Ze heeft de opdracht terroristen op te sporen die zich aan het Amerikaanse rechtssysteem proberen te onttrekken.

'S Middags kwam de directeur van TOSA, die in elk officieel document Gray Fox werd genoemd, het kantoor van zijn belangrijkste mensenjager binnen en legde een vel papier op zijn bureau. Het enige wat hierop stond was: *De Prediker. Identificeren. Lokaliseren. Vernietigen.*

Met daaronder de handtekening van de Commander-in-Chief, de president. Dat maakte dit papier tot een *presidential executive order*, een EXORD – een decreet van de president.

De man die naar dit decreet keek, was een ondoorgrondelijke luitenant-kolonel van het US Marine Corps, dat weer deel uitmaakt van de US Navy. Hij was vijfenveertig, en zowel binnen als buiten het gebouw kende men hem alleen onder zijn codenaam: Tracker.

Deel 1
Opdracht

1

Wanneer iemand het hem zou vragen, had Jerry Dermott met zijn hand op zijn hart kunnen zweren dat hij nog nooit opzettelijk iemand kwaad had gedaan en het niet verdiende om te sterven. Maar dat kon hem niet redden.

Het was half maart en de winter in Boise, de hoofdstad van de staat Idaho, liet zijn greep iets verslappen. Toch lag er nog steeds sneeuw op de hoge bergtoppen rondom de stad en de wind die van die bergtoppen kwam was nog steeds ijskoud, zodat iedereen die zich buiten waagde, zich dik had ingepakt.

Het congreslid verliet via de hoofdingang het zandstenen State Capitol Building aan 700 West Jefferson Street en liep de trap af naar de straat waar zijn auto al klaarstond. Hij knikte, zoals gebruikelijk, vriendelijk tegen de politieagent die boven aan de trap bij de hoofdingang stond en zag dat Joe, al jaren zijn trouwe chauffeur, om de limousine heen liep om het achterportier te openen. Wat hij niet zag, was de dik ingepakte figuur die op een bankje op de stoep had gezeten en nu in beweging kwam.

De man droeg een lange, donkere jas die hij niet had dichtgeknoopt, maar vanbinnen met zijn handen dichthield. Hij droeg een soort keppeltje en het enige wat aan hem opviel, was – als iemand had gekeken, wat echter niet gebeurde – dat hij onder zijn jas geen spijkerbroek droeg, maar een witte wijde jurk. Later zou men concluderen dat deze jurk een Arabische *dishdasha* was.

Jerry Dermott was al bijna bij het geopende portier toen iemand 'Congreslid!' riep. Hij draaide zich om. Het laatste wat hij zag, was een getaand gezicht met een enigszins lege blik, alsof de man naar iets in de verte keek. De jas viel open en een dubbelloops afgezaagd jachtgeweer werd geheven.

De politie zou later concluderen dat tegelijkertijd uit beide lopen was geschoten en dat de patronen geladen waren geweest met zware hagel, niet de kleine kogeltjes die voor vogels worden gebruikt. De afstand was ongeveer drie meter.

Doordat de afgezaagde lopen zo kort waren, was de spreiding groot. Enkele stalen kogels vlogen rakelings langs het congreslid en een paar ervan raakten Joe, waardoor deze zich omdraaide en achteruitdeinsde. Hij had een handvuurwapen onder zijn colbert, maar omdat zijn handen naar zijn gezicht gingen, gebruikte hij dit niet.

De agent die op de trap stond, zag het allemaal gebeuren, trok zijn revolver en rende de trap af. De aanvaller stak zijn beide handen omhoog, met zijn geweer in zijn rechterhand, en schreeuwde iets. De agent wist niet of de tweede loop was gebruikt, en vuurde drie keer. Hij stond zes meter bij de man vandaan en was een ervaren schutter, zodat hij eigenlijk niet kon missen. Zijn drie kogels raakten de schreeuwende man midden in de borst. De man viel achterover tegen de kofferbak van de limousine, stuiterde eraf, viel voorover en stierf met zijn gezicht in de goot. Er kwamen een paar mensen de hoofdingang uit; ze zagen de twee doden die beneden op de grond lagen, de chauffeur die naar zijn bloedende handen keek en de politieagent die met zijn pistool naar beneden gericht over de aanvaller gebogen stond. Ze renden weer naar binnen om assistentie te vragen.

De twee doden werden naar het plaatselijke mortuarium gebracht en Joe werd naar het ziekenhuis vervoerd in verband met de drie kogeltjes in zijn gezicht. Het congreslid was dood, dankzij de meer dan twintig stalen kogeltjes in zijn borstkas die zijn hart en longen hadden doorboord. Ook de aanvaller was dood.

De aanvaller, die naakt op de ontleedtafel lag, kon niet worden geïdentificeerd. Hij had geen persoonlijke documenten bij zich en bovendien had hij, heel vreemd, behalve zijn baard geen lichaamsbeharing. Maar nadat de foto van zijn gezicht in de avondkranten was gepubliceerd, meldden zich twee informanten. De directeur van een middelbare school in een van de buitenwijken herkende een leerling die Jordaanse ouders had, en de eigenaresse van een pension herkende een van haar huurders.

De rechercheurs die de kamer van de dode man doorzochten, namen een groot aantal in het Arabisch geschreven boeken en een laptop mee. De laptop werd in het technisch politielab bekeken. Daar ontdekte men iets wat niemand op het hoofdbureau van politie van Boise ooit eerder had gezien: op de harde schijf stonden heel veel voordrachten, preken eigenlijk, die werden gehouden door een gemaskerde man die met een felle blik in de camera keek en vloeiend Engels sprak.

Zijn boodschap was meedogenloos en eenvoudig. De Ware Gelovige moest zijn eigen persoonlijke transformatie ondergaan, van ketterij naar de islamitische waarheid. Hij moest, binnen de grenzen van zijn eigen ziel, niemand in vertrouwen nemen en niemand vertrouwen, hij moest zich bekeren tot de jihad en een ware en loyale soldaat van Allah worden. Vervolgens moest hij een vooraanstaande persoon in dienst van de Grote Satan uitkiezen en naar de hel sturen, waarna hij zou sterven als een *shahid* – een martelaar – en opstijgen om voor altijd in Allahs paradijs te verblijven. Er waren heel veel van dit soort preken, allemaal met dezelfde boodschap.

De politie overhandigde dit bewijs aan het kantoor van de FBI in Boise, die het complete dossier doorstuurde naar het J. Edgar Hoover Building in Washington D.C. Niemand in het nationale hoofdkantoor van het Bureau was verbaasd. Zij hadden al eerder van de Prediker gehoord.

1968

De weeën van mevrouw Lucy Carson begonnen op 8 november. Ze werd meteen naar de kraamafdeling gebracht van het Navy Hospital in Camp Pendleton, Californië, waar zij en haar man woonden. Twee dagen later werd haar eerste en, naar later zou blijken, enige zoon geboren.

Hij werd Christopher genoemd, naar de vader van zijn vader. Maar omdat deze hooggeplaatste officier van het US Marine Corps altijd Chris werd genoemd, kreeg de baby, om verwarring te voorkomen, de bijnaam Kit. Dat de oude pionier ook zo heette, was volkomen toevallig. Ook toevallig was zijn geboortedatum: 10 november. Op die dag in het jaar 1775 was het US Marine Corps opgericht.

Kapitein Alvin Carson zat in Vietnam, waar hevig werd gevochten – wat uiteindelijk nog vijf jaar zo zou blijven. Omdat zijn dienst er bijna op zat, kreeg hij toestemming om kerst thuis door te brengen, samen met zijn vrouw en twee dochtertjes, en om zijn pasgeboren zoon vast te houden. Na Nieuwjaar ging hij weer terug naar Vietnam.

Hij keerde in 1970 terug naar de uitgestrekte basis van het US Marine Corps in Pendleton. Zijn volgende stationering was geen stationering, want hij bleef drie jaar in Pendleton en zag zijn zoon opgroeien van peuter tot jochie van vierenhalf.

Op de basis, ver van de dodelijke oerwouden, kon het echtpaar een normaal leven leiden in een van de appartementengebouwen, het kantoor, het clubhuis, de legerwinkels en de kerk, en kon hij zijn zoon leren zwemmen in de Del Mar-haven. Later zou hij nog weleens terugdenken aan die heerlijke tijd in Pendleton.

In 1973 werd hij overgeplaatst naar een andere standplaats en ook hier kon hij samen met zijn gezin wonen: Quantico, iets buiten Washington D.C. In die tijd was Quantico niet meer dan een enorme wildernis vol muggen en teken, waar een kleine jongen in de bossen op eekhoorns en wasberen kon jagen.

Het gezin Carson woonde nog steeds op deze basis toen Henry Kissinger en de Noord-Vietnamese Le Duc Tho elkaar buiten Parijs ontmoetten en de vredesakkoorden sloten die officieel een einde maakten aan de tienjarige slachtpartij die tegenwoordig de Vietnamoorlog wordt genoemd.

Carson, inmiddels majoor, kwam terug van zijn derde stationering in Vietnam, een land dat nog steeds bijzonder gevaarlijk was doordat het Noord-Vietnamese leger probeerde de Parijse vredesakkoorden te breken door Zuid-Vietnam binnen te vallen. Maar hij werd tijdig gerepatrieerd, vlak voordat de laatste Amerikanen vanaf het dak van de ambassade het land verlieten.

In deze jaren groeide zijn zoon Kit op als een gewone Amerikaanse jongen met jeugdhonkbal, de padvinderij en school. In de zomer van 1976 werden majoor Carson en zijn gezin overgeplaatst naar een derde bijzonder grote basis van het US Marine Corps: Camp Lejeune in North Carolina.

Majoor Carson was plaatsvervangend bataljonscommandant en werkte vanuit het hoofdkwartier van het 8ste Bataljon van het US Marine Corps in 'C' Street. Samen met zijn vrouw en drie kinderen woonde hij op het terrein van de uitgestrekte basis. Er werd nooit gepraat over wat de jongen wilde worden als hij groot was. Zijn zoon leefde in het centrum van twee families: het gezin Carson en het US Marine Corps. Iedereen ging ervan uit dat hij net als zijn vader en opa de officiersopleiding zou volgen en in het leger zou gaan.

In 1978 werd majoor Carson overgeplaatst en hij verbleef tot 1981 in Norfolk, de grote basis van het US Marine Corps aan de zuidkant van Chesapeake Bay, Northern Virginia. Het gezin woonde op de basis en de majoor ging naar zee met de USS (United States Ship) *Nimitz*, de trots van de Amerikaanse vloot vliegdekschepen. Daar was hij getuige van het fiasco van Operation Eagle Claw, oftewel Desert One: de wanhopige poging om Amerikaanse diplomaten te redden die na een oproep van ayatollah Khomeini door 'studenten' in Teheran werden gegijzeld.

Majoor Carson stond op de brug van de *Nimitz* met een sterke verrekijker en zag hoe de acht enorme Sea Stallion-transporthelikopters met veel kabaal richting kust vertrokken. Zij vormden de back-up voor de Groene Baretten en de Rangers, die de aanval zouden uitvoeren en de bevrijde diplomaten in veiligheid moesten brengen.

Hij zag de meeste helikopters gehavend terugkeren. Eerst de twee die boven de Iraanse kust motorpech hadden gekregen doordat ze in een zandstorm waren terechtgekomen en geen zandfilters bleken te hebben. Daarna keerden de andere helikopters terug met aan boord de gewonden van de helikopter die tegen een C-130 Hercules transportvliegtuig was gebotst, wat had geresulteerd in een vuurbal. Hij zou tot aan zijn dood verbitterd terugdenken aan dit voorval en aan de knullige planning van deze actie.

Vanaf de zomer van 1981 tot 1984 woonde Alvin Carson, inmiddels luitenant-kolonel, samen met zijn gezin in Londen. Hij was benoemd tot de Amerikaanse mariniersattaché op de ambassade aan Grosvenor Square. Kit ging naar de Amerikaanse school in St. John's Wood. Later zou de jongen met plezier terugdenken aan deze drie jaren in Londen; het was de tijd van Margaret Thatcher en Ronald Reagan, en hun opmerkelijke partnerschap.

De Argentijnen vielen de Falklandeilanden binnen, die vervolgens door de Britten werden bevrijd. Een week voordat de Britse para's Port Stanley binnenvielen, bracht Ronald Reagan een staatsbezoek aan Londen. Charlie Price werd benoemd tot ambassadeur en werd de populairste Amerikaan van de stad. Er waren feesten en bals. Tijdens een ontvangst op de ambassade werd het gezin Carson voorgesteld aan koningin Elizabeth. De veertienjarige Kit Carson werd voor het eerst verliefd op een meisje, en zijn vader vierde zijn twintigjarige jubileum bij het Corps.

Overste Carson kreeg als luitenant-kolonel het bevel over het 2de Bataljon van het 3de Regiment Mariniers. Daarop verhuisde het gezin naar Kaneohe Bay op Hawaï, waar een totaal ander klimaat heerste dan in Londen.

Voor de tienerjongen was dit een periode waarin hij kon surfen, snorkelen, duiken en vissen, en een plaats waar hij zeer geïnteresseerd raakte in meisjes. Op zijn zestiende bleek dat hij heel goed was in sport, maar uit zijn schoolresultaten bleek dat hij bovendien een snelwerkend stel hersenen had. Toen zijn vader een jaar later werd bevorderd tot kolonel en als hoofd Operaties bij een hoofdkwartier naar het vasteland van de VS werd gestuurd, was Kit Carson een Eagle Scout en een rekruut in het Korps voor Reserve Officieren. Wat jaren eerder al werd aangenomen, kwam uit: het leek onvermijdelijk dat hij in de voetsporen zou treden van zijn vader en in dienst zou treden bij het US Marine Corps.

Terug in de VS ging hij naar de William and Mary University in Williamsburg, Virginia, woonde vier jaar op de campus en studeerde af in geschiedenis en scheikunde. In de lange zomervakanties leerde hij parachutespringen en duiken. Daarna ging hij in Quantico naar de Officers Candidates School, OCS, de officiersopleiding voor het US Marine Corps en slaagde in het voorjaar van 1989. Hij was toen twintig. Hij ontving gelijktijdig met zijn middelbareschooldiploma de rangonderscheidingstekenen als tweede luitenant van het US Marine Corps. Zijn vader – inmiddels brigadegeneraal – en zijn moeder, beiden ontzettend trots, waren getuige van de ceremonie.

Tot Kerstmis 1989 ging hij naar de Basic School om te leren mariniers te leiden en te inspireren en vervolgens tot maart 1990 naar de infanterieopleiding, die hij als een van de beste afrondde. Vervolgens ging hij naar de Ranger School in Fort Benning, Georgia en nadat hij zijn Rangers-insigne had gekregen, werd hij gestationeerd in Twentynine Palms, Californië. Hier ging hij naar het Air/Ground Combat Centre, een trainingscentrum, beter bekend als 'The Stumps' en vervolgens op diezelfde basis naar het 1ste Bataljon van het 7de Regiment Mariniers.

Daarna, op 2 augustus 1990, viel een man die Saddam Hoessein heette, Koeweit binnen. De Amerikaanse mariniers trokken weer ten oorlog en luitenant Kit Carson vergezelde hen.

1990

Nadat men had besloten dat Saddam Hoesseins invasie van Koeweit onacceptabel was, werd er een grote coalitie gevormd. Deze werd naar het grensgebied gestuurd tussen de Iraakse en Saoedi-Arabische woestijn: van de Perzische Golf in het oosten tot de Jordaanse grens in het westen.

Het US Marine Corps ging hiernaartoe in de vorm van een Marines Expeditionary Force, een eenheid bestaande uit een mariniersdivisie, een aantal squadrons vliegtuigen en helikopters en een grote logistieke eenheid, dit alles onder leiding van generaal Walter Bloomer. Onderdeel hiervan was de 1ste Mariniers Divisie van generaal Mike Myatt en ergens helemaal onderaan in de pikorde bungelde tweede luitenant Kit Carson. De mariniersdivisie werd gepositioneerd in de uiterste oostelijke kant van de coalitielijn, zodat zich rechts van hen alleen nog het blauwe water van de Golf bevond.

De eerste maand, de gruwelijk hete maand augustus, was een tijd van koortsachtige activiteit. De hele divisie met alle wapens en artillerie moest worden ontscheept en verspreid over hun volledige sector. Een armada van vrachtschepen arriveerde in de tot dan toe slaperige oliehaven van Al-Jubail om de volledige divisie van uitrusting te voorzien, te huisvesten en te bevoorraden. Pas in september kreeg Kit Carson zijn plaatsingsgesprek, met een zure oudere majoor die waarschijnlijk al regelmatig bevorderingen was misgelopen en daar niet bepaald blij mee was.

Langzaam nam majoor Dolan het dossier van de nieuwe officier door en ten slotte viel zijn blik op iets bijzonders. Hij keek op. 'Jij hebt als kind in Londen gewoond?'

'Ja, majoor.'

'Mafkezen.' Nadat majoor Dolan het hele dossier had doorgenomen, sloeg hij het dicht. 'Ten westen van ons ligt de Britse Zevende Pantserbrigade. Zij noemen zichzelf de Desert Rats. Zoals ik al zei, mafkezen. Zij noemen hun eigen soldaten ratten.'

'Eigenlijk is het een *jerboa*, een woestijnspringmuis, majoor.'

'Een wat?'

'Een woestijnspringmuis. Een woestijndier, net als het stokstaartje. De naam Desert Rats kregen ze toen ze in de Tweede Wereldoorlog in de Libische Woestijn vochten tegen Rommel, de Desert Fox. De woestijnspringmuis is kleiner dan de woestijnrat, maar moeilijker te vangen.'

Majoor Dolan was niet echt onder de indruk. 'Niet te bijdehand worden, luitenant. Op de een of andere manier zullen we een goede relatie met die woestijnratten moeten zien te krijgen. Ik stel voor dat generaal Myatt je naar hen toe stuurt als een van onze verbindingsofficieren. Ingerukt.'

Het coalitieleger zou nog vijf maanden zwetend in de woestijn doorbrengen. Ondertussen waren de geallieerde luchtstrijdkrachten bezig met het 'tot vijftig procent reduceren' van het Iraakse leger; dit had generaal Norman Schwarzkopf, commandant van de geallieerde strijdkrachten, als voorwaarde gesteld voordat hij wilde aanvallen. Kit Carson onderhield, nadat hij zich had gemeld bij de Britse generaal Patrick Cordingley, commandant van de 7de Pantserbrigade, de contacten tussen de beide legers.

Maar heel weinig Amerikaanse soldaten konden belangstelling opbrengen voor, of zich inleven in, de oorspronkelijke Arabische cultuur van de Saoedi's. Carson, met zijn aangeboren nieuwsgierigheid, was een uitzondering. Bij de Britten maakte hij kennis met twee officieren die een beetje Arabisch spraken en van hen leerde hij een handvol uitdrukkingen. Als hij Al-Jubail bezocht, luisterde hij naar de vijf dagelijkse oproepen tot gebed en keek hij naar het ritueel van de mannen in hun wijde gewaden, die elke keer weer knielden en hun voorhoofd op de grond drukten.

Hij begroette de Saoedi's die hij soms ontmoette altijd met het formele '*salam aleikum*' (Vrede zij met u), en leerde deze begroeting te beantwoorden met '*aleikum as-salam*' (En vrede zij met u). Hij merkte de verrassing op over het feit dat een buitenlander deze moeite nam, en de vriendelijkheid die hierop volgde.

Na drie maanden werd de Britse brigade uitgebreid tot een divisie en verplaatste generaal Schwarzkopf de Britten meer naar het oosten, tot ergernis van generaal Myatt. Nadat de grondtroepen eindelijk waren verplaatst, volgde een korte, felle en wrede oorlog. De Britse Challenger II-tanks en Amerikaanse Abrams-tanks bliezen de Iraakse pantservoertuigen op. Ook in de lucht was de dominantie compleet, zoals al maanden het geval was.

Saddams infanterie werd vermorzeld door een bomtapijt op hun loopgraven door B52-bommenwerpers en zij gaven zich massaal over. De Amerikaanse mariniers vielen Koeweit binnen, waar ze met gejuich werden binnengehaald en trokken door naar de Iraakse grens, waar ze opdracht kregen te stoppen. De grondoorlog duurde slechts vijf dagen.

Kennelijk had luitenant Kit Carson iets goed gedaan. Toen hij in de zomer van 1991 terugkwam, kreeg hij de eer om als beste luitenant van het bataljon het commando te krijgen over een peloton uitgerust met 81mm-mortieren. Duidelijk voorbestemd voor grootsere dingen, deed hij toen – voor het eerst, maar niet voor het laatst – iets ongebruikelijks. Hij vroeg een Olmsted-beurs aan, een driejarige beurs voor uitmuntende officieren van leger, marine of luchtmacht die daarmee een vreemde taal kunnen leren en enige tijd in het buitenland kunnen doorbrengen. Toen hem naar de reden werd gevraagd, antwoordde hij dat hij zijn zinnen had gezet op een opleiding in het Defense Language Institute (DLI), het taleninstituut van het ministerie van Defensie, in het Presidio in Monterey, Californië. Na enig aandringen voegde hij eraan toe dat hij Arabisch wilde leren. Deze beslissing zou zijn leven uiteindelijk totaal veranderen.

Zijn enigszins verbaasde superieuren willigden zijn verzoek in. Het eerste jaar bracht hij door in Monterey, en het tweede en derde jaar studeerde hij aan de American University in Caïro. Hier bleek dat hij de enige Amerikaanse marinier was, en de enige militair met gevechtservaring. Hij was nog steeds in Caïro toen de Jemeniet Ramzi Yousef op 26 februari 1993 probeerde een van de torens van het World Trade Center in Manhattan op te blazen. Hij slaagde hier niet in, maar in feite was dit wel het begin van de islamitische jihad tegen de Verenigde Staten, iets wat echter door het Amerikaanse establishment totaal werd genegeerd.

In die tijd waren er nog geen internetkranten, maar via de radio kon luitenant Carson vanaf de andere kant van de Atlantische Oceaan het verloop van het onderzoek naar deze aanslag volgen. Hij was verbaasd, geïntrigeerd. Uiteindelijk ging hij op bezoek bij de wijste man die hij in Egypte had ontmoet. Professor Khaled Abdulaziz maakte deel uit van de wetenschappelijke staf van de Al-Azhar Universiteit, een van de belangrijkste centra in de islamitische wereld voor Koranwetenschappen. Af en toe gaf hij een gastcollege aan de American University. Hij ontving de jonge Amerikaan in zijn kamers op de campus van Al-Azhar.

'Waarom doen ze dat?' vroeg Kit Carson.

'Omdat ze jullie haten,' zei de oude man op rustige toon.

'Maar waarom? Wat hebben we hen ooit misdaan?'

'Hen persoonlijk? Hun landen? Hun families? Niets. Behalve misschien dollars uitdelen. Maar daar gaat het niet om. Daar gaat het nooit om bij terrorisme. Bij terroristen, zoals Al-Fatah of Zwarte September of het nieuwe zogenaamde gelovige ras, zijn de woede en de haat het belangrijkst. Daarna de rechtvaardiging. Voor de IRA is het patriottisme, voor de Rode Brigades de politiek, voor de islamitische fundamentalist, de salafist, de jihadist is het vroomheid. Een veronderstelde vroomheid.' De professor zette thee voor hen op zijn spiritusbrandertje.

'Maar ze beweren dat ze de leer van de Heilige Koran volgen. Ze beweren dat ze de profeet Mohammed gehoorzamen. Ze beweren dat ze Allah dienen.'

Het water kookte, en de oude geleerde glimlachte. Het was hem wel opgevallen dat zijn gast de Koran 'Heilig' had genoemd. Een beleefdheidsbetuiging, maar een aangename. 'Jongeman, ik ben wat een hafiz wordt genoemd. Dat is iemand die alle 6.236 verzen van de Heilige Koran uit zijn hoofd heeft geleerd. Anders dan jullie Bijbel, die door honderden auteurs is geschreven, is onze Koran geschreven – gedicteerd eigenlijk – door één persoon. En toch staan er passages in die elkaar lijken tegen te spreken.' Hij vervolgde: 'Wat de jihadisten doen, is een of twee zinnen uit de context halen, deze nog een beetje extra door elkaar husselen en vervolgens net doen alsof ze een heilige rechtvaardiging hebben. Dat is niet zo. In ons heilige boek staat niets wat ons opdraagt vrouwen en kinderen af te slachten om degene die we Allah, de Genadige, de Meedogende noemen te behagen. Alle extremisten doen dat, ook christelijke en joodse. Kom, we moeten onze thee niet koud laten worden, hij moet eigenlijk gloeiend heet worden gedronken.'

'Maar professor, die tegenstrijdigheden. Zijn die nooit aan de orde gesteld, verklaard, gerationaliseerd?'

De professor schonk de Amerikaan nog wat thee bij. Hij had wel bedienden, maar hij vond het prettig om dit zelf te doen. 'Continu. Al dertienhonderd jaar lang hebben wetenschappers dat ene boek bestudeerd en becommentarieerd. Al die commentaren samen worden de Hadith genoemd; dat zijn er ongeveer honderdduizend.'

'Hebt u ze gelezen?'

'Niet allemaal. Daar zou je tien levens voor nodig hebben. Maar wel veel. En ik heb er twee geschreven.'

'Een van de mensen die deze bomaanslagen hebben gepleegd, Sheikh Omar Abdul Rahman, die ze de blinde sjeik noemen, was... is... ook een wetenschapper.'

'En eentje die zich vergist. Niets nieuws, in elk geloof.'

'Maar ik moet het nog een keer vragen: waarom haten ze ons?'

‘Omdat jullie niet hen zijn. Ze voelen een intense woede voor alles wat niet hen is. Joden, christenen, iedereen die we de *kuffar* noemen – de ongelovigen die zich nooit tot het ene ware geloof bekeren. Maar ook diegenen die niet moslim genoeg zijn. In Algerije moorden de jihadisten hele dorpen uit met *fellagha*, boeren, inclusief vrouwen en kinderen, in hun Heilige Oorlog tegen Algiers. Onthou dit, luitenant. Eerst komen de woede en de haat. Daarna komt de rechtvaardiging, die zogenaamde diepe vroomheid, allemaal nep.’

‘En u, professor?’

De oude man zuchtte. ‘Ik verafschuw hen en ik veracht hen. Want zij nemen het gezicht van mijn geliefde islam en tonen dat, verwrongen van woede en haat, aan de wereld. Maar het communisme is dood en het Westen is zwak, het handelt uit eigenbelang en houdt zich alleen bezig met genoegens en begerigheid. Er zullen velen zijn die naar de nieuwe boodschap zullen luisteren.’

Kit Carson keek op zijn horloge. Het was bijna tijd voor het gebed van de professor. Hij stond op.

De geleerde zag dit en glimlachte. Hij stond ook op en liep met zijn gast naar de deur. Toen de Amerikaan vertrok, riep hij hem iets na. ‘Luitenant, ik vrees dat mijn geliefde islam een lange, donkere nacht in gaat. U bent jong, u zult daar het einde nog van meemaken, insjallah, als God het wil. Ik bid dat ik daar geen getuige meer van zal zijn.’

Drie jaar later stierf de oude wetenschapper in zijn slaap. Maar de massamoorden waren begonnen met een zware bom op een flatgebouw in Saoedi-Arabië waar veel Amerikanen woonden. Een man die Osama bin Laden heette, had Soedan verlaten en was teruggekeerd naar Afghanistan als geëerde gast van een nieuw regime, de taliban, het product van de strenge Koranscholen in het grensgebied tussen Pakistan en Afghanistan. En het Westen nam nog steeds geen enkele maatregel om zichzelf te verdedigen, maar bleef genieten van de magere jaren.

Het heden

Het kleine marktplein van Grangecombe in het Engelse graafschap Somerset trok in de zomer enkele toeristen aan, die door de met kasseien bestrate zeventiende-eeuwse straatjes kuierden. Omdat het stadje niet aan de hoofdwegen lag die naar de kusten en grotten van het zuidwesten leidden, was het er verder erg rustig. Maar het had een historisch en koninklijk karakter, een gemeenteraad en een burgemeester. In april 2014 was dit de edelachtbare Giles Matravers, een gepensioneerde kledinghandelaar. Hij had het recht verworven de burgemeestersketting, de met bont afgezette mantel en de driekantige steek te dragen.

Dat deed hij dan ook toen hij het nieuwe gebouw van de Kamer van Koophandel vlak achter High Street opende. Plotseling schoot er iemand uit het kleine groepje toeschouwers, overbrugde – voordat iemand kon reageren – de tien meter tot hij bij de burgemeester was en stak een slagersmes in diens borst.

Er waren twee politieagenten aanwezig, maar zij waren niet gewapend met een pistool. De gemeentesecretaris en anderen probeerden de stervende burgemeester te helpen, tevergeefs. De politieagenten grepen de moordenaar die niet probeerde te vluchten, maar steeds weer iets schreeuwde wat niemand kon verstaan. Deskundigen herkenden zijn woorden later als 'Allahoe akbar' oftewel 'God is de grootste'.

Eén agent kreeg een snee in zijn hand toen hij het mes probeerde te pakken, maar de aanvaller werd al snel door de beide agenten overmand. Korte tijd later arriveerden rechercheurs uit Taunton, de hoofdstad van het graafschap, om een formeel onderzoek in te stellen. De aanvaller zat zwijgend op het politiebureau en weigerde vragen te beantwoorden. Hij was gekleed in een lange dishdasha, zodat een Arabische tolk van het hoofdbureau van politie van het graafschap werd opgeroepen, maar ook deze had geen succes.

De man bleek als vakkenvuller in de plaatselijke supermarkt te werken en huurde een kamer in een pension. De pensionhoudster vertelde dat hij Irakees was. Eerst dacht men dat zijn daad misschien was veroorzaakt door woede over wat er in zijn land gebeurde. Maar het ministerie van Binnenlandse Zaken liet weten dat hij als vluchteling het land was binnengekomen en asiel had gekregen. Jongeren uit de stad getuigden dat Farouk, die Freddy werd genoemd, tot drie maanden geleden gek was geweest op feesten, drinken en met meisjes uitgaan. Daarna leek hij plots te zijn veranderd: hij trok zich in zichzelf terug en had minachting voor zijn vroegere manier van leven.

Zijn kamer vertelde niet veel over hem, behalve zijn laptop waarvan de inhoud de politie van Boise, Idaho, heel bekend zou zijn voorgekomen. De harde schijf stond vol preken door een gemaskerde man die voor een soort doek zat waarop koranachtige teksten stonden waarin de gelovigen werden opgeroepen de kuffar te vernietigen. Politieagenten uit Somerset keken geamuseerd naar een stuk of tien preken, want de prediker sprak vrijwel accentloos Engels.

Terwijl de moordenaar, die nog steeds zijn mond hield, werd aangeklaagd, stuurde men het dossier en de laptop naar Londen. De politie daar gaf de informatie door aan het ministerie van Binnenlandse Zaken, die contact opnam met de binnenlandse veiligheidsdienst, MI5. Zij hadden bericht gekregen van hun man op de Britse ambassade in Washington over een gebeurtenis in Idaho.

1996

Kapitein Kit Carson werd drie jaar gestationeerd in Camp Pendleton, waar hij was geboren en de eerste vier jaar van zijn leven had gewoond. In die tijd overleed zijn opa, de vader van zijn vader – een gepensioneerde kolonel van het US Marine Corps die nog had gevochten in Iwo Jima – in zijn bejaardenwoning in North Carolina. Toen Kits vader werd bevorderd tot eensterrengeneraal barstte diens vader van trots.

Kit Carson ontmoette in het ziekenhuis waar hij was geboren een Navy-verpleegkundige en trouwde met haar. Hij en Susan probeerden drie jaar lang zwanger te worden, tot uit onderzoeken bleek dat zij onvruchtbaar was. Ze spraken af dat ze in de toekomst een kindje zouden adopteren, maar niet meteen. In de zomer van 1999 werd hij overgeplaatst naar het Staff College in Quantico en in 2000 werd hij bevorderd tot majoor. Daarna werd hij weer overgeplaatst en deze keer verhuisden hij en zijn vrouw naar Okinawa, Japan.

Daar zat hij naar het late nieuws te kijken, vele tijdzones ten westen van New York, en keek vol ongeloof naar de beelden van de gebeurtenissen die later zouden worden aangeduid als 9/11, 11 september 2001. Samen met een paar anderen keek hij de hele nacht in de officiersclub naar de slow motion-opnamen van de twee vliegtuigen die eerst de North Tower en daarna de South Tower binnenvlogen – in stilte, steeds herhaald.

In tegenstelling tot de mensen om hem heen, kende hij de Arabische taal, de Arabische wereld en het complexe islamitische geloof dat door meer dan een miljard mensen werd aangehangen. Hij dacht weer aan professor Abdulaziz die, zachtaardig, hoffelijk en thee serverend, een lange, donkere nacht had voorspeld voor de islamitische wereld, en voor anderen. Kit luisterde naar de toenemende woede om hem heen toen er steeds meer details bekend werden. Deze aanslagen waren gepleegd door negentien Arabieren, onder wie vijftien Saoedi's. Hij herinnerde zich de stralende glimlach van de winkeliers in Al-Jubail als hij hen in hun eigen taal begroette. Waren dit dezelfde mensen?

Tegen zonsopgang moest het hele regiment aantreden om te luisteren naar de regimentscommandant. Zijn boodschap was deprimerend: het was oorlog en het Marine Corps zou, zoals altijd, het land verdedigen, wanneer, waar en hoe het ook zou worden opgeroepen.

Majoor Kit Carson dacht bitter aan de verspilde jaren, waarin de ene na de andere aanval op de VS in Afrika en in het Midden-Oosten hoogstens een week de woede van politici had veroorzaakt. Maar het feit bleef dat ze nooit echt inzicht kregen in de omvang van de enorme aanval die in een aantal Afghaanse grotten werd voorbereid.

Het trauma dat de VS en de Amerikanen door 11 september 2001 hebben opgelopen, is met geen pen te beschrijven. Alles veranderde en zou nooit meer hetzelfde zijn. Binnen vierentwintig uur werd de reus eindelijk wakker. Er zouden represailles volgen, wist Carson, en hij wilde erbij zijn. Helaas zat hij vast op een Japans eiland, en zijn stationering zou nog enkele jaren duren.

Maar de gebeurtenis die Amerika voor altijd veranderde, veranderde ook het leven van Kit Carson. Wat hij niet kon weten, was dat een bijzonder hooggeplaatste medewerker van de CIA in Washington, een veteraan van de Koude Oorlog die Hank Crampton heette, de dossiers doornam van het leger, de marine, de luchtmacht en de mariniers. Hij was op zoek naar een zeldzaam soort man. De operatie werd de *Scrub* genoemd en hiervoor was hij op zoek naar dienstdoende officieren die Arabisch spraken.

In zijn kantoor in Gebouw 2 van de CIA in Langley, Virginia, werden de dossiers ingevoerd in de computers die deze veel sneller konden scannen dan het menselijk oog kon lezen of het menselijk brein kon verwerken. Namen en carrières flitsten op; de meeste werden verworpen, slechts een paar bleven over.

Eén naam flitste op met een knipperend sterretje in de bovenhoek van het beeldscherm. Majoor bij het US Marine Corps, Olmstedbeursstudent, Monterey Language School, twee jaar in Caïro, tweetalig: Amerikaans en Arabisch sprekend. 'Waar is hij?' vroeg Crampton. 'Okinawa,' antwoordde de computer. 'Nou, wij hebben hem hier nodig,' zei Crampton.

Het kostte tijd en een beetje geschreeuw. Het Corps stribbelde tegen, maar de Agency had meer in te brengen. De DCI, de Director of the Central Intelligence Agency, hoeft zich alleen te verantwoorden tegenover de president, en hij had George W. Bush in zijn zak. Het Oval Office verwierp de protesten van het US Marine Corps. Majoor Carson werd onmiddellijk naar de CIA geroepen. Hij wilde natuurlijk niet naar een ander krijgsmachtonderdeel of in overheidsdienst, maar in elk geval kon hij hierdoor Okinawa verlaten en hij zwoer dat hij zodra hij kon terug zou gaan naar het Corps.

Op 20 september 2001 steeg een C-141 Starlifter-transportvliegtuig op van Okinawa en vloog naar Californië. Achterin zat een majoor van het US Marine Corps. Hij wist dat het Corps voor Susan zou zorgen en haar later naar een accommodatie op de basis in Quantico zou brengen. Als hij in Langley zat, was hij daar niet eens zo ver vandaan.

Vanuit Californië werd majoor Carson naar Andrews Air Force Base gebracht, iets buiten Washington, en even later meldde hij zich volgens opdracht bij het hoofdkwartier van de CIA.

Nu volgden interviews, tests in het Arabisch, een gedwongen verwisseling van uniform naar burgerkleding, en ten slotte een klein kantoor in Gebouw 2, kilometers bij de leiding van de Agency op de bovenste etages van het oorspronkelijke Gebouw 1 vandaan.

Hij kreeg een grote hoeveelheid onderschepte uitzendingen in het Arabisch op zijn bureau, die hij moest analyseren en van commentaar voorzien. Hij ergerde zich: dit was een klus voor de NSA, de National Security Agency, in Fort Meade aan Baltimore Road in Maryland. Zij waren de luisteraars, de afluisteraars, de codebrekers. Hij was toch zeker niet bij het Corps gegaan om uitzendingen van Radio Caïro te analyseren!

Toen verspreidde zich een gerucht door het gebouw. Mullah Omar, de eigenaardige leider van de talibanregering van Afghanistan, weigerde de daders van 9/11 uit te leveren. Osama bin Laden en zijn hele Al Qaida-beweging zouden veilig in Afghanistan blijven. En het gerucht was: we gaan een inval doen.

De details waren schaars, maar op een paar punten accuraat. De marine zou op volle sterkte voor de kust in de Perzische Golf liggen en veel luchtsteun kunnen leveren. Pakistan zou meewerken, maar met tegenzin en onder tientallen voorwaarden. De Amerikaanse grondtroepen zouden alleen bestaan uit de Special Forces en hun Britse tegenhangers.

De CIA – met uitzondering van zijn spionnen, agenten en analisten – had één divisie die zichzelf bezighield met wat in het vak 'actieve maatregelen' wordt genoemd, een eufemisme voor de smerige business van het doden van mensen.

Kit Carson 'solliciteerde' en deed het goed. Hij wendde zich tot het hoofd van de SAD, de Special Activities Division, en zei recht op de man af: 'Jullie hebben me nodig. Meneer, ik ben niemand tot nut als ik als een legbatterijkip in een hokje zit. Ik spreek dan misschien geen Pasjtoe of Dari, maar onze échte vijanden zijn de terroristen van Bin Laden – allemaal Arabieren. Ik kan naar hen luisteren, gevangenen verhoren en hun geschreven instructies en aantekeningen lezen. Jullie hebben me in Afghanistan nodig. Hier heeft niemand me nodig.'

Hij had een bondgenoot gevonden en kreeg zijn overplaatsing. Toen president Bush op 7 oktober de invasie bekendmaakte, waren de eerste eenheden van de SAD al onderweg naar de Noordelijke Alliantie, een verbond van antitaliban strijdgroepen. En Kit Carson was erbij.

2

De strijd bij Shah-i-Kot begon slecht en ging steeds slechter. Majoor Kit Carson van het US Marine Corps, gedetacheerd bij de SAD, zou eigenlijk al naar huis gaan toen zijn eenheid de opdracht kreeg bijstand te verlenen.

Hij was al eerder in Mazar-e-Sharif geweest, toen de talibangevangenen in opstand waren gekomen en werden afgeslacht door de Oezbeken en Tadzjieken van de Noordelijke Alliantie. Hij had gezien dat zijn SAD-collega Johnny 'Mike' Spann door de taliban gevangen was genomen en was doodgeslagen. Hij bevond zich op de uiterste rand van de uitgestrekte compound toen mannen van de Britse SBS, de Special Boat Service, the Special Forces-eenheid van de Britse marine, de partner van Spann, Dave Tyson, van eenzelfde lot hadden gered.

Daarna volgde de stormachtige aanval in het zuiden, waarbij de oude Russische luchtmachtbasis in Bagram was veroverd en Kaboel werd ingenomen. Hij had niet meegedaan aan de gevechten in het Tora Boramassief die waren gevolgd op het verraad van de Afghaanse militaire leider – die door de Amerikanen werd betaald, maar dat kennelijk te weinig vond – die Osama bin Laden en zijn bewakers de grens naar Pakistan had laten oversteken.

Eind februari meldden Afghaanse bronnen dat er nog steeds een paar diehards waren achtergebleven in het dal van Shah-i-Kot, in de provincie Paktia. Maar alweer was de informatie slecht: het waren er niet een paar, maar honderden.

De verslagen taliban, allemaal Afghanen, moesten dus ergens naartoe en gingen naar de dorpen waar ze vandaan kwamen. Ze slaagden erin te ontkomen en te verdwijnen. Maar de soldaten van Al Qaida waren Arabieren, Oezbeken en, de moedigste van allemaal, Tsjetsjenen. Ze spraken geen Pasjtoe en werden gehaat door de gewone Afghanen, zodat ze alleen konden kiezen uit zich overgeven of vechtend sterven. Bijna allemaal kozen ze voor het laatste.

De Amerikaanse leiding reageerde op de tip met een kleinschalig project, Operation Anaconda, en de opdracht hiervoor ging naar de Navy SEAL's (SEa, Air, Land), de Special Forces van de marine. Vervolgens vertrokken drie enorme Chinook-helikopters, vol SEAL's, naar het dal, waarvan werd aangenomen dat het verlaten was.

De voorste helikopter wilde landen en hing – neus omhoog, staart naar beneden en laaddeuren open – ongeveer een meter boven de grond toen de Al Qaida-strijders die zich hadden verstopt tevoorschijn kwamen. Ze vuurden van zo dichtbij een granaat af dat hij dwars door de romp vloog. Gelukkig ontplofte hij niet doordat hij zich niet lang genoeg in de lucht bevond om zichzelf op scherp te stellen. Hij ging aan één kant naar binnen, miste alle inzittenden en vloog er aan de andere kant weer uit, met achterlating van twee grote tochtgaten in de romp.

Wat wél ernstige schade aanrichtte, was de felle aanval vanuit het mitrailleursnest in de besneeuwde rotsen. Ook nu werd niemand geraakt, maar het vernietigde wel de cockpit en dus het bedieningspaneel. Na een paar spookachtige minuten trok de vlieger de stervende Chinook op en hij vloog door tot hij vijf kilometer verderop op een veiliger terrein een noodlanding kon maken. De andere twee helikopters vlogen achter hem aan.

Eén SEAL, Chief Petty Officer Neil Roberts, die zijn veiligheidslijn al had losgemaakt, gleed echter uit over een plasje hydraulische olie en viel naar buiten. Hij landde ongedeerd te midden van een groep Al Qaida. SEAL's laten nooit een kameraad achter op het slagveld, of hij nu dood is of nog leeft. Dus landden ze en stormden naar buiten om CPO Roberts op te halen. Ondertussen riepen ze assistentie op. Dit was het begin van de strijd van Shah-i-Kot; deze duurde vier dagen en kostte Neil Roberts en zes andere Amerikanen het leven.

Drie eenheden bevonden zich zo dichtbij dat ze op de hulpkreet konden reageren. Een peloton Britse SBS kwam van de ene kant en de SAD-unit van de andere. De grootste eenheid die te hulp schoot, was een bataljon van het 75ste Ranger Regiment.

Het was heel koud, met temperaturen ver onder nul, en de stuifsneeuw deed pijn aan de ogen. Het was een raadsel dat de Arabieren de winter hier in de bergen hadden overleefd, maar het was wel zo en ze waren bereid te sterven. Ze namen niemand gevangen en verwachtten zelf ook niet gevangengenomen te worden. Later verklaarden getuigen dat ze uit spleten in de rotsen, onopvallende grotten en verborgen mitrailleursnesten waren gekomen.

Iedere veteraan zal bevestigen dat veldslagen algauw op een chaos uitlopen, en bij Shah-i-Kot gebeurde dit sneller dan normaal. Units werden afgescheiden van de hoofdeenheid en van individuele leden van de unit.

Kit Carson was op een bepaald moment helemaal alleen in het ijs en de sneeuwstorm. Hij zag een andere Amerikaan – zijn hoofddeksel, helm in plaats van tulband, verraadde zijn identiteit – ongeveer veertig meter verderop, ook alleen. Een in een lang gewaad geklede man kwam tevoorschijn en vuurde een RPG-granaatwerper op de gecamoufleerde soldaat af. Deze keer ging de granaat wel af. Hij miste de Amerikaan, maar explodeerde bij zijn voeten.

Carson zag hem vallen. Hij schoot de RPG-schutter met zijn karabijn neer. Opeens verschenen er nóg twee mannen die hem aanvielen, 'Allahoe akbar' schreeuwend. Hij schoot hen allebei neer, de tweede nog geen twee meter bij zijn geweerloop vandaan. Toen hij de Amerikaan had bereikt, zag Carson dat hij nog leefde, maar er slecht aan toe was. Een gloeiend hete granaatscherf was door zijn linkerenkel gegaan en had die bijna afgesneden. De voet in zijn laars zat nog vast aan een zenuw, een pees en een paar slierten vlees; het bot was weg. De man was in shock, de fase waarin je nog geen pijn voelt.

De kleren van de beide mannen waren al wit van de sneeuw, maar Carson zag wel een Ranger-badge. Via zijn radio probeerde hij iemand te bereiken, maar hij hoorde alleen maar geruis. Hij maakte de rugzak van de man los, haalde er de eerstehulpkit uit en injecteerde de hele dosis morfine in het blootliggende onderbeen. Nu begon de Ranger de pijn te voelen en hij klemde zijn kaken op elkaar. Maar even later begon de morfine te werken en raakte hij half bewusteloos.

Carson wist dat ze allebei zouden sterven als ze hier bleven. Tussen de sneeuwvlagen door was het zicht twintig meter. Hij zag niemand. Hij nam de gewonde Ranger in de brandweergreep en begon te lopen. Hij liep over het ergst denkbare terrein: gladde keien zo groot als een voetbal onder een dertig centimeter dikke laag sneeuw, zodat hij bij elke stap zijn enkel kon breken. Hij moest zijn eigen gewicht van tachtig kilo dragen, zijn bepakking van bijna dertig kilo en ook nog eens de tachtig kilo van de Ranger – de bepakking van de Ranger had hij achtergelaten – plus de karabijnen, granaatwerpers, munitie en water.

Carson had later geen idee hoe ver hij had gelopen toen de morfine was uitgewerkt. Hij legde de man op de grond en injecteerde hem met zijn eigen voorraad.

Heel veel later hoorde hij het gedreun van een motor. Met zijn gevoelloze vingers haalde hij een *flare*, een lichtpatroon, tevoorschijn, scheurde de verpakking met zijn tanden open en richtte hem omhoog, in de richting van het geluid.

De bemanning van de Blackhawk-gewondentransporthelikopter die hen even later afvoerde, vertelde hem later dat de vuurpijl zo dicht langs de cockpit was gevlogen dat ze dachten dat ze werden beschoten. Maar toen ze naar beneden keken en het even ophield met sneeuwen, zagen ze twee sneeuwmannen onder zich, eentje in elkaar gezakt, de andere zwaaiend. Landen was te gevaarlijk, zodat de Blackhawk zo'n zestig centimeter boven de sneeuw bleef hangen, terwijl twee bemanningsleden de gewonde Ranger op een brancard bonden en aan boord hesen. Carson klom met zijn laatste krachten aan boord en raakte even later bewusteloos.

De Blackhawk bracht hen naar Kandahar, tegenwoordig een grote Amerikaanse luchtmachtbasis, maar toen nog in aanbouw. Er was echter wel een basaal ziekenhuis en de Ranger werd naar de intensive care gebracht. Kit Carson dacht dat hij hem nooit meer terug zou zien. De volgende dag bracht men de Ranger, horizontaal en verdoofd, met een langeafstandsvlucht helemaal naar USAF Ramstein in Duitsland, een Amerikaanse luchtmachtbasis met een uitstekend militair ziekenhuis.

Uiteindelijk verloor de Ranger, die luitenant-kolonel Dale Curtis bleek te zijn, zijn linkervoet. Het bleek onmogelijk zijn voet te redden. Na de amputatie, feitelijk de afronding van de klus waar de granaat aan was begonnen, had hij een stomp, een wandelstok en uitzicht op het einde van zijn carrière als Ranger. Zodra hij weer kon reizen, werd hij naar huis gevlogen, naar het legerziekenhuis Walter Reed, iets buiten Washington, voor therapie en het aanmeten van een kunstvoet. Het zou jaren duren voordat majoor Kit Carson hem zou terugzien.

Het hoofd van de CIA in Kandahar kreeg opdracht Carson naar Dubai te sturen, waar de Agency zeer aanwezig is. Hij was de eerste beschikbare ooggetuige van de gevechten bij Shah-i-Kot en er volgde een langdurige debriefing met een groot aantal hooggeplaatste officieren, verhoorspecialisten van het US Marine Corps, de Navy en de CIA. In de officiersclub ontmoette hij een man die ongeveer even oud was als hij, een luitenant- ter-zee eerste klasse van de marine, gestationeerd in Dubai, waar ook een Amerikaanse marinebasis is. Terwijl ze samen zaten te eten, vertelde de commandant dat hij bij de NCIS werkte, de Naval Criminal Investigation Service.

'Waarom laat je je niet naar ons overplaatsen als je weer thuis bent?' vroeg hij.

'Ik, politieagent?' vroeg Carson. 'Dacht het niet, maar toch bedankt.'

'We zijn groter dan je denkt,' zei de commandant. 'We zijn meer dan een stelletje matrozen die op verlof naar de wal gaan. Ik heb het over belangrijke misdaden, over het opsporen van criminelen die miljoenen hebben gestolen en over tien enorme marinebases op Arabisch sprekende locaties. Het zou echt een uitdaging voor je zijn.'

Dát was het woord dat Carson overtuigde. Het US Marine Corps is onderdeel van de US Navy. Voor hem zou het dus alleen een overplaatsing binnen dat grote geheel zijn. Hij ging ervan uit, dat hij zodra hij terug was in de VS weer in Gebouw 2 in Langley Arabische teksten zou moeten analyseren. Hij solliciteerde dan ook bij de NCIS en werd onmiddellijk aangenomen.

Dit betekende het einde van zijn detachering bij de CIA. Hij werd gestationeerd in Portsmouth, Newport News, Virginia, en Susan vond algauw een baan in het grote Navy-ziekenhuis, zodat ze met hem meekon.

Vanuit Portsmouth kon hij regelmatig op bezoek bij zijn moeder, die borstkanker had en daar drie jaar later aan zou overlijden. Zijn vader, generaal Carson, ging met pensioen in hetzelfde jaar als waarin hij weduwnaar werd en verhuisde naar een complex voor gepensioneerden iets buiten Virginia Beach, waar hij zijn geliefde golfspel kon beoefenen en tijdens veteranenavonden andere gepensioneerde officieren van het US Marine Corps kon ontmoeten.

In de vier jaar dat Kit Carson voor de NCIS werkte, spoorde hij tien zware criminelen op die ernstige misdaden hadden gepleegd. In 2006 regelde hij – inmiddels luitenant-kolonel – zijn transfer terug naar het US Marine Corps en werd hij gestationeerd in Camp Lejeune, North Carolina. Toen zijn vrouw Susan hem wilde bezoeken en met de auto door Virginia reed, werd ze gedood door een dronken chauffeur die de controle over het stuur kwijtraakte en frontaal op haar auto botste.

Het heden

Het slachtoffer van de derde moordaanslag binnen één maand was een hoge politiefunctionaris in Orlando, Florida. Op een heldere lenteochtend verliet hij zijn woning en werd van achteren in zijn hart gestoken toen hij zich bukte om het portier van zijn auto te openen. Terwijl hij stierf trok hij zijn pistool, vuurde twee keer en doodde zijn aanvaller onmiddellijk.

Uit het hierop volgende onderzoek bleek dat de jonge moordenaar in Somalië was geboren, als vluchteling asiel had aangevraagd en dit ook had gekregen. Hij werkte bij de reinigingsdienst van de gemeente.

Collega's van hem verklaarden later dat hij binnen een periode van twee maanden compleet was veranderd. Hij was in zichzelf gekeerd en afstandelijk geworden, korzelig en vol kritiek op de Amerikaanse manier van leven. Ten slotte werd hij gemeden door zijn collega's op de vuilniswagen, omdat hij zo lastig was geworden. Zij hadden het idee dat hij zo was veranderd doordat hij heimwee had naar zijn geboorteland.

Maar dat was niet het geval. Hij was veranderd, bleek uit de huiszoeking in zijn pension, doordat hij zich tot het ultrajihadisme had bekeerd. Dit was waarschijnlijk veroorzaakt door zijn obsessie met de online preken waar hij volgens zijn pensionhoudster in zijn kamer naar had geluisterd. Men stuurde een volledig verslag naar het FBI-kantoor in Orlando, dat het doorstuurde naar het Hoover Building in Washington D.C.

Hier verbaasde men zich allang niet meer over dit verhaal. Ze hadden ditzelfde – dat een jonge man was bekeerd nadat hij urenlang had geluisterd naar de online preken van een perfect Engelssprekende prediker uit het Midden-Oosten, en vervolgens totaal onverwacht een plaatselijke notabele had vermoord – al vier keer eerder meegemaakt binnen de VS en, voor zover het Bureau wist, ook al twee keer in Groot-Brittannië.

Men had al contact opgenomen met de CIA, het Counterterrorism Center en het ministerie van Binnenlandse Veiligheid. Elk Amerikaans agentschap dat ook maar iets met moslimterrorisme te maken had was op de hoogte gebracht en had het dossier geregistreerd, maar niemand kon nuttige informatie verschaffen. Wie was deze man? Waar kwam hij vandaan? Waar nam hij deze uitzendingen op? Hij was alleen bekend onder de naam 'de Prediker' en hij kwam steeds hoger te staan op de lijst met HVT's – *high-value targets* oftewel belangrijke doelwitten.

In de VS wonen ruim één miljoen moslims die, rechtstreeks of via hun ouders, afkomstig zijn uit het Midden-Oosten en Centraal-Azië. Dat was dus een enorm aantal potentiële bekeerlingen voor de Prediker met zijn uiterst wrede jihadistische preken en zijn niet-aflatende oproep aan bekeerlingen om slechts één enkele slag toe te brengen aan de Grote Satan en daarna voor eeuwig naar het paradijs te gaan.

Uiteindelijk werd de Prediker ook tijdens de briefings op de dinsdagochtend in het Oval Office besproken en kwam hij op de dodenlijst te staan.

Mensen gaan op verschillende manieren met verdriet om. Voor sommige mensen getuigt alleen hysterisch huilen van oprecht verdriet. Anderen reageren door vaak en veel hulpeloos in het openbaar te huilen. Er zijn echter ook mensen die hun verdriet wegstoppen op een onbespiede plaats, zoals een dier zijn verwondingen verstopt. Zij treuren alleen, tenzij er een familielid of een vriend is om zich aan vast te klampen, en zij huilen in stilte.

Kit Carson ging na Susans dood op bezoek bij zijn vader, maar omdat hij in Lejeune werkte, op meer dan vier uur rijden, kon hij niet lang blijven. Weer terug in zijn lege huis op de basis stortte hij zich op zijn werk en dreef zijn lichaam tot het uiterste door eenzame crosscountry runs en trainingssessies in de sportzaal, tot de fysieke pijn de inwendige pijn verdoofde en zelfs de legerarts hem aanspoorde het wat rustiger aan te doen.

Carson was een van de bedenkers van het Combat Hunter Program, waar US Marines leren sporen te volgen en mensen op te sporen – in de wildernis, in de stad en op het platteland. Het motto was: Word nooit de prooi, blijf altijd de jager. Maar tijdens Carsons verblijf in Portsmouth en Lejeune vonden er allerlei belangrijke ontwikkelingen plaats.

9/11 had een enorme verandering bewerkstelligd binnen de Amerikaanse strijdkrachten en ook de houding van de regering ten opzichte van zelfs de kleinst mogelijke bedreiging voor de VS was veranderd. Langzaam maar zeker ging de nationale waakzaamheid over in paranoia. Het gevolg was een explosieve uitbreiding van de *intelligence*-wereld. Oorspronkelijk waren er zestien Amerikaanse diensten die geheime informatie vergaarden, maar dit aantal werd uitgebreid tot meer dan duizend.

In 2012 hadden naar schatting minstens 850.000 Amerikanen toegang tot topgeheimen. Meer dan 1.200 overheidsorganisaties en 2.000 ondernemingen werkten op meer dan 10.000 locaties verspreid over het hele land aan supergeheime projecten met betrekking tot antiterrorisme en de binnenlandse veiligheid.

In 2001 was het doel geweest dat de primaire geheime diensten nooit meer zouden weigeren de beschikbare informatie te delen, zodat het nooit meer kon gebeuren dat negentien fanatici door de mazen konden glippen en een massaslachting konden veroorzaken. Toch was de situatie tien jaar later in 2011 nagenoeg onveranderd, ondanks het feit dat er zoveel geld aan was uitgegeven dat de Amerikaanse economie op zijn gat lag. Het defensieapparaat was zo omvangrijk en zo complex dat er zo'n 50.000 topgeheime rapporten per jaar werden geproduceerd – zoveel dat niemand ze allemaal kon lezen, laat staan begrijpen, analyseren, combineren of ordenen. Dus werden ze alleen maar gearchiveerd.

De meest fundamentele uitbreiding vond plaats binnen JSOC, het Joint Special Operations Command. Deze organisatie was al ruim voor 11 september 2001 in het leven geroepen, maar toen was het nog een onopvallende en in feite defensieve organisatie. Twee mannen zouden van deze organisatie het grootste, agressiefste en dodelijkste privéleger ter wereld maken.

Het woord 'privéleger' is terecht, want de organisatie is het persoonlijke instrument van de president en van niemand anders. JSOC kan een geheime oorlog voeren zonder toestemming van het Congres. Het budget van miljarden dollars is beschikbaar zonder inschakeling van het Appropriations Committee van de Senaat dat normaal gesproken toestemming moet geven voor overheidsuitgaven. En JSOC kan je vermoorden zonder ook maar een rimpeling te veroorzaken bij het Openbaar Ministerie. Het is allemaal topgeheim.

De eerste hervormer van JSOC was minister van Defensie Donald Rumsfeld. Deze meedogenloze en op macht beluste Washington-insider baalde van de macht en privileges van de CIA. De Agency was alleen verantwoording schuldig aan de president, niet aan het Congres. Met zijn SAD-units kon het, als de directeur daar opdracht voor gaf, in het buitenland geheime en dodelijke operaties uitvoeren. Dat was macht, échte macht, en minister Rumsfeld wilde die macht ook bezitten. Maar het Pentagon is ondergeschikt aan het Congres en wordt beperkt door zijn ongelimiteerde mogelijkheden voor inmenging.

Rumsfeld moest dus een wapen hebben buiten medeweten van het Congres om als hij ooit even machtig wilde zijn als George Tenet, directeur van de CIA. Dat wapen werd een totaal veranderd JSOC.

Met toestemming van president George W. Bush werd JSOC uitgebreid en nog eens uitgebreid – qua omvang, budget en macht. Het slokte alle Special Forces van de overheid op, ook de Delta Force (of D-Boys), Team Six van de SEAL's (dat later Osama bin Laden zou doden), het 75ste Ranger Regiment, het Special Ops Aviation Regiment, de 'Night Stalkers' van de luchtmacht met helikopters waarmee diep in vijandelijk gebied kan worden opgetreden, en anderen. Het slokte ook TOSA op.

In de zomer van 2003, terwijl Irak nog steeds volledig in brand stond en maar weinigen verder keken, gebeurden er twee dingen die de hervorming van JSOC afrondden.

Er werd een nieuwe commandant benoemd: generaal Stanley McChrystal. Wanneer iemand had gedacht dat JSOC vooral een binnenlandse rol zou blijven spelen, dan was dat nu afgelopen. En in september 2003 zorgde minister Rumsfeld ervoor dat de president hiermee akkoord ging en de EXORD ondertekende. De Executive Order was een document van tachtig pagina's met daarin een belangrijke *Presidential Finding* verstopt – een besluit van de president, het hoogste decreet in Amerika – zonder specifieke voorwaarden. Eigenlijk stond er in de EXORD: Doe maar wat je goeddunkt.

Ongeveer in diezelfde periode kwam er voor een kreupele Rangerkolonel, Dale Curtis, een einde aan zijn eenjarige, doorbetaalde ziekteverlof. Hij had de prothese aan zijn linkerstomp inmiddels zo goed onder controle dat vrijwel niemand merkte dat hij er eentje droeg. Maar het Ranger Regiment was niet geschikt voor mannen met een prothese. Zijn carrière leek voorbij.

Maar net als bij de SEAL's laat de ene Ranger een andere Ranger niet in de steek. Generaal McChrystal was ook een Ranger, van het 75ste, en hij hoorde over kolonel Curtis. McChrystal had net de leiding over het hele JSOC gekregen en dus ook over TOSA, waarvan de commandant met pensioen ging. De functie Commanding Officer hoefde niet per se te worden ingevuld door een actieve officier; het kon ook een bureaubaan zijn. Ze hadden een bijzonder kort gesprek en kolonel Curtis greep de kans met beide handen aan.

Binnen de wereld van de geheime diensten is men van mening dat je, wanneer je iets geheim wilt houden, niet moet proberen dat te verbergen, omdat het dan toch door de een of andere persmuskiet wordt ontdekt. Geef het een onschuldige naam en een bijzonder saaie taakomschrijving.

TOSA is de afkorting van Technical Operations Support Activity. Niet eens met de toevoeging Agency, Administration of Authority. En *support activity* – ondersteunende activiteit – zou het verwisselen van gloeilampen of het uitschakelen van irritante politici uit de Derde Wereld kunnen betekenen, maar in dit geval is de kans groter dat het het tweede betekent.

TOSA bestond dus al lang voor 9/11. Het heeft onder anderen de Colombiaanse drugsbaron Pablo Escobar opgespoord. Dat soort dingen doen ze. Deze mensenjager-afdeling wordt ingeschakeld wanneer alle andere diensten niet meer weten wat ze moeten doen. Het heeft maar tweehonderdvijftig medewerkers en is gevestigd in een compound in Northern Virginia, vermomd als onderzoekslaboratorium van giftige chemische stoffen. Niemand komt er ooit op bezoek.

Om het zelfs nog geheimer te houden, neemt het steeds weer een andere naam aan. Het heeft ooit eenvoudig The Activity geheten, maar ook Grantor Shadow, Centra Spike, Torn Victor, Cemetery Wind en Gray Fox. De laatste naam was zo geliefd dat die behouden bleef als de codenaam van de commandant. Na zijn aanstelling 'verdween' kolonel Dale Curtis; hij werd Gray Fox. Later werd het Intelligence Support Activity genoemd, maar zodra het woord '*intelligence*' aandacht begon te trekken, werd de naam weer veranderd – in TOSA.

Gray Fox had deze functie al zes jaar toen in 2009 zijn belangrijkste en beste mensenjager met pensioen ging, een hoofd vol topgeheimen meenam en naar een hut in Montana vertrok om op regenboogforel te gaan vissen. Kolonel Curtis kon alleen maar jagen vanachter zijn bureau, maar je kunt heel ver komen als je een computer en alle toegangscodes van het Amerikaanse defensieapparaat tot je beschikking hebt. Na een week verscheen er een gezicht op het scherm dat hem een schok van herkenning gaf: luitenant-kolonel Christopher 'Kit' Carson – de man die hem uit Shah-i-Kot had gedragen. Hij bekeek Carsons cv: gevechtssoldaat, student, Arabist, taalkundige, mensenjager. En hij pakte zijn telefoon.

Kit Carson had helemaal geen zin om voor een tweede keer het Marine Corps te verlaten, maar ook deze tweede keer woog hij alle voors en tegens tegen elkaar af en besloot hij het toch maar te doen.

Een week later liep hij het kantoor binnen van Gray Fox in het lage kantoorgebouw midden in een bos in Northern Virginia. Hij keek aandachtig naar de man die hem enigszins mank lopend kwam begroeten, naar de wandelstok in de hoek en naar het insigne van de 75ste Rangers.

'Ken je me nog?' vroeg de kolonel.

Kit Carson dacht terug aan de ijzige wind, aan de rolkeien onder zijn laarzen, aan het loodzware gewicht op zijn schouders en aan zijn uitputting. 'Dát is lang geleden,' zei hij.

'Ik weet dat je het Corps niet wilt verlaten,' zei Gray Fox, 'maar ik heb je nodig. Trouwens, binnen dit gebouw spreken we elkaar allemaal bij de voornaam aan. Daarbuiten bestaat luitenant-kolonel Carson niet meer; voor de wereld buiten dit complex ben je Tracker, de bloedhond, de speurder.'

In de loop der jaren zou Tracker alleen of gedeeltelijk verantwoordelijk zijn voor het opsporen van de zes 'meest gezochte vijanden' van Amerika. Baitullah Mehsud, een Pakistaanse talibanstrijder, gedood door een drone-aanval in een boerderij in Zuid-Waziristan, 2009. Abu al-Yazid, oprichter van Al Qaida, financier van 11 september, gedood door een andere drone-aanval in Pakistan in 2010.

Tracker was de eerste die Al-Koeweiti identificeerde als Bin Ladens persoonlijke afgezant. Spionagedrones volgden zijn lange autorit door Pakistan tot hij, heel verrassend, niet in de richting van de bergen reed, maar de andere kant op, naar een compound in Abbottabad.

Dan was er nog de Amerikaans-Jemenitische Anwar al-Awlaki die online in het Engels preekte. Hij werd ontdekt doordat hij de Amerikaanse Samir Khan, redacteur van het jihadistische tijdschrift *Inspire*, uitnodigde hem in Noord-Jemen op te zoeken.

En ten slotte was er Al-Quso, opgespoord in zijn huis in Zuid-Jemen. Een drone schoot een Hellfire-raket door zijn slaapkamerraam toen hij lag te slapen.

De bomen liepen al uit toen Gray Fox op een ochtend in 2014 binnenkwam met een Presidential Finding die een koerier die ochtend had gebracht. 'Alweer een online prediker, Tracker. Maar vreemd. Geen naam, geen gezicht. Absoluut onvindbaar. Hij is helemaal van jou. Als je iets nodig hebt, hoef je er maar om te vragen. Deze PF dekt elk verzoek.' Hij liep weg.

Er was wel een dossier, maar dat was heel erg dun. De man was twee jaar geleden met zijn online preken begonnen, kort nadat de eerste cyberprediker samen met vijf metgezellen was gestorven langs een weg in Noord-Jemen, op 2 september 2011. In tegenstelling tot Al-Awlaki, die in New Mexico was geboren en opgegroeid, en een duidelijk Amerikaans accent had, klonk de Prediker meer Brits.

Twee taallaboratoria hadden geprobeerd de stem aan een geboorteplaats te linken. Het ene lab staat in Fort Meade, Maryland, het hoofdkantoor van de omvangrijke NSA, de National Security Agency. Dit zijn de luisteraars die elk stukje conversatie kunnen oppikken dat waar ook ter wereld via mobiele telefoon, vaste telefoon, gefaxte brief, e-mail of radio wordt gevoerd. Maar ze verzorgen ook vertalingen vanuit duizend talen en dialecten, en decoderingen. Het andere lab is van het leger en staat in Fort Huachuca, Arizona. Beide laboratoria kwamen ongeveer met hetzelfde resultaat. De kans was groot dat het een Pakistaan was uit een beschaafd en goed opgeleid gezin. De Prediker sprak sommige woorden niet helemaal uit en dat wees op koloniaal Engels. Maar er was een probleem.

Anders dan Al-Awlaki, die recht in de camera keek terwijl hij sprak, liet de nieuweling zijn gezicht nooit zien. Hij droeg een traditionele Arabische *shemagh*, maar met het losse uiteinde over zijn gezicht getrokken en aan de andere kant ingestopt. Alleen zijn felle ogen waren te zien. De stof, zei het dossier, vervormde de stem waarschijnlijk, waardoor zijn afkomst nog moeilijker te herleiden was. De computer met de codenaam Echelon, die mondiale accenten kon herkennen, weigerde een duidelijke bron van die stem aan te wijzen.

Tracker vroeg zoals gebruikelijk allereerst informatie aan twintig geheime diensten in het buitenland die betrokken waren bij de strijd tegen het jihadisme, te beginnen met de Britten. Vooral de Britten. Zij hadden Pakistan ooit geregeerd en hadden daar nog altijd goede contacten. Hun SIS, de Secret Intelligence Service, was groot in Islamabad en had een uitstekende band met de zelfs nog grotere CIA.

Ten tweede bestelde Tracker de complete bibliotheek van de online preken van de Prediker op de Jihadi-website. Het zou uren kosten om alle online preken te beluisteren die de Prediker in bijna twee jaar had gehouden.

De boodschap van de Prediker was eenvoudig en misschien was dat wel de reden voor het succes van de radicale bekering tot zijn eigen ultrajihadisme. Om een goede moslim te zijn, zei hij in de camera, moest je waarachtig en veel houden van Allah – moge Zijn naam worden geprezen – en van Zijn Profeet Mohammed – moge Hij rusten in vrede. Maar woorden alleen waren niet genoeg, want de Ware Gelovige zou zijn liefde in actie willen omzetten. Deze actie kon alleen maar zijn het straffen van diegenen die oorlog voerden tegen Allah en Zijn mensen, de wereldwijde islamitische *umma*. De allerergste vertegenwoordigers hiervan waren de Grote Satan, de VS, en de Kleine Satan, het Verenigd Koninkrijk. Straf voor wat ze hadden gedaan en nog elke dag deden was hun verdiende loon, en het toedienen van die straf een heilige prijs.

De Prediker riep zijn kijkers en luisteraars op anderen niet in vertrouwen te nemen, ook niet diegenen die dezelfde overtuigingen leken te hebben. Want zelfs in de moskee zouden er verraders zijn die bereid waren de Ware Gelovige te verraden voor het goud van de kuffar.

De Ware Gelovige moest zich dus bekeren tot de Ware Islam in de privacy van zijn eigen geest en mocht niemand in vertrouwen nemen. Hij moest in zijn eentje bidden en luisteren naar de Prediker die hem de Juiste Weg zou wijzen. Die weg hield in dat iedere bekeerling één slag zou toedienen aan de ongelovigen.

De Prediker waarschuwde tegen het beramen van ingewikkelde plannen waarbij onbekende chemicaliën en veel bondgenoten nodig waren, want dan was de kans groot dat iemand zag dat ze de componenten voor een bom kochten of bewaarden, of een van de samenzweerders zou verraad plegen. De gevangenissen van de ongelovigen zaten vol broeders die waren afgeluisterd, gezien, bespioneerd of verraden door diegenen die ze dachten te kunnen vertrouwen.

De boodschap van de Prediker was even eenvoudig als dodelijk: iedere Ware Gelovige moest één bekende kafir in de samenleving waar hij woonde uitzoeken en naar de hel sturen, terwijl hijzelf, gezegend door Allah, zou sterven in de stellige wetenschap dat hij een eeuwige plaats in het paradijs zou verwerven.

Het was een uitbreiding van Al-Awlaki's 'Doe het gewoon'-filosofie, maar beter geformuleerd en overtuigender gebracht. Zijn recept van absolute eenvoud maakte het gemakkelijker om in je eentje een besluit te nemen en in actie te komen. En uit het alsmaar groeiende aantal onverwachte moordaanslagen in de twee doellanden bleek wel dat zelfs wanneer zijn boodschap slechts één procent van de jonge moslims zou bereiken, dit nog altijd een leger van duizenden jonge mannen betekende.

Tracker keek naar de reacties van een Amerikaanse of Britse dienst, maar niemand had in de islamitische landen ooit een verwijzing naar een 'Prediker' gehoord. Het Westen had hem deze naam gegeven, bij gebrek aan een andere. Maar hij moest ergens vandaan komen, wonen, zijn uitzendingen verzorgen, en hij moest een naam hebben.

De antwoorden, dacht Kit, zouden te vinden zijn in cyberspace. Maar de bijna geniale computerexperts van Fort Meade hadden niets kunnen vinden. Wie deze preken ook online zette, zorgde ervoor dat ze niet op te sporen waren door net te doen alsof ze elke keer vanuit een ander land werden uitgezonden en ze vervolgens nog eens de hele wereld over te sturen, zodat ze van wel honderd verschillende locaties konden komen – die echter allemaal onjuist bleken.

Tracker weigerde pertinent om iemand, hoe goed gescreend ook, mee te nemen naar zijn schuilplaats in het bos. De obsessie met geheimhouding van de hele unit had ook hem in zijn greep. Bovendien vond hij het niet prettig om naar andere kantoren in Washington te gaan, hij gaf er de voorkeur aan om alleen te worden gezien door degene met wie hij wilde praten. Hij wist dat hij de reputatie kreeg dat hij onconventioneel handelde. Hij had een voorkeur voor wegrestaurants: gezichtloos en anoniem, zowel het restaurant als de klanten. Hij ontmoette het computergenie van Fort Meade in zo'n wegrestaurant aan Baltimore Road. De beide mannen zaten aan een tafeltje en roerden in hun onsmakelijke koffie. Ze kenden elkaar van eerdere onderzoeken. De man die tegenover Tracker zat, was volgens zeggen de beste computerdetective bij de National Security Agency – een reputatie om trots op te zijn.

'Dus waarom kun je hem niet vinden?' vroeg Tracker.

De man van de NSA keek naar zijn koffie en schudde zijn hoofd toen de serveerster verwachtingsvol met de koffiekan naar hen toe kwam, klaar om hun kopjes bij te vullen. Ze liep weer weg. Iedereen die naar hun zitje keek, zou twee mannen zien van middelbare leeftijd; de ene man was fit en gespierd, de andere man had een bleke huid door een kantoor zonder ramen en begon al dik te worden. 'Omdat hij griezelig slim is,' zei hij ten slotte. Hij had er de pest aan als hij werd overtroefd.

‘Vertel eens,’ zei Tracker. ‘In eenvoudige bewoordingen, als je kunt.’

‘Hij neemt zijn preken waarschijnlijk op met een digitale camcorder of een laptop. Niets bijzonders. Hij plaatst ze op een website die Hejira heet. Dat was de vlucht van Mohammed van Mekka naar Medina.’

Tracker vertrok geen spier. Niemand hoefde hem iets over de islam te vertellen. ‘Kun je Hejira traceren?’

‘Niet nodig. Het is niet meer dan een drager. Hij heeft hem gekocht van een obscuur bedrijfje in Delhi, dat nu niet meer bestaat. Zodra hij een nieuwe preek wereldkundig wil maken, zet hij die op Hejira, maar hij houdt de exacte geolocatie geheim door die van het ene land naar het andere te sturen, de hele wereld rond, via honderd andere computers van eigenaren die zich totaal niet bewust zijn van de rol die ze spelen. Uiteindelijk kan de preek overal vandaan komen.’

‘Hoe voorkomt hij dat de hele route terug kan worden gevolgd?’

‘Door een proxyserver waarmee hij een vals IP, een internetprotocol, creëert. Je IP is net als je huisadres met een postcode. En in de proxyserver heeft hij een malware of een botnet gestopt, zodat zijn preek in de hele wereld te ontvangen is.’

‘Leg uit.’

De man van de NSA slaakte een zucht. Hij praatte altijd in cyberjargon met collega’s die precies begrepen waar hij het over had. ‘Malware. “Mal” van slecht, in dit geval een virus. “Bot” is de afkorting van robot, die doet wat je vraagt zonder vragen te stellen of te verraden voor wie hij werkt.’

Tracker dacht hierover na. ‘Dus de machtige NSA is echt verslagen?’

Het computergenie van de regering was niet blij met deze conclusie, maar hij knikte. ‘We blijven het natuurlijk proberen.’

‘De klok tikt door. Ik moet het misschien elders proberen.’

‘Ga je gang.’

‘Laat me je dit vragen, en word alsjeblieft niet boos. Stel je voor dat jij de Prediker was. Wie zou je dan absoluut niet achter je aan willen hebben? Over wie zou je je écht zorgen maken?’

‘Over iemand die beter is dan ik.’

‘Is er zo iemand?’

De man van de NSA slaakte weer een zucht. ‘Waarschijnlijk wel. Ergens. Iemand van de nieuwe generatie, denk ik. Vroeg of laat worden de oudgedienden voorbijgestreefd door een jonge baardloze knul.’

‘Ken je baardloze knullen? Eén bepaalde baardloze knul?’

'Luister, ik heb hem nog nooit ontmoet, maar tijdens een seminar op een handelsbeurs had iemand het over een jonge vent hier in Virginia. Mijn informant zei dat hij niet bij die beurs was, omdat hij nog bij zijn ouders woont en hun huis nooit uit komt. Hij is heel eigenaardig, één bonk zenuwen, zegt bijna nooit iets. Maar hij vliegt als een jachtvlieger zodra hij zijn eigen wereld binnenstapt.'

'En dat is?'

'Cyberspace.'

'Heb je een naam? Of een adres?'

'Ik dacht al dat je dat zou vragen.' De man van de NSA haalde een strookje papier uit zijn zak en gaf dat aan Tracker. Daarna stond hij op. 'Geef mij niet de schuld als hij je niet kan helpen. Het was maar een gerucht, een inside roddel tussen ons mafkezen.'

Nadat hij was vertrokken, at Tracker een paar muffins, dronk zijn koffie op en vertrok. Op de parkeerplaats keek hij naar het papiertje. Roger Kendrick, met een adres in Centreville, Virginia, een van de ontelbare stadjes die in de afgelopen twintig jaar uit de grond waren gestampt en sinds 11 september 2001 door forensen werden bevolkt.

Iedere speurder, iedere rechercheur, waar en op wie hij ook jaagt, heeft één doorbraak nodig. Eentje maar. Kit Carson zou geluk hebben: hij zou twee doorbraken krijgen.

De ene doorbraak zou afkomstig zijn van een eigenaardige tienerjongen die te bang was om de zolderkamer in het huis van zijn ouders in Centreville, Virginia, te verlaten. De andere zou afkomstig zijn van een oude Afghaanse boer die door reuma werd gedwongen zijn geweer neer te leggen en de bergen uit te komen.

3

Zo ongeveer het enige bijzondere of dappere dat luitenant-kolonel Musharraf Ali Shah van het reguliere Pakistaanse leger ooit had gedaan, was trouwen. En dan ging het niet om het feit dát hij trouwde, maar met wíé hij trouwde.

Luitenant Ali Shah ging in 1976, hij was toen eenentwintig, bij de pantserinfanterie. In 1979 was hij vijfentwintig en single, en was hij kort gestationeerd bij de Siachen Gletsjer, een deprimerend en woest gebied in het uiterste noorden van zijn land, tegen de grens met Pakistans aartsvijand India. Later, van 1984 tot 1999, zou er in de Siachen een niet erg felle maar voortwoekerende grensoorlog worden gevoerd, maar in die tijd was het er alleen maar koud en somber, kortom: een vervelende stationering.

Luitenant Ali Shah was net als de meeste Pakistanen een Punjabi en hij ging er net als zijn ouders van uit dat hij een 'goed' huwelijk zou sluiten, misschien wel met de dochter van een hogere officier die hem kon helpen met zijn carrière, of met de dochter van een rijke handelaar die hem kon helpen zijn banksaldo te verhogen.

Hij zou van geluk mogen spreken als hij een van deze twee zaken voor elkaar kreeg, want hij was niet bepaald een opwindende man. Hij was zo iemand die elke opdracht tot de letter uitvoerde, hij was conventioneel, orthodox en fantasieloos. Maar in die woeste bergen ontmoette hij en werd hij verliefd op Soraya, een ongelofelijk knap meisje. Zonder de toestemming of zegen van zijn familie trouwde hij met haar.

Haar eigen familie was blij, omdat ze dachten dat een verbond met een officier van het reguliere leger meer grandeur zou betekenen, misschien een grote woning in Rawalpindi of zelfs in Islamabad. Maar helaas, Musharraf Ali Shah was een ploeteraar en zou in de loop van dertig jaar met veel geploeter de rang van luitenant-kolonel bereiken, en daar zou het bij blijven. In 1980 kregen ze een zoon, Zulfiqar.

Na zijn eerste standplaats op de Siachen, wat als een zware post werd beschouwd, keerde hij terug naar zijn hoogzwangere vrouw en werd hij bevorderd tot kapitein. Hij kreeg een bijzonder eenvoudige woning toegewezen op het officiersterrein in Rawalpindi, de militaire basis een paar kilometer buiten de hoofdstad Islamabad.

Verder deed hij niets bijzonders. Net zoals iedere officier in het Pakistaanse leger werd hij elke twee tot drie jaar overgeplaatst, afwisselend naar een 'zware' en een 'gemakkelijke' standplaats. Een stationering in een stad als Rawalpindi, Lahore of Karachi werd beschouwd als gemakkelijk en 'bij familie'. Wanneer je werd gestationeerd in de garnizoensplaats Multan, of Kharian, of Peshawar in het smalle deel van de Khyber Pas naar Afghanistan, of naar de Swatvallei die vergeven is van de taliban, werd dat beschouwd als hard en alleen geschikt voor ongebonden officieren. Tijdens al deze posten ging zijn zoon Zulfiqar naar school.

In elke Pakistaanse garnizoensstad zijn scholen voor de kinderen van officieren, maar er zijn drie soorten: de minst goede zijn de regeringsscholen, een beetje beter zijn de legerscholen en de allerbeste zijn de privéscholen. De Ali Shahs hadden naast zijn bescheiden salaris geen geld, zodat Zulfiqar naar de legerscholen ging. Die hebben de naam dat ze bijzonder goed worden geleid; bovendien nemen ze veel officiersvrouwen aan als docent en zijn ze gratis.

Toen de jongen vijftien was, ging hij naar de militaire universiteit en studeerde hij, in opdracht van zijn vader, techniek. Met deze vaardigheden zou hij gegarandeerd een aanstelling en/of een baan krijgen in het leger. Dat was in 1996. In zijn derde studiejaar merkten zijn ouders dat hij sterk veranderde.

Ali Shah, inmiddels majoor, was uiteraard een praktiserende moslim, maar niet heel erg vroom. Het zou ondenkbaar zijn geweest dat hij niet elke vrijdag naar de moskee ging of niet meedeed aan alle verplichte rituele gebeden, maar daar hield het ook mee op. Om prestigieuze redenen droeg hij meestal een uniform, maar wanneer hij burgerkleding moest dragen, droeg hij de nationale kleding voor mannen: de lange broek en de lange jas met knopen aan de voorzijde die samen de salwar kameez vormen. Het viel hem op dat zijn zoon een warrige baard liet staan en het versierde petje van de gelovigen droeg.

Zijn zoon viel de verplichte vijf keer per dag op zijn knieën en liet, wanneer hij zag dat zijn vader een glas whisky dronk – de sterkedrank van de officieren – zijn afkeuring blijken door de kamer uit te stormen. Zijn ouders dachten dat zijn vroomheid en sterke gelovigheid tijdelijk waren, maar hij verdiepte zich in schriftelijke verhandelingen over Kasjmir, het betwiste grensgebied dat al sinds 1947 de relatie tussen Pakistan en India vergiftigt en neigde naar het gewelddadige extremisme van Lashkar-e-Taiba, de terroristische groepering die later verantwoordelijk zou zijn voor de aanslag in Mumbai.

Zijn vader troostte zichzelf met de gedachte dat zijn zoon over een jaar zou afstuderen en daarna in het leger zou gaan of een goede baan zou krijgen als gekwalificeerd technicus, waar in Pakistan altijd behoefte aan is. Maar in de zomer van 2000 zakte zijn zoon voor zijn eindexamens, een ramp die volgens zijn vader was veroorzaakt doordat hij niet had gestudeerd. In plaats daarvan had hij zich met de Koran beziggehouden en Arabisch geleerd; de enige taal waarin de Koran mag worden bestudeerd.

Deze gebeurtenis was aanleiding voor de eerste van een hele serie ruzies tussen vader en zoon. Majoor Ali Shah maakte gebruik van zijn connecties en beweerde dat zijn zoon ziek was geweest en daarom dus recht had op herexamens.

Maar toen kwam 9/11, 11 september 2001. Net als zo ongeveer iedereen op de hele wereld die een televisie bezat, keek het gezin vol afschuw naar de vliegtuigen die de Twin Towers binnenvlogen, behalve zoon Zulfiqar. Hij verheugde zich over deze gebeurtenis en juichte luidkeels, elke keer dat de televisie de beelden herhaalde. Op dat moment realiseerden zijn ouders zich dat hun zoon – door zijn extreem religieuze toewijding, door het constante lezen van teksten van de jihadistische propagandist Sayyid Qutb en zijn volgeling Azzam, en door zijn afkeer van India – een haat had ontwikkeld jegens Amerika en het Westen.

Die winter viel de VS Afghanistan binnen en nog geen zes weken later had de Noordelijke Alliantie, met flinke steun van de US Special Forces en de Amerikaanse luchtmacht, de talibanregering omvergeworpen. Terwijl de gast van de taliban, Osama bin Laden, uit Pakistan vluchtte, stak de eenogige leider van de taliban Mullah Omar de Pakistaanse grens over naar de provincie Baluchistan en vestigde zich met zijn hoge raad, de Shura, in de stad Quetta.

Voor Pakistan was dit zeker geen theoretisch probleem. Het Pakistaanse leger en alle gewapende strijdkrachten staan feitelijk onder leiding van de ISI, de Inter-Services Intelligence. Iedereen die in Pakistan een uniform draagt, heeft groot ontzag voor de ISI. En de ISI had in eerste instantie de taliban gecreëerd.

Sterker nog, een ongewoon hoog percentage ISI-officieren was lid van de extremistische vleugel van de islam en niet van plan om hun creatie de taliban of hun Al Qaida-gasten te loyaal aan de VS te laten worden, ook al moesten ze wel net doen alsof. En dat was het begin van de etterende wond die sindsdien de Amerikaans-Pakistaanse betrekkingen heeft bemoeilijkt. De hogere ISI-officieren wisten niet alleen dat Bin Laden zich in die ommuurde compound in Abbotabad bevond, maar die hadden ze zelfs voor hem gebouwd.

In het vroege voorjaar van 2002 ging een hoge ISI-delegatie naar Quetta voor een bespreking met Mullah Omar en zijn Quetta Shura. Normaal gesproken zouden ze de eenvoudige majoor Ali Shah nooit hebben gevraagd hen te vergezellen, maar ze hadden een belangrijke reden dit wel te doen. De twee hoge ISI-generaals spraken geen Pasjtoe en de Mullah en zijn Pasjtoen-volgelingen spraken geen Urdu. Majoor Ali Shah sprak ook geen Pasjtoe, maar zijn zoon wel.

Dat kwam doordat de echtgenote van de majoor een Pathaan was, afkomstig uit de woeste bergen in het noorden, en dus Pasjtoe sprak. Daardoor sprak haar zoon beide talen vloeiend. Hij vergezelde de delegatie en was bijzonder onder de indruk van deze eer. Toen hij weer terug was in Islamabad had hij de laatste felle ruzie met zijn uiterst conventionele vader, die met een kaarsrechte rug voor het raam naar buiten stond te kijken. Zijn zoon stormde naar buiten en zijn ouders hebben hem daarna nooit meer teruggezien.

De man die Kendrick senior zag toen hij zijn voordeur opende, droeg een uniform. Geen gala-uniform, maar een keurig geperst camouflagepak met schouder- en kraaginsignes en onderscheidingstekens. Daaruit maakte hij op dat zijn bezoeker een kolonel van het US Marine Corps was. Hij was onder de indruk.

Dat was ook de bedoeling. Sinds Tracker bij TOSA werkte droeg hij nog maar zelden een uniform omdat hij daardoor de aandacht op zich vestigde, terwijl hij dat in zijn nieuwe werkomgeving juist ten koste van alles wilde vermijden. Jimmy Kendrick werkte als conciërge bij een plaatselijke school; hij onderhield de centrale verwarming en veegde de gangen. Hij was er niet aan gewend dat er een kolonel van het US Marine Corps bij hem voor de deur stond. Het was dus niet vreemd dat hij onder de indruk was.

'Meneer Kendrick?'

'Ja.'

'Overste Jackson. Is Roger thuis?' James Jackson was een van zijn vele schuilnamen.

Natuurlijk was Roger thuis. Hij verliet zijn huis nooit. Jimmy Kendricks enige zoon was een diepe teleurstelling voor hem. De jongen leed aan acute pleinvrees en was doodsbang om de vertrouwde omgeving van zijn zolderkamer en zijn moeders gezelschap te verlaten.

'Jazeker, hij is boven.'

'Zou ik misschien even met hem mogen praten?'

De vader liep voor de geüniformeerde marinier uit naar boven. Het was geen grote woning: twee kamers beneden, twee kamers boven, en daar weer boven een zolder die via een aluminium ladder bereikbaar was. De vader riep naar het zoldergat: 'Roger, er is iemand voor je! Kom naar beneden!'

Ze hoorden geschuifel en even later verscheen er een gezicht in het gat boven de ladder. Het was een bleek gezicht, als van een nachtdier dat alleen aan de schemering was gewend. Hij was jong, kwetsbaar, ongerust, een jaar of achttien, negentien en nerveus. Hij maakte geen oogcontact en het leek wel alsof zijn blik gericht was op de vloerbedekking op de overloop tussen de twee mannen in.

'Hallo, Roger. Ik ben James Jackson. Ik heb je advies nodig. Kunnen we even met elkaar praten?'

De jongen dacht hier serieus over na. Hij leek niet nieuwsgierig, maar keek naar de onbekende bezoeker en dacht na over zijn verzoek. 'Oké,' zei hij. 'Wilt u boven komen?'

'Daar is het te klein,' zei de vader zacht. Op luidere toon zei hij: 'Kom naar beneden, jongen.' En tegen Tracker: 'Jullie kunnen beter in zijn slaapkamer met elkaar praten. Hij vindt het niet prettig om naar de woonkamer te komen, tenzij zijn moeder er is. Zij werkt als caissière bij de kruidenierswinkel.'

Roger Kendrick kwam naar beneden en liep naar zijn slaapkamer. Hij ging op de rand van het eenpersoonsbed zitten, met zijn blik op de vloer gericht. Tracker ging op de rechte stoel zitten. Behalve die stoel stonden er alleen nog een kledingkast en een ladekast. Het echte leven van de jongen speelde zich af op de zolder.

Tracker keek naar de vader die zijn schouders ophaalde.

'Syndroom van Asperger,' zei hij hulpeloos. Het was hem aan te zien dat hij dat vreselijk vond. Andere mannen hadden zonen die afspraakjes maakten met meisjes en voor automonteur leerden.

Tracker knikte. Hij begreep het.

'Betty komt zo thuis,' zei de vader. 'Zij zal dan wel koffiezetten.' Daarna vertrok hij.

De man van Fort Meade had het woord 'eigenaardig' gebruikt, maar er niet bij verteld hóé eigenaardig. Voordat Tracker hiernaartoe was gegaan, had hij informatie opgezocht over het syndroom van Asperger en over pleinvrees, de angst voor open ruimtes. Net als het downsyndroom en hersenverlamming kon deze afwijking variëren van mild tot ernstig.

Nadat Tracker een paar minuten in algemene bewoordingen met Roger Kendrick had gepraat, was het hem duidelijk geworden dat hij de jongen niet als een kind hoefde te behandelen.

Roger was ontzettend verlegen in een persoonlijk gesprek, wat nog eens werd versterkt door zijn angst voor de wereld buiten zijn huis. Maar Tracker verwachtte dat hij, zodra hij een voor de jongen vertrouwd onderwerp zou aansnijden – cyberspace – een totaal ander mens zou zien. En hij had gelijk.

Hij begon over de zaak van de Britse hacker Gary McKinnon. Toen de Amerikaanse regering hem voor de rechter wilde slepen, hield Londen vol dat hij te zwak was om te reizen en al helemaal te zwak was om naar de gevangenis te gaan. Maar hij was het heiligste van het heilige van de NASA en het Pentagon binnengedrongen, dwars door enkele van de ingewikkeldste firewalls gegaan die ooit waren ontworpen – als een mes door de boter.

'Roger, er is een man die zich ergens in cyberspace verstopt. Hij haat ons land. Hij wordt de Prediker genoemd. Hij houdt online preken, in het Engels. Hij vraagt mensen om zijn denkwijze over te nemen en Amerikanen te doden. Het is mijn werk om hem op te sporen en hem tegen te houden. Maar dat kan ik niet. Op dat gebied is hij slimmer dan ik ben. Hij denkt dat hij het slimste computergenie in cyberspace is.' Hij zag dat de jongen niet meer zat te wiebelen.

Nu pas keek Roger op en maakte hij oogcontact. Hij overwoog een terugkeer naar de enige wereld waar een wrede Natuur hem ooit toe had veroordeeld.

Tracker opende een zakje, haalde er een geheugenstick uit en gaf hem aan Roger. 'Hij verzorgt uitzendingen, Roger, maar hij houdt zijn

IP-adres strikt geheim, zodat niemand weet waar hij is. Als we dat wisten, zouden we hem kunnen tegenhouden.'

De tiener speelde met de geheugenstick.

'En ik ben hier, Roger, om jou te vragen of je ons wilt helpen hem op te sporen.'

'Dat kan ik wel proberen,' zei de tiener.

'Vertel eens, Roger, wat voor apparatuur heb je hier op je zolder?'

Dat vertelde de jongen hem. Het was zeker niet het slechtste wat te koop was, maar het was ook niets bijzonders.

'Als iemand het je zou vragen, welke apparatuur zou je dan echt graag willen hebben? Wat zou je het allerliefste willen hebben, Roger?'

De jongen kwam tot leven. Zijn gezicht straalde van enthousiasme. Weer maakte hij oogcontact. 'Wat ik heel graag zou willen hebben, is een dual six-core processor met 32 GB RAM-geheugen, op een Red Hat Enterprise Linux-distributieversie, zes of hoger.'

Tracker hoefde geen aantekeningen te maken, want het minuscule microfoontje in zijn medaillelint nam alles op. Dat was maar goed ook, omdat hij geen idee had waar deze knaap het over had. Maar de nerds wel. 'Ik zal zien wat ik kan doen,' zei hij en stond op. 'Kijk hier eens naar. Misschien kun je het niet kraken. Maar alvast bedankt dat je het wilt proberen.'

Twee dagen later stopte een bestelbusje met drie mannen en bijzonder kostbare cyber-apparatuur erin bij deze eenvoudige woning in Centreville. Ze kropen net zo lang over de zolder tot ze alles hadden geïnstalleerd. Daarna lieten ze een bijzonder kwetsbare jongen van negentien achter, die naar een beeldscherm keek en het gevoel had dat hij in de hemel was beland. Hij bekeek een stuk of tien preken op de Jihadi-website en begon te typen.

De moordenaar zat voorovergebogen op zijn geparkeerde scooter; hij deed net alsof hij aan de motor prutste toen de senator zijn huis verliet, zijn golfclubs in de kofferbak gooide en achter het stuur ging zitten. Het was een prachtige zomerochtend, iets na zeven uur. Hij zag de man op de scooter achter hem niet.

De moordenaar hoefde niet heel dicht achter hem aan te rijden, omdat hij deze rit al twee keer had gemaakt. Toen had hij andere kleding gedragen: een spijkerbroek en een jasje met een capuchon; heel onopvallend. Hij reed acht kilometer lang achter de auto van de senator aan door Virginia Beach naar de golfbaan. Hij zag dat de senator de auto parkeerde, zijn golfclubs tevoorschijn haalde en het clubhuis binnenliep.

De moordenaar reed de ingang van het clubhuis voorbij, sloeg links af Linkhorn Drive in en verdween in het bos. Tweehonderd meter verderop sloeg hij weer links af, Willow Drive in. Een auto kwam hem tegemoet, maar de bestuurder lette niet op hem, ondanks zijn kleding. Hij was van top tot teen gekleed in een spierwitte dishdasha met een gehaakt wit mutsje op zijn kaalgeschoren hoofd. Hij reed langs verschillende woningen aan de Willow Drive en kwam het bos weer uit op het punt waar de afslag van de vijfde hole, die de Cascade heette, Willow Drive kruiste. Daar verliet hij de weg en vervolgens verstopte hij zijn scooter in het hoge kreupelhout naast de fairway van de vierde hole, die Bald Cypress werd genoemd.

Bij de andere holes waren al een paar golfers, maar zij waren verdiept in hun spel en letten niet op hem. De in het wit geklede jongeman liep rustig over de Bald Cypress-fairway tot vlak bij de brug over de beek. Daar ging hij tussen de struiken staan, zodat niemand hem kon zien, en wachtte. Hij wist van eerdere observaties dat iedereen die een ronde speelde, altijd bij de vierde fairway kwam en de brug over moest.

Nadat er een halfuur was verstreken, hadden twee paren Bald Cypress afgerond en waren naar de Cascade-tee gelopen. Verborgen in de struiken liet hij hen voorbijgaan. Opeens zag hij de senator. De man golfde met iemand van zijn eigen leeftijd. In het clubhuis had de senator een groen windjack aangetrokken, net als zijn metgezel.

Toen de twee oudere mannen op de brug liepen, kwam de jongeman tevoorschijn. De beide golfers liepen gewoon door en keken hem ondertussen belangstellend aan. Dat kwam door zijn kleding, en misschien ook wel door zijn rustige en vastberaden gedrag. Hij liep naar de Amerikanen toe tot een van hen, ongeveer tien passen bij hem vandaan, vroeg: 'Kan ik je misschien helpen, jongen?'

Op dat moment haalde hij zijn rechterhand uit zijn dishdasha en stak hem naar voren, alsof hij hun iets aanbood. Dit 'iets' was een pistool. Geen van beide golfers kon protesteren voordat hij schoot. Een beetje in de war door hun identieke honkbalpetjes en groene windjacks schoot hij van heel dichtbij twee keer op iedere man.

Eén kogel miste totaal en zou nooit worden gevonden. Twee kogels raakten de senator in de borst en keel, en doodden hem onmiddellijk. De vierde kogel raakte de andere golfer midden in zijn borst. De beide mannen vielen op de grond, vlak na elkaar. De schutter keek omhoog naar de blauwe ochtendlucht, mompelde 'Allahoe akbar', stopte de loop van het pistool in zijn mond en haalde de trekker over.

De vier andere golfers verlieten de green van de vierde hole, Bald Cypress. Zij zouden later zeggen dat ze zich allemaal omdraaiden toen ze de schoten hoorden en nog net zagen dat het bloed uit het hoofd van de zelfmoordenaar spoot, die vervolgens op de grond viel. Twee golfers renden ernaartoe. Een derde sprong op zijn elektrische golfkarretje, keerde en reed zo snel hij kon naar de plaats van de dubbele moord. De vierde golfer bleef een paar seconden met open mond staan kijken, haalde zijn mobieltje tevoorschijn en belde 911.

Zijn telefoontje werd beantwoord door het Communicatiecentrum achter het hoofdbureau van politie aan Princess Anne Road. De dienstdoende telefonist nam de basale informatie op en gaf dit door aan het hoofdbureau van politie en de ambulancedienst. Beide waren bemand door ervaren personeel uit de stad die wisten waar de Anne Golf Club was.

De eerste die ter plaatse was, was een patrouillewagen van de politie die toevallig net door 54th Street reed. Vanaf Linkhorn Drive zagen de agenten de groeiende menigte op de vierde fairway en reden gewoon over de heilige aarde naar de plaats delict. Dienstdoend rechercheur Ray Hall van het hoofdbureau van politie arriveerde tien minuten later en nam de leiding op zich. De geüniformeerde agenten hadden de plaats delict al afgezet toen de ambulance arriveerde die bij het Pinehurst Centre aan Viking Drive vandaan kwam, vijf kilometer verderop.

Rechercheur Hall had geconstateerd dat twee van de mannen morsdood waren. De senator, die hij herkende van zowel zijn foto die af en toe in de kranten verscheen als een prijsuitreikingsceremonie bij de politie een halfjaar eerder. De jongeman met de warrige baard, die door de vier golfers als de moordenaar werd aangewezen, was ook dood. Hij lag zes meter van zijn slachtoffers vandaan en had zijn pistool nog in zijn hand. De tweede golfer bleek zwaargewond, hij had één schotwond in de borst, maar ademde nog wel.

De rechercheur stapte achteruit zodat het ambulancepersoneel zijn werk kon doen. Het waren er drie, en een chauffeur. Ze zagen meteen dat slechts een van de drie lichamen op het nog steeds bedauwde gras hun aandacht nodig had. De andere twee konden wachten tot ze naar het mortuarium werden gebracht, want er was geen enkele reden om tijd te verspillen met reanimatiepogingen, zoals bij een verdrinking of een vergassing. Dit was wat het ambulancepersoneel een 'inladen en vertrekken' noemde.

Ze hadden een ALS bij zich – een advanced life-support system – en stabiliseerden de gewonde man voor de vijf kilometer lange rit naar het Virginia Beach General. Daarna schoven ze de gewonde man in de ambulance en scheurden weg, met gillende sirene.

Nog geen vijf minuten later waren ze bij First Colonial Road. Zo vroeg op de ochtend was het nog niet druk op de weg en omdat het weekend was, waren er geen forensen. De sirene joeg de enkele voertuigen opzij, zodat de chauffeur de hele tijd plankgas kon rijden. Achterin probeerden twee van de ambulancebroeders de bijna dode man te stabiliseren, terwijl de derde alle details die ze konden ontdekken via de radio doorgaf aan het ziekenhuis.

Bij de ambulance-ingang van de spoedpoli verzamelde zich een traumateam. In het ziekenhuis werd een operatiekamer in gereedheid gebracht en was een operatieteam zich aan het wassen. Vaatchirurg Alex McCrae verliet de eetzaal halverwege zijn ontbijt en liep naar de Spoedeisende Hulp.

Op de fairway van de vierde hole bleef rechercheur Hall achter met twee lijken, een grote groep geschokte inwoners van Virginia Beach en een heleboel vragen. Terwijl zijn partner Lindy Mills namen en adressen noteerde, wist hij twee dingen zeker.

Ten eerste waren alle ooggetuigen ervan overtuigd dat er maar één moordenaar was geweest en dat deze meteen na de dubbele moord zelfmoord had gepleegd. Het leek niet nodig op zoek te gaan naar een handlanger. In de struiken, een eindje bij de fairway vandaan, was een scooter gevonden.

Ten tweede waren alle ooggetuigen verstandige, volwassen en evenwichtige mensen, zodat de kans groot was dat ze een goede en betrouwbare getuigenverklaring hadden afgelegd. Op dat punt begonnen dus de vragen en de eerste was: wat was er zojuist in vredesnaam gebeurd en waarom?

Wat het ook was, zoiets was nog nooit eerder gebeurd in het rustige, bezadigde, gezagsgetrouwe Virginia Beach. Wie was de moordenaar en wie was de man die nu voor zijn leven vocht?

Rechercheur Hall begon met de tweede vraag. Wie de gewonde man ook was, hij had zeer waarschijnlijk ergens een huis, misschien zelfs een vrouw en kinderen die op hem wachtten of een ander familielid. Als hij afging op wat hij van die borstwond had gezien, zou de aanwezigheid van dat familielid tegen de avond dringend noodzakelijk zijn.

Niemand buiten de politietape leek te weten wie de golfpartner van de senator was. Zijn portemonnee en portefeuille waren, tenzij ze nog in het clubhuis lagen, met de ambulance meegegaan. Hij gaf Lindy Mills en de twee geüniformeerde agenten opdracht door te gaan met het noteren van de namen van alle aanwezigen.

Daarna vroeg en kreeg Ray Hall een lift op een golfkarretje naar het clubhuis. Daar loste een lijkbleke golfpro alvast een van zijn problemen op. De partner van de dode senator was een gepensioneerde generaal geweest. Hij was weduwnaar en woonde alleen in een omheind bejaardencomplex een paar kilometer verderop. Dankzij de ledenlijst was zijn adres een paar seconden later al bekend.

Hall belde Lindy. Hij zei dat een van de geüniformeerde agenten bij haar moest blijven en dat de andere hem met de patrouillewagen moest ophalen.

Tijdens de rit overlegde de rechercheur via de politieradio met zijn baas. Het hoofdbureau zou het contact onderhouden met de pers, die nu al met een heleboel vragen was gekomen waarop nog niemand een antwoord had. Het hoofdbureau zou ook de weduwe van de senator op de hoogte stellen, voordat ze dit nieuws via de radio te horen kreeg.

Hem werd verteld dat de twee doden op dit moment met een lijkwagen naar het mortuarium van het ziekenhuis werden gebracht, waar de schouwarts al klaarstond.

'Geef de moordenaar alstublieft prioriteit, baas,' zei Hall in de microfoon. 'Die kleren van hem leken op de kledij van een moslimfundamentalist. Hij werkte alleen, maar misschien zijn er op de achtergrond meer mensen bij betrokken. We moeten weten wie hij was en of hij een eenling was of lid van een groep.'

Hij was onderweg naar het huis van de generaal, maar wilde dat ondertussen de vingerafdrukken van de moordenaar werden genomen en door het Automated Fingerprint Identification System, AFIS – het automatische vingerafdrukidentificatiesysteem – werden gehaald. Bovendien moest iemand de scooter natrekken bij het Bureau Kentekenbewijzen van de staat Virginia. Ja, hij wist dat het weekend was en er dus mensen moesten worden opgespoord en aan het werk gezet. Vervolgens verbrak hij de verbinding.

Bij het omheinde bejaardencomplex bleek algauw dat nog niemand wist wat er op de Bald Cypress-fairway was gebeurd. Er stonden een stuk of veertig bejaardenwoningen, met grasvelden, bomen en een meertje in het midden.

De manager woonde ook op het terrein. Hij had laat ontbeten en wilde net zijn grasveld gaan maaien. Hij werd lijkbleek, liet zich moeizaam op een tuinstoel zakken en mompelde wel zes keer 'O mijn god'. Uiteindelijk pakte hij een sleutel van het sleutelbord in zijn eigen hal en nam rechercheur Hall mee naar de bungalow van de generaal.

Deze stond precies midden op een keurig gemaaid gazon van ongeveer duizend vierkante meter met een paar bloeiende planten in stenen bloembakken; smaakvol zonder te arbeidsintensief te zijn. Binnen was het netjes, tiptop, zoals het een man betaamt die gewend is aan orde en discipline. Hall begon aan de vervelende taak van het doorzoeken van andermans privéspullen.

De manager hielp hem zo goed hij kon: de generaal van het US Marine Corps was hier ongeveer vijf jaar geleden komen wonen, kort nadat zijn vrouw aan kanker was overleden.

'Familie?' vroeg Hall. Hij onderzocht het bureau, op zoek naar brieven, verzekeringspolissen, bewijzen dat de man familie had gehad. Het zag ernaar uit dat de generaal het merendeel van zijn privédocumenten bij zijn notaris of bank bewaarde.

De manager belde de beste vriend onder de buren van de gewonde generaal; een gepensioneerde architect die hier samen met zijn vrouw woonde en bij wie de generaal regelmatig ging eten.

De architect beantwoordde het telefoontje en luisterde geschokt en vol afschuw naar het bericht. Hij wilde meteen naar het Virginia Beach General-ziekenhuis rijden, maar rechercheur Hall nam de telefoon over en zei dat dit geen zin had omdat hij de generaal toch niet zou mogen bezoeken. 'Weet u of de generaal familie had?' vroeg hij.

'Er zijn twee dochters en die wonen iets ten westen van hier,' zei de architect, 'en een zoon die bij het US Marine Corps werkt, een luitenant-kolonel,' maar hij had geen idee waar die op dit moment zat.

Hall ging terug naar het hoofdbureau, naar Lindy Mills en zijn eigen auto. En er was nieuws. De scooter was getraceerd en bleek eigendom van een 22-jarige student met een naam die duidelijk Arabisch was of een variant daarop. Hij was Amerikaans staatsburger, afkomstig uit Dearborn, Michigan, en studeerde op dit moment techniek, zo'n vierentwintig kilometer ten zuiden van Norfolk.

Het Bureau Kentekenbewijzen had een foto doorgestuurd: hierop had de man geen warrige, zwarte baard en zijn gezicht was nog intact. Dat gezicht leek totaal niet op wat Ray Hall op het gras van de fairway had gezien, want dat gezicht hoorde bij een hoofd zonder achterkant en was verwoest door de van dichtbij afgeschoten kogel. Maar het zou hem kunnen zijn.

Hall belde naar het hoofdkantoor van het US Marine Corps, gevestigd naast de Arlington Begraafplaats aan de Potomac Rivier in Washington D.C. Hij eiste meteen te worden doorverbonden met een majoor van de afdeling Communicatie. Hij vertelde wie hij was, waar hij vandaan belde en in het kort wat er vijf uur eerder was gebeurd op de Princess Anne-golfbaan. 'Nee,' zei hij, 'ik wil niet wachten tot na het weekend. Het kan me niets schelen wie hij is. Ik moet hem nu spreken, majoor, nú! Het zal een wonder zijn wanneer zijn vader morgen de zon nog ziet opkomen.'

Het bleef lang stil. Eindelijk zei de stem alleen maar: 'Blijf in de buurt van de telefoon, rechercheur. Ik of iemand anders belt u zo terug.'

Het duurde maar vijf minuten. De stem was anders. Een andere majoor, deze keer van de afdeling Personeelszaken. 'De officier met wie u wilt spreken, kan niet worden bereikt,' zei hij.

Hall begon kwaad te worden. 'Tenzij hij zich in de ruimte bevindt of op de bodem van de Marianentrog, kan hij wél worden bereikt. Dat weten we allebei. U hebt het nummer van mijn privémobieltje. Geef dat alstublieft aan hem en zeg tegen hem dat hij me moet bellen, en gauw ook.' Daarna verbrak hij de verbinding. Nu was het Corps aan zet.

Samen met Lindy verliet hij het hoofdbureau en ging naar het ziekenhuis. Als lunch at hij een energiereep en dronk hij water met bubbeltjes. Hoezo gezond eten? Hij sloeg een zijstraat van de First Colonial in met de vreemde naam Will o' the Wisp Drive, en reed achterom naar de ambulance-ingang. Vervolgens liep hij naar het mortuarium waar de schouwarts net klaar was.

Op stalen bladen, onder een laken, lagen twee lichamen. Een assistent wilde hen net naar de koelcel brengen. De schouwarts hield hem tegen en trok één laken opzij. Hall keek naar het gezicht. Nu zaten er schrammen op zijn verwrongen gezicht, maar toch was het de jongeman van de foto van het Bureau Kentekenbewijzen. De warrige zwarte baard stak omhoog, en zijn ogen waren gesloten.

'Weet je al wie hij is?' vroeg de schouwarts.

'Ja.'

'Nou, dan weet je meer dan ik. Maar misschien kan ik je toch verrassen.' De schouwarts trok het laken van hem af. 'Valt je iets op?'

Ray Hall keek lang en aandachtig. 'Hij heeft geen lichaamsbeharing, op zijn baard na dan.'

De schouwarts trok het laken weer over hem heen en gaf zijn assistent met een knikje te kennen dat hij de stalen lade mocht weghalen en naar de koeling mocht brengen.

'Ik heb het nooit eerder met eigen ogen gezien, maar wel beelden ervan. Twee jaar geleden, tijdens een seminar over moslimfundamentalisme. Het is een teken van rituele zuivering, een voorbereiding op de toegang tot Allahs paradijs.'

'Een zelfmoordenaar die een bomaanslag pleegt?'

'Een zelfmoordenaar die een moord pleegt,' zei de schouwarts. 'Dood een belangrijk lid van de Grote Satan en de poorten van het eeuwige paradijs gaan open voor de dienaar die daar doorheen gaat als een shahid, een martelaar. In de VS komt het niet veel voor, maar wel in het Midden-Oosten, Pakistan en Afghanistan. Tijdens dat seminar was daar een lezing over.'

'Maar hij is hier geboren en getogen,' zei rechercheur Hall.

'Nou, iemand heeft hem bekeerd,' zei de schouwarts. 'O ja, jullie Crime Lab heeft zijn vingerafdrukken al genomen. Hij had helemaal niets bij zich, alleen het wapen dat volgens mij al bij de ballistische afdeling is.'

Daarna ging rechercheur Halls naar boven. Dokter Alex McCrae zat in zijn kantoor te genieten van zijn veel te late lunch, een broodje tonijn uit het restaurant.

'Wat wilt u weten, rechercheur?'

'Alles,' zei Hall.

Dat vertelde de chirurg hem.

Meteen nadat de zwaargewonde generaal bij de Spoedeisende Hulp was binnengebracht, had dokter McCrae opdracht gegeven een intraveneus infuus aan te leggen. Daarna controleerde hij de vitale functies: zuurstofsaturatie, pols en bloeddruk. Zijn anesthesist zocht en vond een goede toegang tot het aderstelsel via de halsslagader, plaatste hierin een grote canule en gaf de patiënt een infuus met een fysiologische zoutoplossing gevolgd door twee eenheden resusnegatief bloed. Ten slotte stuurde hij een monster van het bloed van de patiënt naar het lab voor het bepalen van zijn bloedgroep.

Nu dokter McCrae's patiënt voorlopig gestabiliseerd was, moest hij eerst zien uit te zoeken wat er in zijn borstkas aan de hand was. Hij wist natuurlijk dat er een kogel in zat, doordat er wel een ingangs- maar geen uitgangswond te zien was. Hij vroeg zich af of hij een röntgenfoto of een CT-scan zou laten maken en besloot de patiënt niet van de brancard te halen. Hij koos dus voor een röntgenfoto, liet de plaat onder het bewusteloze lichaam schuiven en de foto van bovenaf maken.

Hieruit bleek dat de generaal in een long was geraakt en dat de kogel heel dicht bij de longhilus zat, de 'opening' in het longvlies waar de bronchus, slagaders en aders door het longvlies heen gaan. Nu moest hij een gokje wagen en kiezen uit drie opties.

De eerste optie was een operatie met een cardiopulmonale bypass, maar daardoor zou de long zeer waarschijnlijk nog meer beschadigen.

De tweede optie was een onmiddellijke invasieve operatie om de kogel te verwijderen. Maar ook dat was bijzonder riskant, omdat nog steeds niet bekend was hoeveel schade er was aangericht. Deze operatie zou de patiënt dan ook fataal kunnen worden.

McCrae koos voor de derde optie: hij zou de eerstkomende vierentwintig uur niets doen in de hoop dat hij, ook al hadden de beademing en stabilisatie tot nu toe veel van de oude man gevergd, een gedeeltelijk herstel zou bewerkstelligen door hiermee door te gaan. Daarna was het misschien mogelijk een invasieve operatie uit te voeren met een grotere kans op overleven. Dus werd de generaal naar de intensive care gebracht waar hij, tegen de tijd dat de chirurg en de rechercheur met elkaar spraken, allemaal slangetjes in zijn lichaam had. Een CVC, een centraal veneuze katheter, liep naar één kant van de hals en de intraveneuze katheter naar de andere kant. Een neusbril – zuurstofslangetjes in beide neusgaten – zorgde voor een constante toevoer van zuurstof. Bloeddruk en hartslag waren zichtbaar op een monitor naast het bed. Ten slotte zat er een thoraxdrain onder de linkeroksel tussen de vijfde en zesde rib. De lucht die constant uit de doorboorde long lekte, werd hiermee opgevangen en naar een grote glazen pot geleid die voor een derde deel met water was gevuld. De uitgestoten lucht kwam onder water vrij en borrelde vervolgens naar het wateroppervlak. Daarmee werd voorkomen dat de lucht weer in de borstholte terechtkwam, waardoor de longen zouden dichtklappen en de patiënt zou sterven. Ondertussen zou hij zuurstof blijven inademen via de buisjes in zijn neusgaten.

Nadat Hall te horen had gekregen dat hij écht de komende dagen niet met de generaal zou kunnen praten, vertrok hij. Op de parkeerplaats bij de ambulance-ingang vroeg hij of Lindy wilde rijden. Hij moest een paar telefoontjes plegen.

Eerst belde hij naar het Willoughby College waar de moordenaar, Mohammed Barre, op had gezeten. Hij werd doorverbonden met het hoofd van de administratie. Toen hij vroeg of de heer Barre op Willoughby had gestudeerd, gaf ze dat zonder aarzeling toe. Nadat hij haar had verteld wat er op de Princess Anne-golfbaan was gebeurd, hing er een verbijsterde stilte. De naam van de moordenaar was niet bekendgemaakt aan de pers. Hall zei dat hij over twintig minuten bij de administratie van de universiteit zou zijn. De vrouw moest ervoor zorgen dat alle informatie klaarlag en dat Hall in de kamer van de student kon. Ondertussen mocht ze dit tegen niemand zeggen, ook niet tegen de ouders van deze student in Michigan.

Daarna belde hij met de afdeling Vingerafdrukken. Ja, ze hadden van het mortuarium een perfect stel prints gekregen en die door AFIS gehaald. Er was geen match; de dode student zat niet in het systeem. Wanneer hij een buitenlander was geweest, zou er informatie over hem beschikbaar zijn bij de Immigratiedienst, dankzij zijn visumaanvraag. Maar inmiddels was bekend dat de heer Barre een Amerikaans staatsburger was, van immigrantenouders. Maar waar kwamen ze vandaan? Waren zij overtuigde moslims, of was hij een bekeerde die zijn naam had veranderd?

Het derde telefoontje ging naar de ballistische afdeling. Het pistool was een automatische Glock 17 uit Zwitserland, met een vol magazijn, vijf patronen afgevuurd. Nadat ze de geregistreerde eigenaar hadden opgespoord, bleek dat deze niet Barre heette; hij woonde in de buurt van Baltimore, Maryland. Gestolen? Gekocht?

Hall en Lindy hadden de universiteit bereikt.

De dode student was van Somalische afkomst. De mensen die hem op Willoughby kenden, vertelden dat hij ongeveer zes maanden geleden van een normale, extraverte, slimme student was veranderd in een zwijgzame, teruggetrokken kluizenaar. De belangrijkste oorzaak hiervoor leek religie te zijn. Er woonden nog twee islamitische studenten op de campus, maar zij waren niet op diezelfde manier veranderd.

De dode man had zijn spijkerbroeken en windjacks verruild voor lange gewaden. Hij nam vijf keer per dag een pauze om te bidden. Hier kreeg hij probleemloos toestemming voor, want religieuze tolerantie was belangrijk. En hij liet een warrige, zwarte baard staan.

Voor de tweede keer die dag was Ray Hall bezig met het doorzoeken van de privébezittingen van iemand anders, maar er was een fundamenteel verschil. Op de technische boeken na waren alle paperassen islamitische teksten en in het Arabisch. Rechercheur Hall begreep er geen woord van, maar nam alles mee. De belangrijkste vondst was de laptop. Daar had Ray Hall in elk geval wel verstand van.

Hij ontdekte de ene preek na de andere, niet in het Arabisch maar in vloeiend, overtuigend Engels. Een gemaskerd gezicht, twee felle ogen, de oproep voor onderwerping aan Allah, voor een totale bereidheid Hem te dienen, voor Hem te vechten, voor Hem te sterven. En het belangrijkste, voor Hem te doden.

Rechercheur Hall had nog nooit van de Prediker gehoord, maar hij klapte de laptop dicht en nam hem in beslag. Hij noteerde alles wat hij in beslag had genomen, gaf de universiteit toestemming de ouders op de hoogte te brengen en opdracht hem te bellen als deze de bezittingen van hun zoon wilden ophalen. Ondertussen zou hij persoonlijk de politie van Dearborn informeren. Met twee vuilniszakken vol boeken, teksten en de laptop ging hij terug naar het hoofdbureau van politie.

Er stond nog meer op de computer; de student was onder andere in rubrieksadvertenties op zoek geweest naar iemand die een pistool te koop had. De administratieve afhandeling van deze koop was niet volledig, waarop een ernstige aanklacht voor de verkoper zou volgen, maar dat was van latere zorg.

Om acht uur 's avonds rinkelde zijn mobieltje. Iemand zei dat hij de zoon van de neergeschoten generaal was. Hij zei niet waar hij was, alleen dat hij het nieuws had gehoord en nu in een helikopter onderweg was naar het ziekenhuis.

Het was al donker. Achter het hoofdbureau van politie was wel een open ruimte, maar er waren geen landingslichten.

'Waar is de dichtstbijzijnde marinebasis?' vroeg de stem.

'Oceania,' zei Hall. 'Maar kunt u wel toestemming krijgen om daar te landen?'

'Ja, dat kan ik,' zei de stem. 'Ik ben er over een uur.'

'Ik kom u wel halen,' zei Hall.

Vervolgens nam hij een halfuur lang de bestanden door van de politie in de rest van het land, op zoek naar min of meer identieke moordaanslagen in het recente verleden. Tot zijn grote verbazing vond hij er vier. De aanslag op de golfbaan was de vijfde. In twee van de vorige gevallen hadden de moordenaars ook meteen zelfmoord gepleegd. De andere twee daders waren levend gearresteerd en wachtten nu op hun berechting voor moord met voorbedachten rade. Ze hadden allemaal alleen gewerkt en waren allemaal door online preken ultra-extreem geworden.

Om negen uur haalde hij de zoon van de generaal op en reed met hem naar het Virginia Beach General. Onderweg vertelde hij wat er sinds halfacht die ochtend allemaal was gebeurd.

Zijn gast ondervroeg hem streng over wat hij in de studentenkamer van Mohammed Barre had ontdekt. Daarna mompelde hij: 'De Prediker.'

Rechercheur Hall dacht dat hij een beroep bedoelde, geen codenaam. 'Dat denk ik,' zei hij. Daarna reden ze zwijgend door.

Nadat ze bij de receptie van het ziekenhuis hadden gemeld dat de zoon van de man op de IC er was, kwam Alex McCrae uit zijn kantoor.

Terwijl ze naar de IC-etage gingen, vertelde hij dat de generaal zo ernstig gewond was dat hij hem niet had durven opereren. 'Ik kan niet veel doen behalve hopen dat hij opknapt,' zei hij. 'Het is een dubbeltje op zijn kant.'

De zoon ging de kamer binnen. Hij trok een stoel naar het bed en keek in de schemerige kamer naar het verweerde oude gezicht, opgesloten in een andere ruimte, in leven gehouden door een machine. Hij bleef er de hele nacht zitten, met de handen van de slapende man in de zijne.

Even voor vier uur 's nachts sloeg zijn vader zijn ogen open en versnelde zijn hartslag. Wat de zoon niet kon zien, was de glazen pot op de grond achter het bed. Deze werd snel gevuld met rood bloed. Ergens, diep in de borstkas, was een slagader geknapt. De generaal bloedde zo snel leeg dat hij niet meer kon worden gered. De zoon voelde een lichte druk op zijn eigen handen door de handen die hij vasthield. Zijn vader keek naar het plafond, zijn lippen bewogen.

'Semper Fi, zoon,' mompelde hij.

'Semper Fi, pa.'

De gekartelde lijn op het scherm werd plat. Het gepiep ging over in één enkele alarmtoon. Er verscheen een crashteam in de deuropening. Alex McCrae was er ook bij. Hij liep snel langs de zittende zoon van de generaal, keek naar de pot achter het bed en gebaarde tegen het crashteam dat ze wel konden vertrekken en schudde zijn hoofd. Het team trok zich terug.

Een paar minuten later stond de zoon op en liep de kamer uit. Hij zei niets, knikte alleen maar tegen de chirurg. De verpleegkundige van de IC trok het laken over het gezicht van de generaal. De zoon liep de trap af naar de parkeerplaats beneden.

In zijn auto twintig meter verderop deed rechercheur Hall een hazenslaapje, maar hij bespeurde iets en werd wakker. De zoon van de generaal liep over de parkeerplaats, bleef staan en keek op. Het zou nog twee uur duren voordat het licht werd. De hemel was zwart, de maan was al onder en ver boven hen schitterden de sterren: fel, helder, eeuwig.

Diezelfde sterren, onzichtbaar tegen een lichtblauwe hemel, keken ook neer op een andere man, in een zandwoestijn. De man keek omhoog naar de sterren en zei iets.

De rechercheur in Virginia hoorde het niet. Maar Tracker zei: 'Je hebt dit zojuist heel persoonlijk gemaakt, Prediker.'

Deel 2
Wraak

4

In een wereld waar codenamen werden gebruikt om de echte identiteit van mensen te verbergen, had Tracker zijn nieuwe helper het pseudoniem Ariel gegeven. Hij vond het leuk om hem te vernoemen naar de geest uit *Het temmen van de feeks* van Shakespeare, die onzichtbaar naar elk bedrog kon vliegen.

Want Roger Kendrick had weliswaar problemen met de planeet Aarde, toch leek hij een totaal andere jongen zodra hij voor zijn schatkist vol indrukwekkende apparatuur zat die de Amerikaanse belastingbetaler hem had geschonken. Precies zoals de man uit Fort Meade had gezegd, hadden ze met hem een troef in handen nu hij het beste van het beste tot zijn beschikking had.

Twee dagen lang bestudeerde hij de constructie die de Prediker had gebouwd om zijn IP-adres en dus zijn locatie te verbergen. Hij keek ook naar de preken en wist daarna één ding zeker: het computergenie was niet de gemaskerde man die religieuze haat predikte. Er was iemand anders, zijn echte tegenstander, de troef van de vijand: getalenteerd, onvindbaar, in staat om elke fout die hij maakte te ontdekken en die vervolgens te herstellen.

Niemand wist het, maar Ariels cybervijand was Ibrahim Samir, in Groot-Brittannië geboren uit Iraakse ouders, opgeleid op de UMIST, het University of Manchester Institute of Science and Technology. Roger Kendrick noemde hem in gedachten de Trol, naar een persoon die zich op internet stelselmatig misdraagt. Dit was de man die de proxyserver had ontwikkeld om het valse IP-adres te creëren waarachter zijn baas zijn echte locatie kon verbergen. Maar ooit, in de begintijd van de prekencampagne, was er een echt IP-adres geweest en toen hij dat had ontdekt, kon Ariel de bron overal ter wereld lokaliseren.

Hij ontdekte ook al snel dat er een fanwebsite was. Enthousiaste volgelingen konden berichten voor de Prediker posten. Hij besloot hier ook aan mee te doen, maar hij realiseerde zich heel goed dat de Trol zich nooit voor de gek zou laten houden, tenzij Ariels alter ego tot in detail perfect was. Ariel creëerde een jonge Amerikaan die Fahad heette: zoon van twee Jordaanse immigranten, geboren en getogen in de omgeving van Washington. Maar eerst deed hij onderzoek.

Hij gebruikte de achtergrond van de al lang dode terrorist Al-Zarqawi, een Jordaniër die in Irak Al Qaida had geleid tot hij door de Special Forces in combinatie met een aanval van gevechtsvliegtuigen werd uitgeschakeld. Op internet stond een uitgebreide biografie van hem. Hij kwam uit het Jordaanse dorpje Zarqa. Ariel creëerde twee ouders die uit hetzelfde dorpje kwamen en in dezelfde straat woonden. Wanneer iemand hem ernaar vroeg, zou hij de straat kunnen beschrijven aan de hand van de informatie die online stond. Hij creëerde een nieuwe versie van zichzelf: hij was zogenaamd geboren twee jaar nadat zijn ouders in de VS waren gearriveerd, hij kon zijn eigen oude school beschrijven, omdat daar verschillende islamitische jongens op hadden gezeten, hij leerde Arabisch door middel van internationale internetcursussen, hij bestudeerde de moskee waar hij en zijn ouders naartoe gingen en onthield de naam van de imam van die moskee.

Daarna ging hij naar de fanwebsite van de Prediker. Er werden vragen gesteld – niet door de Trol persoonlijk, maar door een andere volgeling in Californië – die Ariel beantwoordde. Een paar dagen hoorde hij niets, en toen werd hij geaccepteerd. En ondertussen hield hij zijn eigen virus, zijn malware, verborgen maar klaar voor gebruik.

Er waren vier talibanstrijders in het stenen kantoor in het dorp buiten Ghazni, de hoofdstad van de Afghaanse provincie met dezelfde naam. Ze zaten, zoals ze het het prettigst vonden, niet op stoelen maar op de grond. Ze hadden hun wijde gewaden om zich heen geslagen, want hoewel het begin mei was, waaide er nog steeds een koude wind vanuit de bergen en er was geen verwarming in het stenen overheidsgebouw.

Ze waren in gezelschap van drie ambtenaren uit Kaboel en de twee *feringhee*-officieren van de NAVO. De bergbewoners glimlachten niet. Dat deden ze nooit. De enige keer dat ze feringhee (vreemde, blanke) soldaten hadden gezien, hadden die een AK-47 kalasjnikov-aanvalsgeweer bij zich gehad. Maar ze waren naar het dorp gekomen om dat leven achter zich te laten.

In Afghanistan bestaat een vrij onbekend programma dat eenvoudig F-RIC, de Force Reintegration Cell, heet. Dat is een joint venture van de regering van Kaboel en ISAF, de International Security Assistance Force. F-RIC wordt geleid door een Britse generaal-majoor die David Hook heet.

Men heeft lang gedacht dat je alleen kunt winnen door zo veel mogelijk talibanstrijders te doden, maar zodra de Brits-Amerikaanse legerleiders zichzelf feliciteren met de 'uitschakeling' van honderd, tweehonderd of driehonderd talibanstrijders, lijkt het alsof er nóg meer opduiken. Enkelen zijn afkomstig uit de Afghaanse boerenbevolking, zoals altijd het geval is geweest. Sommigen hiervan melden zich vrijwillig omdat familieleden – en in die maatschappij kan een grote familie wel uit driehonderd personen bestaan – waren gedood door een verkeerd gerichte raket, door een aanval met een gevechtsvliegtuig op een verkeerd gepland doel of door zorgeloze artillerie; anderen omdat ze van hun stamhoofden opdracht hebben gekregen te vechten. Maar het zijn jonge mannen, net geen jongens meer.

Ook jong zijn de studenten uit Pakistan, die in drommen arriveren vanuit de Koranscholen waar ze jarenlang alleen maar de Koran bestuderen en naar de extremistische imams luisteren tot ze zijn voorbereid om te vechten en te sterven.

Maar het leger van de taliban is uniek. Alle eenheden zijn extreem loyaal aan het gebied waar ze vandaan komen en de toewijding aan de oudere bevelvoerders is totaal. Dood de veteranen, reorganiseer de hoofden van de clans, haal de stamhoofden erbij, dan stopt het vechten in een relatief groot gebied.

Jarenlang hebben de Britse en Amerikaanse Special Forces zich voorgedaan als bergbewoners en slopen ze door de heuvels om de middelste en hogere talibanleiders te doden, ervan uitgaande dat de laagste regionen niet het echte probleem zijn.

Het F-RIC-reïntegratieprogramma probeert veteranen 'om te turnen', zodat ze de olijftak accepteren die de regering in Kaboel hun voorhoudt. Die dag in het gehucht Qala-e-Zai waren generaal-majoor Hook en zijn Australische assistent kapitein Chris Hawkins de vertegenwoordigers van de F-RIC. De vier wijze talibanhoofden die tegen de muur zaten, waren overgehaald de bergen te verlaten en terug te keren naar het dorpsleven.

Wanneer je vist, heb je aas nodig. Iemand die reïntegreert moet een cursus de-indoctrinatie volgen. Een bergbewoner krijgt een gratis woning, een kudde schapen om weer te gaan boeren, amnestie en het

Afghaanse equivalent van honderd dollar per week aangeboden.

Het doel van de bespreking op die frisse dag in mei was om te proberen de veteranen duidelijk te maken dat de religieuze propaganda die ze jaren hadden gehoord feitelijk onjuist was. Omdat ze Pasjtoe spraken, waren ze niet in staat de Koran te lezen en hadden ze zich – net als alle niet-Arabische terroristen – bekeerd door wat hun was verteld door een jihadistische leermeester, van wie velen net deden alsof ze een imam waren of een *mullah*, een schriftgeleerde, terwijl dit niet echt zo was. Er was dus een Pasjtoen-mullah of *maulvi* aanwezig om de veteranen uit te leggen dat ze waren bedrogen, dat de Koran in werkelijkheid een boek was over vrede met slechts een paar 'dood de vijand'-passages die de terroristen met opzet uit hun verband rukten.

En in de hoek stond een tv-toestel, een apparaat dat de bergmensen bijzonder intrigerend vonden. Het zond geen live tv-uitzendingen uit, maar de tv was gekoppeld aan een dvd-speler waarop dvd's werden afgespeeld. De spreker op het scherm sprak Engels, maar de mullah had een 'pauze'-knop, zodat hij de preek kon onderbreken, kon uitleggen wat de prediker had gezegd en daarna kon vertellen dat dit, volgens de Heilige Koran, allemaal onzin was.

Een van de vier mannen die op de grond zaten was Mahmud Gul, die op 11 september 2001 een hogere commandant was geweest. Hij was nog geen vijftig, maar door de dertien jaar in de bergen zag hij er ouder uit; zijn gezicht onder de zwarte tulband was gerimpeld als een walnoot, zijn handen waren vervormd en pijnlijk door beginnende reuma.

Hij was als jonge man geïndoctrineerd, maar niet tegen de Britten en Amerikanen; hij wist dat zij hadden meegeholpen zijn mensen te bevrijden van de Russen. Hij wist weinig over Bin Laden en zijn Arabieren, en wat hij wel wist vond hij maar niets. Hij had gehoord wat er jaren geleden in het centrum van Manhattan was gebeurd en dat keurde hij niet goed. Hij was bij de taliban gegaan om te vechten tegen de Tadzjieken en de Oezbeken van de Noordelijke Alliantie.

Maar de Amerikanen snapten de wet van *pasjtoenwali* niet: de heilige regel tussen gastheer en gast die absoluut verbood dat Mullah Omar zijn gasten van Al Qaida aan hun genade overdroeg en dus waren ze zijn land binnengevallen. Daarom had hij tegen hen gevochten en vocht hij nog steeds tegen hen. Tot nu.

Mahmud Gul voelde zich oud en moe. Hij had veel mannen zien sterven. Hij had enkelen met zijn eigen geweer uit hun ellende verlost, als ze zo zwaargewond waren dat ze hoogstens nog een paar uren of dagen hevige pijnen zouden lijden voordat ze uit zichzelf zouden sterven.

Hij had Britse en Amerikaanse jongens gedood, maar had geen idee hoeveel. Zijn oude botten deden pijn en zijn handen vervormden tot klauwen. Zijn heup, die jaren geleden was verbrijzeld, gunde hem nooit rust tijdens de lange winters in de bergen. Zijn halve familie was dood en hij zag zijn kleinkinderen nooit, behalve tijdens haastige nachtelijke bezoekjes voordat hij voor zonsopgang weer terug moest naar de grotten. Hij wilde ermee kappen. Dertien jaren waren genoeg. Het werd zomer. Hij wilde in de warmte zitten en met de kinderen spelen. Hij wilde dat zijn dochters hem eten brachten, zoals dat hoort als je oud bent. Hij had besloten het amnestieaanbod van de regering aan te nemen, een huis, schapen, een toelage, zelfs als dit betekende dat hij moest luisteren naar een achterlijke mullah en via de tv naar een gemaskerde spreker.

Toen de tv werd uitgedaan en de mullah doorpraatte, zei Mahmud Gul heel zacht iets in het Pasjtoe. Chris Hawkins zat naast hem en kende de taal wel, maar niet het plaatselijke Ghazni-dialect. Hij dacht dat hij het goed had verstaan, maar hij wist het niet zeker. Toen de preek afgelopen was en de mullah was teruggegaan naar zijn auto en zijn lijfwachten, werd er thee gebracht. Sterk, zwart, en de feringhee-officieren hadden suiker meegenomen, en dat was goed.

Kapitein Hawkins ging naast Mahmud Gul zitten en ze namen in een kameraadschappelijke stilte slokjes thee. Toen vroeg de Australiër: 'Wat zei u toen de preek was afgelopen?'

Mahmud Gul herhaalde het. Hij praatte langzaam en mompelde niet, en het kon maar één ding betekenen. Hij had gezegd: 'Ik ken die stem.'

Chris Hawkins moest nog twee dagen in Ghazni blijven en elders nog één andere reïntegratiebijeenkomst bijwonen. Daarna ging hij terug naar Kaboel. Hij had een vriend bij de Britse ambassade van wie hij bijna zeker wist dat hij bij de SIS, de Secret Intelligence Service, de Britse buitenlandse veiligheidsdienst, werkte. Misschien moest hij dit maar aan hem doorgeven.

Ariel had gelijk met zijn inschatting van de Trol. De Irakees uit Manchester was ongelofelijk arrogant. Hij was de beste in cyberspace en dat wist hij. Alles waar hij zich in die wereld mee bezighield, was perfect.

Dat vond hij noodzakelijk, dat was zijn handelsmerk. Hij nam de preken van de Prediker niet alleen op, maar hij stuurde ze ook de hele wereld over zodat ze op ontelbare schermen konden worden bekeken. En hij regisseerde de steeds groter wordende fanwebsite. Hij controleerde aspirant-leden intensief voordat hij een opmerking accepteerde of zich verwaardigde te antwoorden. Maar nog steeds had hij het milde virus niet ontdekt dat in zijn programma was geslopen vanuit een donkere zolderkamer in Centreville, Virginia. Precies zoals de bedoeling was, werd het een week later actief.

Ariels malware zorgde er alleen maar voor dat de website van de Trol langzamer werd – af en toe, en maar een heel klein beetje. Het gevolg waren heel kleine pauzes in de transmissie van het beeld van de Prediker terwijl hij aan het woord was.

De Trol merkte de minuscule afwijkingen onmiddellijk op die deze pauzes in zijn perfecte werk veroorzaakten. Dat was onacceptabel. Het ergerde hem en maakte hem ten slotte woedend. Hij probeerde het te corrigeren, maar de fout bleef. Hij kwam tot de conclusie dat nu in Website Eén een fout was geslopen, hij Website Twee zou moeten ontwerpen en zou moeten verhuizen. Dat deed hij dus. Daarna moest hij de fanwebsite overbrengen naar de nieuwe website.

Voordat hij zijn proxyserver had ontwikkeld om een vals IP-adres te creëren had hij een echt IP-adres dat als een soort postadres fungeerde. Hij moest de hele fanwebsite van Website Eén naar Twee via het echte IP-adres verhuizen. Dat duurde slechts een honderdste van een seconde, misschien zelfs nog korter. Maar toch, in dat korte tijdsbestek, was het oorspronkelijke IP-adres een fractie van een seconde zichtbaar. Ariel had op dat korte moment gewacht. Het IP-adres gaf hem een land, maar het had ook een eigenaar – France Telecom.

De supercomputers van NASA hadden geen enkele belemmering gevormd voor Gary McKinnon, en dus zou de database van France Telecom Ariel ook niet lang tegenhouden. Nog geen dag later zat hij in de FT-database, ongezien en onverwacht. Zoals een goede inbreker betaamt, verdween hij weer zonder een spoor achter te laten. Inmiddels had hij een lengte- en een breedtegraad, een stad.

Dus had hij een boodschap voor luitenant-kolonel Jackson, maar hij was niet zo dom hem het nieuws te mailen. Mensen kijken mee naar dat soort dingen.

De Australische kapitein had in twee dingen gelijk. De toevallige opmerking van de talibanveteraan was inderdaad de moeite van het doorvertellen waard en zijn vriend maakte inderdaad deel uit van de grote en actieve SIS-unit op de Britse ambassade. En er werd zonder enige aarzeling iets met de tip gedaan: hij ging veilig versleuteld naar Londen en daar vandaan naar TOSA.

Ten eerste waren er in Groot-Brittannië ook drie moorden gepleegd, aangemoedigd door de gezicht- en naamloze Prediker. Ten tweede was er al een allesomvattend verzoek uitgestuurd naar de geheime diensten van bevriende landen. Gezien het feit dat men vermoedde dat de Prediker oorspronkelijk uit Pakistan afkomstig was, waren de Britse SIS-kantoren in Islamabad en het naburige Kaboel extra alert.

Binnen vierentwintig uur steeg een Grumman Gulfstream 500 van JSOC met één passagier aan boord op van luchtmachtbasis Andrews buiten Washington. Hij tankte bij op de Amerikaanse luchtmachtbasis Fairford in het Britse Gloucestershire, en nog een keer op de grote luchtmachtbasis in Doha, Qatar. De derde stop was op de basis die nog steeds eigendom was van de VS op de enorm uitgestrekte luchtmachtbasis van Bagram, ten noorden van Kaboel.

Tracker besloot niet naar Kaboel te gaan. Dat was niet noodzakelijk en het was veiliger om onder gewapende begeleiding vanaf Bagram te vertrekken dan vanaf Kabul International. Maar er was al informatie vooruitgestuurd. Als er al sprake was van financiële beperkingen voor het reïntegratieprogramma van ISAF, dan golden die niet voor JSOC. De macht van de dollar droeg ook een steentje bij. Kapitein Hawkins werd per helikopter naar Bagram gebracht. Nadat hij had bijgetankt, bracht dezelfde heli hem en een beveiligingsdetachement, samengesteld uit een Rangers-divisie, naar Qala-e-Zai.

Het was middag toen ze buiten het armoedige gehucht landden, en er scheen een warm voorjaarszonnetje. Toen ze Mahmud Gul vonden, was hij aan het doen wat hij al zo lang had willen doen: in de zon zitten en met zijn kleinkinderen spelen.

De vrouwen renden naar buiten toen de brullende Blackhawk over hen heen vloog en op de gemeenschappelijke dorsvloer landde. De soldaten stroomden uit de helikopter. Deuren en luiken knalden open. In de enige straat van het gehucht stonden een paar mannen met een ondoorgrondelijke blik op hun gezicht zwijgend te kijken toen de feringhee hun huizen binnengingen.

Tracker gaf de Rangers opdracht bij de heli te blijven. Slechts in gezelschap van kapitein Hawkins, die hem moest voorstellen en voor hem moest tolken, liep hij door de straat, knikte tegen iedereen en sprak een enkele keer de traditionele salam-groet uit. Een paar keer gromde iemand 'salam' terug. De Australiër wist waar Mahmud Gul woonde. De veteraan zat buiten. Verschillende kinderen renden geschrokken weg. Slechts één kind, een meisje van drie, eerder nieuwsgierig dan bang, klampte zich vast aan de wijde kleren van haar opa en keek met grote ogen omhoog. De twee blanke mannen gingen met gekruiste benen tegenover de oud-soldaat zitten en begroetten hem.

Hij beantwoordde hun groet. De Afghaan keek de straat in. De soldaten waren niet te zien. 'U bent niet bang?' vroeg Mahmud Gul.

'Ik geloof dat we een man van vrede bezoeken,' zei Tracker. Hawkins vertaalde dit in het Pasjtoe.

De oudere man knikte en riep iets door de straat.

'Hij vertelt de dorpelingen dat er geen gevaar is,' fluisterde Hawkins.

Met alleen onderbrekingen voor de vertaling, herinnerde Tracker Mahmud Gul aan de sessie met het F-RIC-team een week eerder, na de vrijdagse gebeden.

De donkere bruine ogen van de Afghaan keken hem strak aan. Ten slotte knikte hij. 'Vele jaren geleden, maar dezelfde stem.'

'Toch sprak hij Engels op de televisie. U spreekt geen Engels. Hoe wist u het dan?'

Mahmud Gul haalde zijn schouders op. 'Het kwam door de manier waarop hij praatte,' zei hij, alsof er geen verdere uitleg nodig was. Bij Mozart noemden ze dat een absoluut gehoor – het vermogen geluid precies zo op te nemen en af te spelen zoals het oorspronkelijk klonk. Mahmud Gul was dan misschien wel een ongeletterde boer, maar als zijn overtuiging klopte, had hij ook een absoluut gehoor.

'Vertel me alstublieft waar u hem hebt horen praten.'

De oude man zweeg even en keek naar het pakje dat de Amerikaan bij zich had.

'Het is tijd voor cadeautjes,' fluisterde de Australiër.

'Neem me niet kwalijk,' zei Tracker en hij maakte het touwtje los. Hij legde alles wat hij had meegenomen op de grond. Twee ossenhuiden uit een indiaanse souvenirwinkel. Gevoerd met warme fleece.

'Lang geleden jaagden de mensen van mijn land op de buffel voor zijn vlees en zijn huid. Dit is de warmste huid die de mens kent. In de winter slaat u deze om u heen. U slaapt op en onder een huid. Dan hebt u het nooit meer koud.'

Mahmud Guls walnoten gezicht brak langzaam open in een glimlach, de eerste keer dat kapitein Hawkins dit hem zag doen. Gul had nog maar vier tanden, maar die deden hun uiterste best een brede grijns te vormen. Hij streek met zijn vingers over de dikke vacht. Het juwelenkistje van de koningin van Sheba had hem niet blijer kunnen maken. En dus vertelde hij zijn verhaal.

'Het was tijdens het gevecht tegen de Amerikanen, vlak na de invasie tegen de regering van Mullah Omar. Tadzjieken en Oezbeken stroomden uit hun enclave in het noordoosten. Hen hadden we wel aangekund, maar zij hadden Amerikanen bij zich en de feringhee stuurden de vliegtuigen die uit de lucht kwamen met bommen en granaten. De Amerikaanse soldaten konden met de vliegtuigen praten en hun precies vertellen waar wij waren, zodat de bommen zelden misten. Het was heel erg.

Ten noorden van Bagram, toen ik me terugtrok in de Salang Vallei, werd ik betrapt in het open landschap. Een Amerikaans oorlogsvliegtuig schoot vele malen op me. Ik verstopte me achter rotsen, maar nadat hij was verdwenen merkte ik dat ik een kogel in mijn heup had. Mijn mannen droegen me naar Kaboel. Daar werd ik in een truck gelegd en verder naar het zuiden gebracht. We reden door Kandahar en staken bij Spin Boldak de grens naar Pakistan over. Zij waren onze vrienden en boden ons een schuilplaats aan. We kwamen bij Quetta. Dat was de eerste keer dat een arts me onderzocht en mijn heup verzorgde.

In het voorjaar kon ik weer lopen. In die tijd was ik jong en sterk, en mijn gebroken botten genazen goed. Maar ik had veel pijn en ik had een stok onder mijn oksel. In het voorjaar werd me gevraagd lid te worden van de Quetta Shura en zitting te nemen in de raad met de Mullah.

Ook in dat voorjaar kwam er een delegatie vanuit Islamabad naar Quetta om met Mullah Omar te overleggen. Er waren twee generaals, maar zij spraken geen Pasjtoe, alleen Urdu. Een van de officieren had zijn zoon bij zich, nog maar een jongen, maar hij sprak vloeiend Pasjtoe, met het accent van het hoge Siachen-gebied. Hij vertaalde voor de Punjabi-generaals. Zij vertelden ons dat ze net moesten doen alsof ze met de Amerikanen zouden samenwerken, maar dat ze ons nooit in de steek zouden laten en niet zouden toestaan dat onze talibanbeweging zou worden vernietigd. En zo was het ook.

En ik praatte met die jongen uit Islamabad, de man die op het witte scherm praatte. Die man achter dat masker, dat was hem. Hij had trouwens amberkleurige ogen.'

Tracker bedankte hem en vertrok. Hij liep door de straat terug naar de dorsvloer. De mannen stonden of zaten zwijgend te kijken. De vrouwen tuurden door de spleten in de luiken. De kinderen verstopten zich achter hun vaders en ooms. Maar niemand viel hem lastig.

De Rangers stonden in een cirkel, met hun gezicht naar buiten gericht. Ze leidden de beide officieren weer in de Blackhawk en klommen aan boord. De heli steeg op, stof en kaf vlogen alle kanten op. Daarna vlogen ze terug naar Bagram. Daar zijn redelijke officierskwartieren, met goed voedsel maar zonder alcohol. Tracker had slechts aan één ding behoefte: tien uur slapen. Terwijl hij sliep, werd zijn boodschap naar de CIA-mensen op de ambassade in Kaboel gestuurd.

Voordat Tracker de Verenigde Staten verliet, was hem verteld dat de CIA, ondanks de interdepartementale rivaliteit, 'klaarstond' om hem alle nodige steun te geven. Die had hij ook nodig en wel om de volgende twee redenen.

De eerste reden was dat de Agency grote afdelingen had in Kaboel en in Islamabad, een hoofdstad waar iedere bezoekende Amerikaan waarschijnlijk nauwgezet door de politie in de gaten zou worden gehouden. De tweede reden was dat de Agency in Langley een geweldige afdeling had die fantastische valse documenten kon maken voor gebruik in het buitenland.

Tegen de tijd dat hij wakker werd, was de onderdirecteur van de CIA op de ambassade in Kaboel op zijn verzoek naar hem toe gevlogen voor overleg. Tracker had een waslijst met verzoeken waar de Intelligence Officer aandachtig notitie van nam. Hij haastte zich te zeggen dat de details nog diezelfde dag versleuteld naar Langley zouden worden verstuurd. Zodra de gevraagde documenten beschikbaar waren, zou een koerier uit de VS ze persoonlijk komen brengen.

Toen de CIA-man terug was in Kaboel, per helikopter vanaf de US-compound in Bagram naar het terrein van de ambassade, stapte Tracker in zijn al gereedstaande zakenvliegtuig van JSOC en vloog naar de grote Amerikaanse basis in Qatar aan de Perzische Golf. Volgens de officiële annalen was niemand met de naam Carson ooit in het land geweest. Datzelfde gold voor Qatar.

Tracker kon zich ontspannen tijdens de drie dagen die nodig waren om de nieuwe documenten te maken die hij nodig had binnen een Amerikaanse basis. Na de landing op de basis buiten Doha stuurde hij de Gulfstream terug naar de VS. Op de basis gaf hij opdracht twee vliegtuigtickets te kopen.

Bij een goedkope lokale luchtvaartmaatschappij werd een ticket gekocht voor de korte vlucht naar de kust van Dubai, op naam van de heer Christopher Carson. Het andere ticket werd gekocht bij een ander reisbureau dat gevestigd was in een vijfsterrenhotel, voor een businessclassticket van Dubai naar Washington via Londen met British Airways. Dit ticket stond op naam van de niet-bestaande John Smith.

Nadat hij het bericht had gekregen waar hij op had gewacht, maakte hij een korte vlucht naar Dubai International. Nadat hij daar was geland, ging hij meteen door naar de transithal van dit drukste vliegveld van het Midden-Oosten, waar in het uitgestrekte taxfreewinkelcentrum duizenden passagiers rondliepen. Hij hoefde zich niet te melden bij de Transit Assistance-balie en kon dan ook meteen een afgesproken lounge binnenlopen.

De koerier van Langley stond al te wachten bij de ingang van het herentoilet, en beide mannen mompelden de herkenningswoorden. Een bijzonder ouderwetse, eeuwenoude procedure, die echter nog steeds werkte. Ze vonden een rustig hoekje met twee lege fauteuils.

Beide mannen hadden alleen handbagage bij zich. Hun tassen leken niet precies op elkaar, maar dat was niet belangrijk. De koerier had een echt Amerikaans paspoort op naam van John Smith bij zich dat kon worden gebruikt samen met het in Amerika gekochte ticket op dezelfde naam. Hij zou bij de BA-balie op de benedenverdieping een instapkaart kunnen halen. John Smith, die met Emirates hiernaartoe was gevlogen, zou na een opvallend korte stop-over naar huis vliegen, maar met een andere luchtvaartmaatschappij zodat het niemand zou opvallen.

Ze ruilden ook hun koffers. Wat Tracker de koerier gaf was niet belangrijk. Wat hij terugkreeg, was een rolkoffer met overhemden, pakken, toiletartikelen, schoenen en allerlei andere dingen die je voor een kort verblijf nodig had. Tussen de kleren en enkele op het vliegveld gekochte thrillers zaten verschillende rekeningen, bonnetjes en brieven waaruit bleek dat de eigenaar de heer Daniel Priest was.

Hij gaf de koerier alle papieren en documenten waar de naam Carson op stond. Ook die zouden ongezien mee teruggaan naar de VS. De koerier gaf hem een portefeuille met de documenten die de Agency in die drie dagen had klaargemaakt. In de portefeuille zat een paspoort op naam van Daniel Priest, een manager van *The Washington Post* met een geldig visum van het Pakistaanse consulaat in Washington waaruit bleek dat de heer Priest Pakistan in mocht. Het feit dat dit visum was aangevraagd, betekende dat de Pakistaanse politie op de hoogte was van zijn komst en hem zou opwachten. Gevoelige regimes hebben bijzonder veel belangstelling voor journalisten.

Verder zat er een brief in van de uitgever van *The Washington Post* die bevestigde dat de heer Priest een serie belangrijke artikelen aan het voorbereiden was over 'Islamabad, het creëren van een geslaagde moderne stad'.

In de portefeuille zaten ook een retourticket via Londen, creditcards, een rijbewijs, de gebruikelijke papieren en pasjes die altijd in de portefeuille van een gezagsgetrouw Amerikaans staatsburger en manager zitten, plus een bevestiging dat hij een kamer had gereserveerd in het Serena Hotel in Islamabad en dat hij zou worden opgewacht door een auto van het hotel. Tracker had natuurlijk geen zin om, nadat hij de douane op Islamabad International voorbij was, zich te midden van de kolkende mensenmassa in een oude taxi te laten duwen. Bovendien gaf de koerier hem het strookje van zijn instapkaart van Washington naar Dubai en het ongebruikte ticket van Dubai naar 'Slammy', zoals Islamabad door de Special Forces wordt genoemd.

Wanneer zijn kamer grondig zou worden doorzocht, wat natuurlijk zou gebeuren, zou men alleen ontdekken dat de heer Daniel Priest inderdaad een buitenlandse correspondent uit Washington was met een geldig visum en een logische reden om in Pakistan te zijn. Verder zou blijken dat hij van plan was maar een paar dagen te blijven en dan terug naar huis wilde vliegen.

Nadat de beide mannen hun identiteit en 'achtergrond' hadden verwisseld, liepen ze afzonderlijk naar beneden naar de balies van de verschillende luchtvaartmaatschappijen om een instapkaart voor hun volgende vlucht op te halen.

Het was bijna middernacht, maar vlucht EK612 vertrok om 03.25 uur. Tracker doodde de tijd in de lounge, maar was desondanks een uur te vroeg in de vertrekhal. Hij besloot zijn medepassagiers eens te bekijken, want als hij onraad rook, kon hij maar beter weten waar die vandaan kwam.

Zoals hij al had verwacht, waren de economy-passagiers overwegend Pakistaanse arbeiders die naar huis terugkeerden na hun feitelijk gedwongen, want wettelijk voorgeschreven, tweejarige contract op bouwplaatsen. Het was gebruikelijk dat de 'maffiabazen' in de bouw het paspoort van de werknemers confisqueerden en dat pas teruggaven nadat de twee jaren waren verstreken. Gedurende die periode woonden de arbeiders in spartaanse onderkomens met minimale faciliteiten, werkten ze keihard in de gruwelijke hitte voor een marginaal loon en probeerden ze hiervan ook nog eens een deel naar huis te sturen.

Toen de passagiers elkaar verdrongen om naar de deur te lopen, rook hij allereerst een walm oud zweet vermengd met een vleugje curry. Gelukkig werden de economy- en businessclass al snel van elkaar gescheiden. Even later kon hij zich ontspannen, samen met een aantal Golf-Arabische en Pakistaanse zakenlieden.

De vlucht zou maar drie uur duren en om 07.30 uur plaatselijke tijd landde de Boeing 777-300 van de Emiraten. Door het raampje van het taxiënde vliegtuig zag hij de militaire C-130 Hercules en de presidentiele Boeing 737 voorbijkomen.

Bij de douanecontrole werd hij gescheiden van de Pakistanen die elkaar opzij duwden en ging hij in de rij staan voor mensen met een buitenlands paspoort. Het nieuwe document op naam van Daniel Priest, alleen voorzien van een paar Europese inreis- en uitreisstempels en het Pakistaanse visum, werd nauwgezet gecontroleerd, bladzijde na bladzijde. De vragen waren ongeïnteresseerd en beleefd, en eenvoudig te beantwoorden. Hij liet het bewijs van zijn reservering in het Serena zien. De in burger geklede mannen stonden een eindje verderop en keken toe.

Hij pakte zijn rolkoffer en vocht zich een weg door de schreeuwende, duwende, trekkende mensenmassa in de bagagehal. Hij bedacht zich dat het er hier, vergeleken met de chaos buiten, bijna op een Duitse manier ordelijk aan toe ging. Pakistanen gaan niet in een rij staan.

Eenmaal buiten scheen de zon. Het leek alsof er duizenden mensen waren, die al hun familieleden hadden meegenomen, om de mannen te begroeten die terugkwamen uit de Golf. Tracker scande de menigte tot hij de naam Priest zag op een bord dat een jongeman in het uniform van het Serena omhooghield. Hij meldde zich en werd naar de limousine gebracht die op een kleine vipparkeerplaats stond rechts van de terminal.

Het vliegveld ligt binnen de grenzen van de oude stad Rawalpindi en ze reden via de Islamabad Highway naar de hoofdstad. Het Serena is het enige aardbevingsbestendige hotel in Slammy en staat aan de rand van de stad. Het verbaasde Tracker dan ook dat de auto opeens een scherpe bocht maakte. Hij sloeg rechts af, links af, reed langs een slagboom die gesloten zou blijven voor de auto's van gasten maar openging voor de eigen limo van het hotel, en daarna via een korte maar steile helling naar de hoofdingang.

Bij de receptiebalie werd hij herkend en verwelkomd, en vervolgens naar zijn kamer gebracht. Daar lag een brief op hem te wachten, met het logo van de Amerikaanse ambassade. Hij straalde en gaf de piccolo een fooi, deed net alsof hij zich niet realiseerde dat de contraspionagepolitie de kamer van microfoons had voorzien en maakte de envelop open. De brief was afkomstig van de persattaché van de ambassade die hem hartelijk welkom heette in Pakistan en hem uitnodigde voor het diner bij hem thuis. De brief was ondertekend door Gerry Byrne.

Tracker verzocht de telefonist van het hotel de ambassade voor hem te bellen, en vroeg naar Gerry Byrne met wie hij werd doorverbonden. Ze wisselden de gebruikelijke beleefdheden uit: Ja, de vlucht was prima geweest, het hotel was prima, de kamer was prima en hij was heel blij met de uitnodiging en zou graag komen dineren.

Gerry Byrne was hier ook heel blij mee. Hij woonde in de stad, in zone F7, Street 43. Omdat dat ingewikkeld was, zou hij een auto sturen. Het zou geweldig worden. Slechts een kleine groep vrienden, enkele Amerikanen en enkele Pakistanen.

Beide mannen wisten dat er nog iemand meeluisterde met hun gesprek, iemand die zich waarschijnlijk eerder verveelde dan blij was. Hij zou aan een bureau zitten in de kelder van een groep adobegebouwen te midden van gazons en fonteinen, waardoor het meer op een universiteit of een algemeen ziekenhuis leek dan op het hoofdkwartier van de geheime politie. Maar zo ziet het complex aan Khayaban-e-Suhrawardy Street, waar de ISI is gevestigd, er wel uit.

Tracker legde de hoorn weer op het toestel. Tot dusver gaat het goed, dacht hij. Hij nam een douche, schoor zich en kleedde zich om. Het was al laat in de ochtend. Hij besloot vroeg te lunchen en daarna even te gaan slapen om iets van de gemiste slaap van de afgelopen nacht in te halen. Voordat hij ging lunchen, bestelde hij een groot glas koel bier op zijn kamer en ondertekende de verklaring dat hij geen moslim was. Pakistan is streng islamitisch en 'staat droog', maar het Serena heeft een drankvergunning, hoewel alleen voor gasten.

De auto reed om klokslag zeven uur voor. Het was een onopvallende (met reden) vierdeurs personenwagen van een Japans merk. Er reden duizenden van dit soort auto's in Slammy en hij zou dus geen aandacht trekken. Achter het stuur zat een Pakistaanse chauffeur die in dienst was van de ambassade.

De chauffeur kende de weg: de Ataturk Avenue, dan de Jinnah Avenue oversteken en vervolgens linksaf de Nazim-ud-din Road op. Tracker kende de route ook, maar alleen doordat het in de instructies had gestaan die de koerier van Langley hem op het vliegveld van Dubai had gegeven. Gewoon een voorzorgsmaatregel. Nog geen straat bij het Serena vandaan zag hij dat ze werden gevolgd door de ISI; ze reden keurig achter hen aan langs de torenflats en via de Marvi Road naar Street 43. Geen verrassingen dus. Tracker hield niet van verrassingen, tenzij hij ze zelf had bedacht.

Op de woning stond niet letterlijk 'regeringsgebouw', maar dat had best gekund. Aangenaam, ruim genoeg, een van de twaalf die waren toegewezen aan de personeelsleden van de ambassade die buiten de compound woonden. Hij werd begroet door Gerry Byrne en zijn vrouw Lynn, die hem meenamen naar een terras aan de achterkant van het huis waar hem een drankje werd aangeboden.

Het had bijna een huis in een Amerikaanse buitenwijk kunnen zijn, op een paar kleinigheden na. Elk huis aan Street 43 was omringd door een ruim twee meter hoge muur met een even hoog stalen toegangshek erin. De hekken waren zonder communicatie opengegaan, alsof iemand van binnenuit hen had zien aankomen. De portier droeg een donker uniform, een honkbalpetje en een pistool. Een gewone buitenwijk dus.

Er was al een Pakistaans echtpaar, een arts en zijn echtgenote. Er kwamen nog meer mensen. Nog een auto van de ambassade reed de poort binnen. Anderen parkeerden op straat. Een stel van een ontwikkelingshulporganisatie vertelde hoe moeilijk het was om de religieuze fanatici in Bajaur over te halen de kinderen tegen polio in te enten. Tracker wist dat er een man was uitgenodigd voor wie hij speciaal was gekomen, en die er nog niet was. De andere gasten vormden een dekmantel, net als het hele diner.

Deze ontbrekende man kwam in het gezelschap van zijn vader en moeder. De vader was toeschietelijk en joviaal. Hij had concessies voor de winning van halfedelstenen in Pakistan en zelfs in Afghanistan en praatte uitgebreid over de problemen die de huidige situatie voor zijn bedrijf opleverde.

De zoon was een jaar of vijfendertig en zei alleen maar dat hij in het leger zat, hoewel hij burgerkleding droeg. Tracker had ook informatie over hem ontvangen.

De andere Amerikaanse diplomaat werd voorgesteld als Stephen Dennis, de cultureel attaché. Dat was een goede dekmantel, omdat het volstrekt normaal was dat de persattaché voor een beroemde Amerikaan een diner organiseerde en ook dat de cultureel attaché hiervoor werd uitgenodigd.

Tracker wist dat hij feitelijk de nummer twee was bij de CIA in Islamabad. Het hoofd was een 'openlijke' geheim agent, wat betekende dat de CIA volstrekt open was over wie hij was en wat hij deed. In elke ambassade in een *tricky* land is het leuk om uit te zoeken wie de niet-openlijke agenten waren. Het gastland heeft meestal wel enkele vermoedens, waarvan sommige ook wel kloppen, maar is nooit zeker van zijn zaak. De niet-openlijke agenten doen het spionagewerk, meestal met gebruikmaking van landgenoten ter plaatse die kunnen worden 'omgeturnd' om te doen wat hun nieuwe opdrachtgever vraagt.

Het was een feestelijk diner met wijn en later Johnny Walker Black Label, wat de favoriete drank is van alle officieren, islamitisch of niet. Zodra de gasten aan de koffie zaten, knikte Steve Dennis tegen Tracker en liep rustig naar het terras. Tracker liep achter hem aan. De derde die hen gezelschap kwam houden, was de jonge Pakistaan. Al na een paar zinnen werd duidelijk dat hij niet alleen in het leger zat, maar ook bij de ISI werkte. Dankzij de westerse opleiding die zijn vader hem had kunnen geven, was hij uitgekozen om de Britse en Amerikaanse gemeenschap in de stad te penetreren en alles te rapporteren wat nuttig zou kunnen zijn. Maar in werkelijkheid was het tegenovergestelde gebeurd.

Steve Dennis had hem al na een paar dagen ontdekt en ingelijfd. Javad was de CIA-mol binnen de ISI geworden. Het verzoek van Tracker was dan ook aan hem doorgestuurd. Hij was onopvallend en met een smoesje naar het archief gelopen en daar op zoek gegaan naar documenten over het jaar 2002 en Mullah Omar.

‘Wie uw bron ook is geweest, meneer Priest,’ mompelde hij op het terras, ‘heeft een goed geheugen. Er is inderdaad in 2002 een geheim bezoek gebracht aan Quetta voor een bespreking met Mullah Omar. Onder leiding van de toen brigadegeneraal Shawqat, tegenwoordig commandant van het hele leger.’

‘En de jongen die Pasjtoe sprak?’

‘Inderdaad, hoewel daar niets over is genoteerd. Er staat alleen dat een van de delegatieleden majoor Musharraf Ali Shah was van de pantserbrigade. Op de lijst van inzittenden van het vliegtuig en als kamergenoot van zijn vader in Quetta wordt een zoon genoemd, Zulfiqar.’ Hij haalde een papier tevoorschijn en overhandigde dat. Hierop stond een adres in Islamabad.

‘Zijn er nog meer verwijzingen naar die jongen?’

‘Een paar. Ik heb gezocht op zijn naam en op die van zijn vader. Het schijnt dat het de verkeerde kant opging met hem. Er zijn aanwijzingen dat hij uit huis is gegaan en naar de tribale gebieden is vertrokken om zich aan te sluiten bij Lashkar-e-Taiba. Verschillende agenten van ons zijn daar jarenlang geïnfiltreerd geweest. Een jongeman met die naam was kennelijk een van hen, een fanatieke jihadist, verlangend naar actie. Hij is erin geslaagd geaccepteerd te worden bij de 313 Brigade.’

Tracker had wel over de 313 gehoord. Deze brigade was genoemd naar de soldaten, 313 in totaal, die samen met de Profeet honderden vijanden bevochten.

‘Daarna verdween hij weer. Onze bronnen hebben verslag gedaan van geruchten dat hij zich had aangesloten bij het Haqqani-netwerk, mede dankzij zijn Pasjtoe, wat ze allemaal spreken. Maar waar? Ergens in de drie tribale gebieden: Noord- en Zuid-Waziristan of Bajaur. Daarna niets, stilte. Niets meer over Ali Shah.’

Er kwamen nog meer mensen naar het terras. Tracker stopte het papier in zijn zak en bedankte Javad. Een uur later bracht zijn ambassadeauto hem terug naar het Serena.

In zijn kamer controleerde hij de drie of vier minuscule verklikkers die hij had voorbereid: een haar vastgeplakt met speeksel voor een paar lades en het slot van zijn rolkoffer. Ze waren verdwenen. Zijn kamer was dus doorzocht.

5

Tracker had een naam, een adres en een plattegrond van Islamabad die hij in de lounge van het vliegveld van Dubai van John Smith had gekregen. Hij wist ook zeker dat hij, zodra hij de volgende ochtend het hotel verliet, zou worden gevolgd. Voordat hij ging slapen, liep hij naar de receptie en vroeg of ze voor de volgende ochtend een taxi voor hem wilden bestellen. De receptionist vroeg waar de taxi hem naartoe moest brengen.

'O, gewoon een rondrit langs de toeristische attracties van de stad,' zei hij.

Om acht uur 's ochtends de volgende dag stond de taxi op hem te wachten. Hij begroette de chauffeur met zijn gebruikelijke brede glimlach van de 'onschuldige Amerikaanse toerist', waarna ze vertrokken.

'Ik zal je hulp nodig hebben, mijn vriend,' bekende hij en hij leunde naar voren. 'Wat beveel je aan?'

De auto reed over de Constitution Avenue, langs de Franse en Japanse ambassade. Tracker, die het stratenplan uit zijn hoofd had geleerd, knikte enthousiast toen hem het Hooggerechtshof, de Nationale Bibliotheek, de woning van de president en het Parlement werden gewezen. Hij maakte aantekeningen. Hij keek ook een paar keer achterom. Ze werden niet gevolgd. Dat was ook niet nodig, want de ISI-man zat achter het stuur.

Het was een lange rit met slechts twee stops. De chauffeur reed langs de vooringang van de inderdaad indrukwekkende Faisal Moskee. Tracker vroeg of hij foto's mocht maken en nadat hem was verteld dat dit mocht, maakte hij vanuit het autoraampje een stuk of tien foto's.

Ze reden door de Blauwe Zone met de duurdere winkelstraten. De eerste stop was bij een kleermakerswinkel, British Suiting.

Tracker vertelde de chauffeur dat een vriend had gezegd dat je hier in slechts twee dagen een goed maatpak kon laten maken. De chauffeur was het hiermee eens en zag zijn Amerikaanse klant naar binnen gaan.

Het personeel was attent en wilde hem graag van dienst zijn. Tracker koos een fijne kamgaren stof, donkerblauw met een heel licht krijtstreepje. Hij werd hartelijk gefeliciteerd met zijn smaak. Het opnemen van zijn maten nam slechts vijftien minuten in beslag en ze vroegen hem de volgende dag terug te komen voor de eerste pasbeurt. Hij betaalde contant een voorschot in dollars, wat bijzonder op prijs werd gesteld, en voordat hij vertrok vroeg hij of hij even naar het toilet mocht. Natuurlijk bevonden de toiletten zich helemaal achterin, voorbij de op elkaar gestapelde rollen stof. Naast de deur van het toilet was nog een deur. Nadat de winkelbediende, die hem hiernaartoe had gebracht, was vertrokken, duwde hij deze deur open. Toen stond hij in een steeg. Hij deed de deur weer dicht, ging naar het toilet en liep terug naar de winkel. Hij werd naar de voordeur gebracht. De taxi stond te wachten. Wat hij niet had gezien maar wel kon raden, was dat de chauffeur, toen hij naar het toilet was, even zijn hoofd om de deur had gestoken. Hij kreeg te horen dat zijn klant even 'naar achteren' was. De paskamers waren daar ook. Hij knikte en liep terug naar zijn taxi.

De enige andere stop was een bezoek aan de Kohsar Markt, een belangrijke historische attractie. Hier zei Tracker dat hij zin had in een kop koffie en werd naar de Gloria Jeans coffeeshop gestuurd. Na de koffie kocht hij wat Britse chocoladekoekjes bij AM Grocers en zei tegen zijn chauffeur dat hij nu wel terug kon rijden naar het Serena.

Voor het hotel betaalde hij de chauffeur en gaf hem een grote fooi die zeker in de zak van de chauffeur zou verdwijnen en niet aan de ISI ten goede zou komen. Nog geen uur later zou een volledig verslag worden gemaakt en British Suiting worden gebeld. Gewoon ter controle.

In zijn kamer maakte hij een verslag voor *The Washington Post*. Het was getiteld 'Een ochtendrit door het fascinerende Islamabad'. Het was oersaai en ook al verstuurde hij het wel, het zou nooit gepubliceerd worden.

Hij had geen computer meegenomen omdat hij niet wilde dat zijn harddrive zou worden verwijderd en leeggehaald. Hij gebruikte de computerruimte van het Serena. Zijn verslag werd inderdaad onderschept en gelezen, door dezelfde werknemer in de kelder die de brief van de persattaché had gekopieerd en gearchiveerd.

Hij lunchte in de eetzaal van het hotel. Daarna liep hij naar de receptie en vertelde dat hij een wandeling ging maken. Toen hij vertrok, stond een nogal mollige jongeman, tien jaar jonger dan hij maar nu al dik, op van een bank in de lobby, drukte zijn sigaret uit, vouwde zijn krant op en volgde hem.

Tracker was dan misschien wel ouder, maar hij was een US Marine en genoot van een stevige wandeling. Na twee lange avenues was zijn 'achtervolger' aan het hardlopen om hem te kunnen bijhouden; hij hijgde en pufte en was drijfnat van het zweet. Nadat hij zijn doelwit was kwijtgeraakt, dacht hij weer aan het verslag van die ochtend. Tijdens zijn tweede uitstapje van de dag ging de Amerikaan vast en zeker in de richting van British Suiting. De politieagent liep diezelfde kant op. Hij maakte zich zorgen, hij dacht aan zijn meedogenloze superieuren. Toen hij even bij de kleermakerswinkel naar binnen keek, was hij op slag niet meer ongerust. Ja, de Amerikaan was inderdaad binnen, maar hij was 'naar achteren'. De achtervolger ging weer naar buiten, ontdekte een deur, leunde ertegenaan, vouwde zijn krant open en stak een sigaret op.

Tracker was niet naar de paskamer gegaan. Nadat hij was begroet, vertelde hij een beetje genegeerd dat hij last van zijn maag had en vroeg of hij even gebruik mocht maken van het toilet. Ja, dat wist hij te vinden.

Een feringhee met last van zijn maag is al even voorspelbaar als de zonsopgang. Hij glipte door de achterdeur naar buiten en liep via de steeg naar een grote boulevard. Een passerende taxi, die hem zag zwaaien, stopte. Dit was een gewone taxi, met achter het stuur een eenvoudige Pakistaanse taxichauffeur die de kost wilde verdienen. Buitenlanders kun je via de lange toeristische route ergens naartoe brengen zonder dat ze zich daarvan bewust zijn, en dollars zijn nu eenmaal dollars.

Tracker wist dat de man de lange route nam, maar vond het beter om er niets over te zeggen. Twintig dollar later voor een rit van vijf dollar werd hij afgezet waar hij wilde. Op de kruising van twee straten in de Roze Zone, de buitenste rand van Rawalpindi en het gebied van de militaire huizen. Nadat de taxi was weggereden, overbrugde hij de laatste tweehonderd meter te voet.

Het was een eenvoudige kleine villa, netjes maar niet luxe, met een bordje waarop in het Engels en het Urdu stond: LUITENANT-KOLONEL. M.A. SHAH. Hij wist dat het leger vroeg begon en vroeg ophield. Hij klopte aan. Hij hoorde geschuifel. De deur ging een paar centimeter open. Donker binnen, een donker gezicht, door zorgen getekend maar vroeger knap. Mevrouw Shah? Geen dienstmeisje; geen welvarend huishouden.

'Goedemiddag, mevrouw. Ik ben hier om met kolonel Ali Shah te praten. Is hij thuis?'

Vanuit het huis riep een man iets, in het Urdu. Ze draaide zich om en gaf antwoord. De deur zwaaide wijd open en er verscheen een man van middelbare leeftijd. Keurig geknipt haar, een korte snor, gladgeschoren, heel erg militair. De kolonel had zijn legerkleding verruild voor een *mufti*. Desondanks straalde hij gewichtigheid uit. Maar zijn verbazing toen hij een Amerikaan in een donker pak zag was oprecht.

'Goedemiddag, meneer. Heb ik de eer kolonel Ali Shah te ontmoeten?'

Hij was slechts luitenant-kolonel, maar was niet van plan bezwaar te maken. En de formulering van het verzoek kon ook geen kwaad. 'Ja, inderdaad.'

'Dan mag ik me gelukkig prijzen, meneer. Ik zou u wel hebben gebeld, maar ik had uw privénummer niet. Ik hoop maar dat ik niet erg ongelegen kom.'

'Nou eh, nee, maar wat is er...'

'Weet u, kolonel, mijn goede vriend generaal Shawqat vertelde me gisteravond tijdens het diner dat u de man bent met wie ik moet praten voor mijn zoektocht. Zouden we...'

Tracker gebaarde naar binnen en de geschrokken officier stapte achteruit en deed de deur wijd open. Hij zou trillend hebben gesalueerd en met zijn rug tegen de muur zijn gaan staan wanneer de Commander-in-Chief was langsgekomen. Generaal Shawqat, moet je nagaan, en hij en de Amerikaan hadden samen gedineerd.

'Natuurlijk, waar zijn mijn manieren? Kom alstublieft binnen.' Hij liep voor Tracker uit naar een eenvoudig gemeubileerde zitkamer. Zijn vrouw drentelde heen en weer. 'Chai,' brulde de overste en zij liep snel weg om de thee te zetten, het rituele welkom voor geëerde gasten.

Tracker overhandigde zijn visitekaartje, op naam van Daniel Priest, hooggeplaatst auteur van *The Washington Post*. 'Kolonel, mijn redacteur heeft me opdracht gegeven, met de volledige goedkeuring van uw regering, om een portret te schrijven van Mullah Omar. Zoals u zult begrijpen, is hij zelfs na al deze jaren een bijzonder teruggetrokken man en niet erg bekend. De generaal dacht dat u hem hebt ontmoet en met hem hebt gesproken.'

'Nou, dat weet ik niet...'

'Ach, kom op, u bent veel te bescheiden. Mijn vriend vertelde me dat u twaalf jaar geleden met hem naar Quetta bent gegaan en een cruciale rol hebt gespeeld in de bilaterale gesprekken.'

Luitenant-kolonel Ali Shah ging rechterop zitten toen de Amerikaan hem overlaadde met deze complimenten. Dus generaal Shawqat hád hem opgemerkt. Hij legde zijn vingertoppen tegen elkaar en beaamde dat hij inderdaad met de eenogige talibanleider had gesproken.

De thee was klaar. Terwijl mevrouw Ali Shah de thee serveerde, zag Tracker dat ze bijzonder opvallende jadegroene ogen had. Dat had hij al gehoord. Dat kwam veel voor bij de bergmensen van de stammen langs de Durand Linie, het woeste grensgebied tussen Afghanistan en Pakistan. Men beweerde dat Alexander de Grote – Iskandar van Macedonië, de jonge god van de 'hele wereld' – 2.300 jaar geleden door deze bergen was getrokken nadat hij het Perzische Rijk had vernietigd en van plan was India in te nemen. Maar zijn mannen waren moe, uitgeput door zijn niet-aflatende campagnes, en toen hij terugkwam van de Indus-campagne deserteerden ze in groten getale. Wanneer ze niet konden terugkeren naar de heuvels van Macedonië, vestigden ze zich in deze bergen en dalen, namen een bruid en goed boerenland, en stopten ze met marcheren en vechten.

Het kleine kind dat zich in het dorp Qala-e-Zai achter het gewaad van Mahmud Gul had verborgen, had lichtblauwe ogen, geen bruine zoals de Punjabi's. En de vermiste zoon?

De thee zou pas worden gedronken als het gesprek ten einde was. Hij had geen idee dat dit zo onverwacht het geval zou zijn.

'Ik geloof dat u werd vergezeld door uw zoon, kolonel, die Pasjtoe spreekt.'

De officier stond op en zei met kaarsrechte rug, zichtbaar diep beledigd: 'U vergist u, meneer Priest, ik heb geen zoon.'

Tracker stond ook op, zette zijn theekopje neer, verontschuldigend. 'Maar ik had begrepen... een jonge knaap die Zulfiqar heette...'

De overste beende naar het raam en staarde naar buiten, met zijn handen op de rug. Hij trilde van ingehouden woede, hoewel Tracker niet wist op wie die woede gericht was.

'Ik zeg het u nog eens, meneer, ik heb geen zoon. En ik vrees dat ik u niet verder kan helpen.'

Er hing een ijzige stilte. De Amerikaan werd duidelijk verzocht te vertrekken. Hij keek naar de vrouw van de overste.

De jadegroene ogen stonden vol tranen. Er was duidelijk sprake van een familiedrama dat zich kennelijk al jaren voortsleepte.

Terwijl hij zich nog een paar keer verontschuldigde, liep Tracker naar de deur. De vrouw liep met hem mee. Terwijl ze de voordeur openhield, fluisterde hij: 'Sorry, mevrouw, het spijt me heel erg.'

Het was duidelijk dat ze geen Engels sprak en waarschijnlijk ook geen Arabisch. Maar het woord 'sorry' is behoorlijk internationaal en ze begreep het waarschijnlijk wel. Ze keek op, met tranen in de ogen, zag het medeleven en knikte. Daarna verdween ze en ging de deur dicht.

Hij liep de ongeveer zevenhonderd meter naar Airport Road, hield een taxi aan en liet zich naar de stad brengen. Terug in zijn hotel belde hij vanuit zijn kamer de cultureel attaché. Wanneer het gesprek werd opgenomen, wat zou gebeuren, was dat niet erg. 'Hallo, met Dan Priest. Ik vroeg me af of u dat materiaal al hebt gevonden over de traditionele muziek van de Punjab en de tribale gebieden?'

'Ja, dat heb ik,' zei de CIA-man.

'Fijn. Daar kan ik een geweldig stuk over schrijven. Kunt u het langsbrengen in het Serena? Zullen we dan een kop thee drinken in de lounge?'

'Ach, waarom ook niet, Dan. Zeven uur?'

'Prachtig. Zie je dan.'

Onder het genot van een kop thee die avond vertelde Tracker wat hij nodig had voor de volgende dag. Dan was het vrijdag en zou de overste naar de moskee gaan voor de gebeden van de heilige dag van de islam; die zou hij niet durven missen. Maar de echtgenotes hoefden niet mee, want dit was niet Camp Lejeune.

Na het vertrek van de CIA-man vroeg hij de conciërge of hij voor hem een ticket wilde reserveren voor de avondvlucht van Etihad Airways naar Qatar met een aansluiting naar Londen via British Airways.

De volgende ochtend stond de auto al te wachten toen hij met zijn ene koffer naar buiten stapte. Het was zoals gewoonlijk een onopvallende auto, maar van het corps diplomatique, zodat hij niet kon worden beschadigd en de inzittenden niet konden worden overvallen.

Achter het stuur zat een blanke Amerikaan van middelbare leeftijd met grijs haar, die al heel lang bij de ambassade werkte en al zo vaak door de stad was gereden dat hij hem heel goed kende. Hij had iemand bij zich, een jonge medewerker van het ministerie van Binnenlandse

Zaken die zich thuis had gespecialiseerd in het Pasjtoe. Tracker stapte achterin en gaf het adres op. Toen ze bij het Serena Hotel wegreden, reed hun ISI-achtervolger achter hen aan.

Aan het einde van de straat waar luitenant-kolonel Ali Shah woonde, stopten ze en wachtten tot iedere man die daar woonde naar de moskee was vertrokken voor de vrijdagse gebeden. Toen pas gaf Tracker opdracht hem voor de deur af te zetten.

Weer werd de voordeur geopend door mevrouw Shah. Ze werd meteen nerveus en vertelde dat haar man niet thuis was, maar over een uur terug zou zijn, misschien iets later. Ze sprak Pasjtoe. De man van de ambassade antwoordde dat de kolonel hen had verzocht op hem te wachten. Besluiteloos, omdat hij dit niet tegen haar had gezegd, liet ze hen toch binnen en ging hen voor naar de zitkamer. Ze liep heen en weer, gegeneerd, maar ging niet zitten. Maar ze ging ook niet weg.

Tracker wees naar de leunstoel tegenover hem. 'Alstublieft, mevrouw Shah, u hoeft niet bang te zijn omdat ik ben teruggekomen. Ik ben hier om mijn excuses aan te bieden voor gisteren. Ik wilde uw man niet van streek maken. Ik heb een klein cadeautje meegenomen om mijn spijt te betuigen.'

Hij zette de fles Black Label op de salontafel. Ook die had in de auto gelegen, zoals hij had gevraagd. Ze glimlachte zenuwachtig toen de tolk zijn woorden vertaalde en ging zitten.

'Ik had geen idee dat er onenigheid was tussen vader en zoon,' zei Tracker. 'Wat tragisch. Mij was verteld dat uw zoon, Zulfiqar heet hij toch, zo knap was en zowel Engels als Urdu en Pasjtoe sprak. Dat heeft hij natuurlijk van u geleerd.'

Ze knikte en weer kreeg ze tranen in haar ogen.

'Zeg, hebt u niet ergens een foto van Zulfiqar, van toen hij nog klein was?'

Uit elk oog druppelde een dikke traan die over haar wangen gleed. Geen enkele moeder vergeet de ooit zo prachtige zoon die ze ooit op haar schoot had gehad. Langzaam knikte ze.

'Mag ik hem zien... Alstublieft?'

Ze stond op en verliet de kamer. Ergens had ze een geheime bergplaats en ze trotseerde haar echtgenoot door een foto van haar lang geleden verdwenen zoon te bewaren. Toen ze terugkwam, had ze één foto bij zich in een leren lijst. De foto was gemaakt op de dag van de diploma-uitreiking. Op de foto stonden twee tienerjongens die vrolijk lachend in de camera keken. Dat was de tijd voordat hij zich tot de jihad had bekeerd, de tijd van een zorgeloos afscheid van school, van eindeloze afscheidstoespraken en onschuldige vriendschappen. Tracker hoefde niet te vragen wie haar zoon was: de jongen links had heldere amberkleurige ogen. Hij gaf haar de foto terug.

'Joe,' zei Tracker zacht, 'bel de chauffeur met je mobieltje en vraag hem om aan te kloppen.'

'Maar hij staat buiten te wachten.'

'Doe alsjeblieft wat ik je vraag.'

De ondergeschikte belde de chauffeur. Mevrouw Shah begreep er geen woord van. Een paar seconden later werd er even kort aangeklopt. Mevrouw Shah schrok. Niet haar echtgenoot; het was te vroeg en bovendien zou hij gewoon binnenkomen. Ze verwachtte geen andere bezoekers. Ze stond op, keek hulpeloos om zich heen, trok een la open van het dressoir dat tegen de muur stond en legde de foto erin. Weer werd er aangeklopt. Ze verliet de kamer.

Tracker was met twee stappen bij de la. Hij haalde de foto eruit en maakte er twee foto's van met zijn iPhone. Tegen de tijd dat mevrouw Shah terugkwam met de verbaasde chauffeur, zat de oudere bezoeker alweer in zijn stoel terwijl de jongere geschrokken naast hem stond.

Tracker stond met een warme glimlach op. 'Ah, het is tijd om te vertrekken, zie ik. Ik moet een vliegtuig halen. Het spijt me ontzettend dat ik uw man niet heb getroffen. Wilt u hem alstublieft mijn groeten overbrengen en hem mijn verontschuldigingen aanbieden omdat ik hem van slag heb gemaakt?'

Dit werd allemaal vertaald en daarna lieten ze zichzelf uit. Zodra ze vertrokken waren, haalde mevrouw Shah haar kostbare foto uit de la en verstopte hem weer op de geheime plaats.

Tijdens de autorit naar het vliegveld vergrootte Tracker de foto en keek ernaar. Hij was geen wrede man en vond het niet prettig om de vroegere schoonheid met haar jadegroene ogen te bedriegen. Maar hoe, dacht hij, moet je een moeder die nog altijd om haar verloren zoon huilt, vertellen dat je van plan bent hem op te sporen en hem te doden omdat hij zo'n monster is geworden?

Twintig uur later landde hij op Washington Dulles.

Tracker stond gebukt in de krappe ruimte op de zolder van het huisje in Centreville naar het beeldscherm te kijken. Ariel zat naast hem voor zijn toetsenbord als een pianist voor een belangrijk concert. Hij had alles volkomen onder controle; dankzij de apparatuur die TOSA hem had geschonken, lag de hele wereld aan zijn voeten. Zijn vingers vlogen over de toetsen en terwijl hij vertelde wat hij had gedaan, flitsten de beelden over het scherm. 'Trols internetverkeer komt hier vandaan,' zei hij.

Het waren afbeeldingen van Google Earth die hij op de een of andere manier had uitvergroot. De kijker vanuit de ruimte dook als een dappere luchtacrobaat richting aarde. Het Arabisch Schiereiland en de Hoorn van Afrika vulden het scherm en terwijl het leek alsof de camera op en neer deinde, was het alsof ze erlangs suisden. Ten slotte kwam er een einde aan zijn waanzinnige duik en keek hij naar een dak: rechthoekig, lichtgrijs. Zo te zien waren er een binnenplaats en een hek. In de tuin stonden twee vrachtwagens.

'De Prediker zit niet in Jemen zoals u misschien had gedacht, maar in Somalië. Dit is Kismayo, aan de kust in het zuiden van het land,' zei Ariel.

Tracker keek toe, gefascineerd. Ze hadden zich allemaal vergist – CIA, TOSA, het Counterterrorism Center – toen ze dachten dat hun doelwit van Pakistan naar Jemen was geëmigreerd. Hij was daar waarschijnlijk wel geweest, maar was doorgereisd om een veilige schuilplaats te zoeken. Niet bij AQAP – (Al Qaida in the Arabian Peninsula, Al Qaida op het Arabisch Schiereiland) – maar bij de fanatici die de baas waren van AQHA – Al Qaida in de Hoorn van Afrika – die vroeger Al-Shabaab heetten en de zuidelijke helft van Somalië controleerden, een van de gevaarlijkste landen ter wereld.

Ze zouden veel research moeten doen. Voor zover hij wist was Somalië, buiten de bewaakte enclave rondom de symbolische hoofdstad Mogadishu, feitelijk verboden gebied sinds de slachting van achttien Rangers tijdens het incident dat Blackhawk Down werd genoemd en dat in het geheugen van militair Amerika was gegrift, en niet op een aangename manier.

Als Somalië al bekend was, kwam dit door de piraten die al tien jaar lang schepen die voor de kust voeren kaapten en voor miljoenen dollars schepen, ladingen en bemanningen gijzelden. Maar de piraten zaten in het noorden, in Puntland, een grote, woeste en verlaten wildernis bevolkt door clans en stammen die de victoriaanse ontdekkingsreiziger Sir Richard Burton ooit de wildste mensen ter wereld had genoemd.

Kismayo lag helemaal in het zuiden, driehonderd kilometer ten noorden van de grens met Kenia. In de koloniale tijd was het een welvarend Italiaans handelscentrum, maar nu een overbevolkte sloppenwijk onder gezag van jihadisten die veel extremer waren dan wie ook binnen de islam.

'Weet je wat dat gebouw is?' vroeg hij aan Ariel.

'Nee. Een pakhuis, een grote schuur, geen idee. Maar van daaruit opereert de Trol de fanwebsite. Daar staat zijn computer.'

'Weet hij dat jij het weet?'

De jonge man zei met een rustige glimlach: 'Nee hoor, hij heeft me niet ontdekt. Hij regelt de fanwebsite nog steeds. Als hij zou weten dat ik hem in de gaten hou, zou hij die hebben gesloten.'

Tracker kroop achteruit de zolder af en klauterde via de ladder naar de overloop. Hij zou het allemaal laten doorsturen naar TOSA. En hij zou ervoor zorgen dat binnen een paar dagen een UAV, een drone, boven die schuur zou cirkelen.

Deze drone zou de schuur in de gaten houden, naar elke online fluistering luisteren, elke beweging van warme lichamen signaleren en foto's maken van alles en iedereen die kwam en ging. Ook zou de drone alles in real time doorsturen naar beeldschermen op de Air Force Base Creech, Nevada, of naar Tampa, Florida, en daarvandaan naar TOSA. Ondertussen moest er veel worden gedaan met wat Tracker vanuit Islamabad had meegenomen.

Tracker zat urenlang te kijken naar de foto die hij had gemaakt van de foto die mevrouw Ali Shah als een schat koesterde. Hij had het laboratorium de kwaliteit laten verbeteren tot de foto haarscherp was. Hij keek naar de twee glimlachende gezichten en vroeg zich af waar ze nu waren. De jongen rechts was niet belangrijk, het ging om de jongen met de amberkleurige ogen die hij bestudeerde zoals generaal Montgomery in de Tweede Wereldoorlog het gezicht had bestudeerd van Rommel, de Duitse woestijnvos, terwijl hij zich probeerde voor te stellen wat hij hierna zou doen.

De jongen op de foto was zeventien. Dat was voor hij zich had bekeerd tot het ultra-jihadisme, voor 11 september, voor Quetta, voor hij zijn familie verliet en zich aansloot bij de moordenaars van Lashkar-e-Taiba, de 313 Brigade en het Haqqani-netwerk.

Door zijn ervaringen, de haat, de moorden waar hij onvermijdelijk getuige van was geweest, het harde leven in de bergen van de tribale gebieden – door dat alles zou de lachende jongen er nu ouder uitzien.

Tracker stuurde een duidelijke foto van de Prediker zoals hij er nu uitzag, ook al was hij gemaskerd, en de linkerkant van de foto uit Islamabad naar een bijzonder gespecialiseerde unit. Bij de Criminal Justice Information Services, een afdeling van de FBI in Clarksburg, West Virginia, is een laboratorium dat is gespecialiseerd in de veroudering van gezichten. Hij vroeg hun de Prediker een gezicht te geven, zijn gezicht van dit moment. Daarna ging hij naar Gray Fox.

De directeur van TOSA bekeek het bewijs goedkeurend. Eindelijk hadden ze een naam en binnenkort zouden ze een gezicht hebben. En ze hadden een land, misschien zelfs een stad. 'Denk je dat hij daar woont, in dat pakhuis in Kismayo?' vroeg hij.

'Dat betwijfel ik. Hij wil hoe dan ook onvindbaar blijven. Ik durf te wedden dat hij ergens anders woont en zijn preken opneemt in een kamer met een camcorder, terwijl achter hem een laken hangt met de gebruikelijke Koranspreuken zoals we op het scherm zien. En dat hij daarna de preken meegeeft aan zijn assistent, die we nu de Trol noemen, die ze daarna vanuit Kismayo uitzendt. Hij zit nog niet in de val, nog lang niet,' zei Tracker.

'Dus wat doen we nu?'

'Ik wil dat er min of meer permanent een UAV boven dat huis hangt. Ik zal vragen om een laagvliegmissie om foto's van de zijkanten van het gebouw te kunnen nemen, zodat we kunnen zien of er een bedrijfsnaam op staat of iets anders. Ik denk dat het tijdverspilling is, maar ik moet weten van wie dat gebouw is.'

Gray Fox keek naar het beeld vanuit de ruimte. Het was een helder beeld, maar met behulp van militaire technologie zouden ze de spijkers in het dak vanaf een hoogte van anderhalve kilometer kunnen tellen. 'Ik neem contact op met de jongens van de drones. Zij hebben lanceerfaciliteiten in Kenia ten zuiden, in Ethiopië ten westen, in Djibouti ten noorden hiervan, en de CIA heeft een supergeheime unit binnen de Mogadishu-enclave. Jij krijgt je foto's. Zeg, nu je zijn gezicht hebt, dat hij kennelijk het liefst wil verbergen, en zijn naam – ben je nu van plan zijn dekmantel op te blazen?'

'Nog niet. Ik heb een ander idee.'

'Jij bent aan zet, Tracker. Ga je gang.'

'Nog één ding. Ik zou het zelf wel kunnen vragen, maar JSOC legt iets meer gewicht in de schaal: heeft de CIA of iemand anders een agent in het zuiden van Somalië?'

Een week later gebeurden er vier dingen. Ondertussen had Tracker zich verdiept in de tragische geschiedenis van Somalië, dat ooit uit drie delen had bestaan. Frans Somaliland in het uiterste noorden heette nu Djibouti; nog altijd met een sterke Franse invloed, een contingent van het Vreemdelingenlegioen en een gigantische Amerikaanse basis die zoveel huur betaalde dat de economie er vrijwel volledig afhankelijk van was. In het noorden lag ook voormalig Brits Somaliland, dat nu gewoon Somaliland heette; het was er rustig, vredig en zelfs democratisch, maar werd vreemd genoeg niet erkend als een apart land. Het grootste deel bestond uit voormalig Italiaans Somaliland; na de Tweede Wereldoorlog werd het geconfisqueerd en een tijdje door de Britten bestuurd en daarna was het onafhankelijk geworden. Nadat zoals gebruikelijk een dictator een paar jaar het heft in handen had gehad, ontstond er een burgeroorlog in de voormalige welvarende en chique kolonie waar rijke Italianen hun vakantie doorbrachten. Clan vocht tegen clan, stam vocht tegen stam en krijgsheer na krijgsheer probeerde de macht in handen te krijgen. Ten slotte, toen Mogadishu en Kismayo helemaal in puin lagen, trok de buitenwereld de handen van het land af. Het land werd weer berucht doordat de verarmde vissers uit het noorden zich op de piraterij en de verarmde vissers uit het zuiden zich op het moslimfundamentalisme stortten. Al-Shabaab was een bondgenoot van Al Qaida geworden en veroverde het hele zuiden. Mogadishu fungeerde als de zwakke symbolische hoofdstad van het corrupte regiem dat op buitenlandse hulp teerde, maar dan wel in een omsingelde enclave waarvan de grenzen werden bewaakt door een gemengd leger van Kenianen, Ethiopiërs, Oegandezen en Burundezen. Binnen deze muur van wapens stroomde veel geld naar allerlei hulpprojecten.

Tracker zat in zijn kantoor met zijn hoofd in zijn handen te lezen of te kijken naar opnamen, gemaakt door een onbewapende UAV, een RQ-4 Global Hawk, die boven Kismayo vloog. Het toestel werd ook wel een HALE genoemd: *high altitude, long endurance*. Deze drone was afkomstig van de nabijgelegen Keniaanse basis, waar een paar Amerikaanse soldaten en technici zich in de tropische hitte in het zweet werkten, als een filmcrew op locatie vanuit de lucht werden bevoorraad en waren ondergebracht in gebouwen met airconditioning. Ze hadden vier Global Hawks, waarvan er nu twee in de lucht waren.

Eén ervan was in de lucht om uit te kijken naar mogelijke invallen bij de Keniaans-Somalische grens en de kustwateren. De nieuwe opdracht was rondcirkelen boven een voormalig industriegebied in Kismayo en een gebouw in de gaten houden. Omdat de Hawks elkaar zouden moeten aflossen, betekende dit dat ze nu alle vier operationeel waren.

De Global Hawk heeft een uitzonderlijke vliegduur van vijfendertig uur: omdat ze vlak bij hun basis bleven, konden ze dertig uur boven hun doelwit rondcirkelen. Op een hoogte van twintig kilometer, bijna twee keer zo hoog als de vlieghoogte van een passagiersvliegtuig, kon elke drone zo'n zestigduizend vierkante kilometer scannen, of die oppervlakte beperken tot zes vierkante kilometer en haarscherp inzoomen.

De Global Hawk boven Kismayo kon met zijn *synthetic aperture radar* (SAR) en elektro-optische infraroodcamera alles zien, dag en nacht, bewolkt of onbewolkt. Hij kon ook 'luisteren' naar de kleinste transmissie op het laagst mogelijke vermogen en veranderingen oppikken van de warmtebeelden wanneer mensen op de grond zich verplaatsten. Alle informatie werd binnen een fractie van een seconde doorgeseind naar Nevada.

Het tweede was dat de foto's terugkwamen uit Clarksburg. De technici daar hadden opgemerkt dat de stof van het masker op de televisiebeelden door het gezicht eronder iets omhoog werd geduwd. Zij dachten dat er best eens een dikke baard onder kon zitten en daarom stuurden ze twee alternatieven: een gezicht met en een gezicht zonder baard. Ze hadden rimpels aangebracht op het voorhoofd en rondom de ogen, zodat het geactualiseerde gezicht veel ouder was, en hard. De mond en de kaaklijn hadden iets wreeds. De zachtheid en de vrolijkheid van de jongen waren verdwenen.

Tracker was net klaar met het bekijken van de foto's toen hij bericht kreeg van Ariel.

'Er schijnt nog een computer in dat gebouw te staan,' zei hij. 'Maar dat is niet de computer die de preken verstuurt. Degene die erachter zit, en ik denk dat het de Trol is, bevestigt dat hij iets heeft ontvangen en bedankt daarvoor. Ik heb geen idee wat. Maar iemand communiceert dus per e-mail met dat gebouw.'

En Gray Fox kwam terug. De boodschap was negatief. Niemand heeft een agent bij de Shabaab. 'De boodschap schijnt te zijn: "Als je die hel wilt binnengaan, ben je op jezelf aangewezen."'

6

Hij had er natuurlijk aan moeten denken toen hij nog in Islamabad was; hij kon zichzelf wel voor z'n kop slaan! Javad, de mol van de CIA daar, had hem verteld dat de jonge Zulfiqar Ali Shah in 2004 van alle radarschermen was verdwenen nadat hij zich had aangesloten bij de Lashkar-e-Taiba, de anti-Kasjmir-terreurgroepering.

Sinds die tijd – niets. Tenminste, niets onder die naam. Pas toen hij in zijn kantoor naar dat gezicht zat te kijken, schoot hem een andere mogelijkheid te binnen. Hij vroeg de CIA weer contact op te nemen met Javad met een eenvoudige vraag: Heeft een van jullie agenten – mollen – binnen de verschillende terreurgroeperingen langs die dodelijke grens ooit gehoord van een terrorist met amberkleurige ogen?

Ondertussen moest hij nog een bezoek afleggen met hetzelfde verzoek dat hij tevergeefs aan Langley had gedaan.

Ook deze keer ging hij met een officiële auto, maar nu in burger: in een pak, overhemd en stropdas. Sinds 11 september 2001 wordt de Britse ambassade aan de Massachusetts Avenue zwaar bewaakt. Dat prachtige gebouw staat naast het Naval Observatory, waar de vicepresident woont, dat ook zwaar wordt bewaakt.

Zijn auto reed niet naar de hoofdingang aan de voorkant, maar via een smalle straat naar de zijkant van het gebouw. Zijn auto stopte bij het hokje naast de slagboom en hij liet zijn raampje zakken en overhandigde zijn pas. De bewaker overlegde via een gewone telefoon. Kennelijk kreeg hij een bevredigend antwoord, zodat de slagboom omhoog werd gedaan en de auto kon doorrijden naar de kleine overdekte parkeerplaats. Minder indrukwekkende personen moesten buiten parkeren en te voet naar het gebouw lopen. Ruimte is schaars.

Deze deur was veel minder groots dan de vooringang, maar om veiligheidsredenen werd hij zelden gebruikt en dan ook alleen maar door de ambassadeur en hooggeplaatste Amerikaanse bezoekers. Zodra Tracker binnen was, liep hij naar het met glas afgescheiden hokje en liet zijn identiteitskaart zien. Deze stond op naam van ene overste James Jackson.

Weer telefonisch overleg, daarna het verzoek plaats te nemen. Nog geen twee minuten later ging de liftdeur open en kwam er een jonge man uit, duidelijk een soort jongste bediende.

'Overste Jackson?' Er was niemand anders in de lobby. Ook hij controleerde de identiteitskaart. 'Wilt u me alstublieft volgen, overste?'

Ze gingen, dat wist Tracker, naar de vierde verdieping, de etage van de defensie-attaché, de verdieping waar de Amerikaanse schoonmaakploegen nooit kwamen. Dat werk, het schoonmaken, moest worden gedaan door de laagste, dus Britse, levensvormen.

Op de vierde verdieping leidde de jongeman Tracker door een gang langs verschillende kamerdeuren met naambordjes erop. Ten slotte bleef hij staan bij een deur zonder naambordje, maar met een kaartslot in plaats van een deurkruk. Hij klopte aan en nadat iemand in het vertrek had gezegd dat hij binnen moest komen, trok hij zijn kaart door het slot, zwaaide de deur open en gebaarde dat Tracker naar binnen moest gaan. Hij liep niet mee, maar deed de deur zachtjes weer dicht.

Het was een chique kamer met kogelvrije ramen en uitzicht op de avenue. Het was een kantoor, maar niet de 'glazen koepel', waar alleen besprekingen op het hoogste veiligheidsniveau, *cosmic top secret*, plaatsvonden. Dat vertrek bevond zich midden in het gebouw, had geen ramen en was op alle zes vlakken omgeven door een vacuüm. De techniek om een straal op een glazen ruit te richten en aan de hand van de trillingen het gesprek dat binnen plaatsvindt te kunnen volgen, was door Moskou tijdens de Koude Oorlog tegen de Amerikanen gebruikt. Daarom was het hele gebouw op deze manier aangepast.

De man die met uitgestoken hand om zijn bureau heen liep, droeg ook een pak. Bovendien droeg hij een gestreepte stropdas die, dacht Tracker na zijn jaren in Londen, wel het merkteken van een bijzonder dure school zou zijn. Hij had er niet genoeg verstand van om de kleuren van Harrow te herkennen.

'Overste Jackson? Welkom. Volgens mij hebben we elkaar nog niet eerder ontmoet. Konrad Armitage. Ik ben zo vrij geweest koffie te laten komen. Hoe drinkt u uw koffie?'

Hij had natuurlijk een van de aantrekkelijke secretaresses van die etage kunnen vragen de koffie in te schenken, maar hij deed het zelf. Konrad Armitage was nog niet zo lang geleden uit Londen hiernaartoe gekomen en stond nu aan het hoofd van de SIS bij de ambassade. Hij had van zijn voorganger gehoord wie zijn gast was en was blij met deze ontmoeting. Beide mannen waren zich terdege bewust van hun gemeenschappelijke doel, hun gemeenschappelijke interesses en hun gemeenschappelijke vijand. 'Goed, wat kan ik voor u doen?'

'Ik heb een vreemd en kort maar krachtig verzoek. Ik had het natuurlijk ook via de gebruikelijke kanalen kunnen doen, maar omdat we elkaar toch een keer zouden moeten leren kennen, dacht ik dat ik dit net zo goed persoonlijk kon doen.'

'U hebt helemaal gelijk. En uw verzoek?'

'Heeft uw geheime dienst een contact of, nog beter, een agent bij Al-Shabaab in Somalië?'

'Wauw! Dat is inderdaad een vreemd verzoek. Niet mijn specialiteit. We hebben daar natuurlijk wel een afdeling, maar dat zal ik moeten navragen. Mag ik u vragen, is het de Prediker?'

Armitage was geen helderziende. Hij wist wie Tracker was en wat hij deed. In Groot-Brittannië was zojuist een vierde moord gepleegd door een jonge fanaticus die was geïnspireerd door de online preken van de Prediker, terwijl er in Amerika al zeven van die moorden waren gepleegd; beide diensten wisten dat hun regeringen die man wilden doden.

'Zou kunnen,' zei Tracker.

'Goed, uitstekend. Zoals u weet hebben we wel mensen, net als onze vrienden van Langley, in Mogadishu, maar áls zij iemand bij Al-Shabaab in Somalië hebben, zou het me verbazen als ze geen gezamenlijke operatie zouden hebben voorgesteld. Ik zorg ervoor dat dit verzoek morgenochtend in Londen is.'

Het antwoord liet slechts twee dagen op zich wachten, maar het was hetzelfde als dat van de CIA. En Armitage had gelijk; wanneer een van beide landen in het zuiden van Somalië een bron had, dan was dat te waardevol om niet te delen, zowel de kosten als de opbrengsten.

Het antwoord van Javad binnen de ISI was veel nuttiger. Een van de mannen die net deden alsof ze de Amerikanen bespioneerden en alles wat ze hadden ontdekt doorgaven, was een contact in de beruchte S Wing, die in elk opzicht de ontelbare groeperingen 'dekte' die zich hadden gewijd aan het jihadisme en het geweld dat de grensstrook van Kasjmir tot Quetta overheerste.

Het zou veel te gevaarlijk zijn geweest als Javad dat openlijk had gevraagd; dan zou hij zijn dekmantel hebben opgeblazen en zijn echte opdrachtgevers hebben onthuld. Maar onderdeel van zijn ISI-klus was dat hij geautoriseerde toegang had tot de Amerikanen en ook veel contact met hen had. Hij deed net alsof hij tijdens een cocktailparty een gesprek tussen twee diplomaten had afgeluisterd. De S Wing dook uit nieuwsgierigheid in de archiefdatabase en Javad, die achter hem stond, zag welk dossier hij inkeek. Nadat de S Wing-officier het dossier had gesloten, gaf hij opdracht de Yankees te vertellen dat zo'n spoor niet bestond.

'S Nachts opende Javad dezelfde database en haalde het dossier op. Die informatie stond er wel in, maar al van jaren geleden. De melding was afkomstig van een ISI-spion in Ilyas Kasjmiri's 313 Brigade van fanatici en moordenaars. Het ging over een nieuweling uit Lashkar-e-Taiba, een fanaticus die de overvallen op Kasjmir te tam had gevonden. De jonge rekruut sprak Arabisch, Pasjtoe en Urdu, en was om die reden opgenomen in de 313 Brigade. De Brigade bestond voornamelijk uit Arabieren en werkte nauw samen met het Haqqani-netwerk. Verder stond er dat hij daarom wel nuttig kon zijn, maar dat hij nog moest bewijzen dat hij een vechter was. Hij had amberkleurige ogen en noemde zichzelf Abu Azzam.

Dus dáárom was hij tien jaar geleden verdwenen. Hij was overgestapt naar een andere terroristische organisatie en had zijn naam veranderd.

Het Amerikaanse Counterterrorism Center heeft een omvangrijke database over jihadistische terreurgroeperingen en Abu Azzam bleek een overvolle schatkamer.

Toen Afghanistan nog door Rusland werd bezet, waren er zeven belangrijke *warlords* die samen de moedjahedien vormden. Moedjahedien, letterlijk in het Arabisch: 'strijder' of 'ijveraar', iemand die zich inzet voor de jihad of 'strijd'. Aangemoedigd en gesteund door het Westen als 'patriotten', 'partizanen' en 'vrijheidsstrijders'. Naar hen, en alleen naar hen, gingen de enorme hoeveelheden geld en wapens die naar de Afghaanse bergen werden gestuurd om de Russen te verslaan. Maar zodra de laatste Russische tank Rusland weer binnenreed, werden twee van deze warlords weer dezelfde gevaarlijke moordenaars die ze altijd al waren geweest: Gulbuddin Hekmatyar en Jalaluddin Haqqani.

Haqqani was weliswaar een warlord en de heerser van zijn geboorteprovincie Paktia, maar toen de taliban de warlords verdreef en aan de macht kwam, liep hij over en werd commandant van het talibanleger.

Nadat ze waren verslagen door de Amerikanen en de Noordelijke Alliantie, liep hij nog een keer over, stak de grens over en vestigde zich in Waziristan, binnen de Pakistaanse grens. Hij werd opgevolgd door zijn drie zonen en creëerde het Haqqani-netwerk, feitelijk de Pakistaanse taliban.

Dit werd een centrum voor terroristische aanvallen op Amerikaanse en NAVO-strijdkrachten aan de andere kant van de grens en op de Pakistaanse regering van Pervez Musharraf die een bondgenoot van de VS werd. Hij lijfde de overgebleven talibanstrijders in die niet dood waren of in de gevangenis zaten, plus allerlei andere jihadistische fanatici. Een van hen was Ilyas Kasjmiri, die zijn 313 Brigade meenam die deel uitmaakte van het Schaduwleger.

Wat Tracker wel kon aannemen, was dat de fanatieke en op macht beluste Zulfiqar Ali Shah, die zichzelf nu Abu Azzam noemde, een van hen was. Wat hij niet kon weten was dat Abu Azzam, die zijn leven weliswaar niet in gevaar bracht door mee te doen aan invallen in Afghanistan, wel de smaak te pakken kreeg van moorden en de meest enthousiaste beul van de 313 Brigade werd.

De leiders van Haqqani, taliban, Al Qaida en de Brigade werden een voor een door de Amerikanen geïdentificeerd, opgespoord dankzij lokale informatie en doelwit van drone-aanvallen. In de uitgestrekte berggebieden waren ze immuun voor legeraanvallen, zoals Pakistan ten koste van vele mensenlevens ontdekte. Maar ze konden zich niet lang genoeg verbergen voor de eindeloze patrouilles van de drones die boven hun hoofd, geluidloos en onzichtbaar, alles zagen, alles fotografeerden en alles afluisterden.

De HVT's, *high-value targets*, werden opgeblazen en opgevolgd door anderen die ook weer werden opgeblazen, totdat een benoeming tot leider ongeveer een doodvonnis betekende.

De oude banden met de S Wing van de Pakistaanse ISI werden echter nooit doorgesneden. De ISI had de taliban immers zelf gecreëerd en hield er nog altijd een oogje op; de Yankees hebben de klokken, maar de Afghanen hebben de tijd. Ooit, dachten ze, zullen de Amerikanen hun spullen inpakken en vertrekken. Dan neemt de taliban Afghanistan waarschijnlijk weer in en Pakistan heeft aan zijn grenzen geen enkele behoefte aan twee vijanden, India en Afghanistan. Eén is wel genoeg en dat zal India zijn.

Er was nóg een belangrijk punt in de enorme hoeveelheid gegevens die Tracker had verzameld. De 313 Brigade, nu zijn leiders onder wie Kasjmiri continu werden opgeblazen, stierf wel uit maar werd vervangen door de zelfs nog fanatiekere en sadistischer Khorasan. En Abu Azzam bevond zich in het centrum hiervan.

Khorasan bestond uit niet meer dan tweehonderdvijftig ultra's, voornamelijk Arabieren en Oezbeken, en richtte zich op de plaatselijke bewoners die informatie verkochten aan door de VS betaalde agenten, vooral over waar de topdoelwitten te vinden waren. Khorasan was niet in staat zelf informatie te verzamelen, maar had een onbeperkt vermogen angst in te boezemen. Door openbare marteling.

Elke keer dat een door een drone gelanceerde raket het huis van een terroristenleider vernietigde, kwam de Khorasan. Ze pakten een paar inwoners van het dorp of de stad op en berechtten ze in zogenaamde 'rechtbanken', nadat ze hen op een extreme manier hadden verhoord met gebruikmaking van stroomschokken, elektrische boren of gloeiend hete strijkijzers.

Deze rechtbanken werden voorgezeten door een imam of mullah, die zichzelf vaak had benoemd. Bekentenissen waren bijna zeker, en een ander vonnis dan de doodstraf was een uitzondering. De gebruikelijke executiewijze was het doorsnijden van de keel. De meest barmhartige manier is een scherp mes aan de zijkant in de keel steken en met een vloeiende beweging naar voren halen. Zo'n snelle snee gaat dwars door de halsslagader, luchtpijp en slokdarm, waardoor de dood meteen intreedt.

Maar een geit wordt niet op die manier gedood, omdat hij maximaal moet bloeden zodat het vlees mals wordt. Dan wordt de keel geopend door een hakkende, zagende beweging aan de voorkant. Om een menselijk slachtoffer te laten lijden en minachting te laten blijken, worden de mensen afgeslacht als een geit.

Nadat het vonnis is uitgesproken, gaat de voorzitter van de rechtbank zitten om naar de uitvoering van het vonnis te kijken. Een van hen was Abu Azzam.

Er stond nog iets in het dossier. Ongeveer in het jaar 2009 begon een rondtrekkende prediker te preken in de moskeeën in de bergen van Noord- en Zuid-Waziristan. In het CTC-dossier stond geen naam, alleen dat hij Urdu, Arabisch en Pasjtoe sprak en een bijzondere invloedrijke spreker was die zijn toehoorders tot uitzonderlijke religieuze opwinding kon opzwepen. Daarna, rond 2010, verdween hij. En daarna had men in Pakistan nooit meer iets van hem gehoord.

De twee mannen die in de hoek zaten van de bar van het Mandarin Oriental in Washington trokken niemands aandacht. Daar was ook geen reden toe. Ze waren begin of midden veertig en droegen allebei een donker pak, een wit overhemd en een onopvallende stropdas. Ze waren allebei slank en gespierd, en hadden die ondefinieerbare air waardoor je denkt: die hebben een oorlog meegemaakt.

Een van hen was Tracker. De andere man had zich voorgesteld als Simon Jordan. Mensen die hij niet kende, ontmoette hij liever buiten dan binnen de ambassade. Vandaar deze ontmoeting in deze discrete bar.

In zijn eigen land was zijn voornaam Shimon en zijn achternaam leek niet op Jordan. Hij stond aan het hoofd van de Mossad in de Israëlische ambassade. Tracker had hem hetzelfde gevraagd als Konrad Armitage en zijn antwoord was bijna identiek. Ook Simon Jordan wist heel goed wie Tracker was en wat TOSA echt deed en als Israëliër kon hij zich daar uitstekend in vinden. Maar hij had geen echte antwoorden. 'Natuurlijk is er op kantoor wel iemand die dat deel van de wereld onder zich heeft, en ik zal uw vraag aan hem doorspelen. Ik neem aan dat u haast hebt?'

'Ik ben Amerikaan. Wij hebben immers altijd haast?'

Jordan lachte goedkeurend. Hij vond het leuk als mensen zichzelf neerhaalden. Echt Israëlisch. 'Ik zal het meteen vragen en op een snel antwoord aandringen.' Hij pakte het visitekaartje van Jackson dat Tracker hem had gegeven. 'Ik neem aan dat dit een beveiligd nummer is?'

'Heel goed beveiligd.'

'Dan zal ik dat gebruiken. En een van onze eigen beveiligde lijnen.' Hij wist heel goed dat de Amerikanen elk woord dat uit de Israëlische ambassade kwam afluisterden, maar bondgenoten proberen altijd de schijn op te houden.

Ze namen afscheid. De Israëliër werd opgewacht door een auto met chauffeur die hem tot aan de deur zou brengen. Hij hield er niet van om gewichtig te doen, maar hij was 'bekend' en dat betekende dat hij herkend kon worden. Zelf rijden of een taxi nemen was geen slimme manier om ontvoering te voorkomen. Een ex-commando van de Golani Brigade achter het stuur en een Uzi achterin was beter. Aan de andere kant had hij in tegenstelling tot een 'onbekende' geen last van het omslachtige gedoe met omtrekkende bewegingen en zij-ingangen.

Tracker hield niet van auto's met chauffeur en maakte daar alleen gebruik van als hij er echt niet omheen kon. Zo had hij wel meer trekjes waar anderen zich over verbaasden. Hij hield er ook niet van om uren in de file te staan tussen het centrum van Washington D.C. en zijn kantoor in de bossen. Daarom gebruikte hij een motorfiets, met achterop in een koffer een helm met vizier. Het was echter geen rijdende rolstoel, maar een Honda Fireblade, een machine waar je niet veel tegen in te brengen had.

Nadat Tracker het dossier van Javad had gelezen, was hij ervan overtuigd – hoewel hij het natuurlijk niet zeker kon weten – dat Abu Azzam de te gevaarlijke bergen van de Afghaans-Pakistaanse grens was ontvlucht en naar het veiliger Jemen was gegaan.

In 2008 stond AQAP nog in de kinderschoenen, maar een van de leiders was een in Amerika opgegroeide Jemeniet die Anwar al-Awlaki heette en vloeiend Engels sprak met een Amerikaans accent. Hij bleek een bijzonder succesvolle online prediker die vele moslims in Groot-Brittannië en de Verenigde Staten bereikte. Hij werd de mentor van de nieuw aangekomenen, oftewel de Engelssprekende Pakistanen.

Al-Awlaki had Jemenitische ouders en was geboren in New Mexico waar zijn vader landbouwkunde had gestudeerd. Hij groeide aanvankelijk op als een gewone Amerikaanse jongen en hij kwam pas op zevenjarige leeftijd voor het eerst in Jemen, in 1978. Nadat hij daar zijn middelbareschooldiploma had behaald, ging hij terug naar de VS voor zijn studie in Colorado en San Diego. In 1993 – hij was toen tweeëntwintig – ging hij naar Afghanistan en het lijkt erop dat hij zich daar tot het bijzonder gewelddadige jihadisme bekeerde.

Net zoals de meeste jihadistische terroristen had hij geen opleiding met betrekking tot de Koran genoten, maar stortte hij zich op extremistische propaganda. Na terugkomst in de VS slaagde hij erin inwonend imam te worden van de Rabat Moskee in San Diego en van een andere moskee in Falls Church, Virginia. Vlak voordat hij voor paspoortfraude zou worden gearresteerd, verdween hij naar Groot-Brittannië. Daar liep hij allerlei politieke bijeenkomsten af. Toen was het 11 september en werd het Westen eindelijk wakker. Het net werd strakgetrokken en in 2004 vertrok hij en keerde terug naar Jemen. Hij werd gearresteerd en zat kort gevangen op beschuldiging van ontvoering en terrorisme, maar werd vrijgelaten nadat zijn invloedrijke stam druk had uitgeoefend. In 2008 ontdekte hij zijn echte roeping: als een ophitsende prediker die internet gebruikte als zijn preekstoel.

En hij had veel invloed. Er werden verschillende moorden gepleegd door 'ultra's' die waren bekeerd door te luisteren naar zijn preken, die opriepen tot moord en vernietiging. Bovendien ging hij samenwerken met een briljante Saoedische bommenmaker, Ibrahim al-Asiri. Al-Awlaki haalde de jonge Nigeriaan Abdulmutallab over om een zelfmoordaanslag te plegen door een bomaanslag in een vliegtuig boven Detroit, en Asiri bracht de niet op te sporen bom aan in zijn ondergoed. Alleen dankzij een defect in de bom werd het vliegtuig gespaard – in tegenstelling tot de genitaliën van de Nigeriaan.

Terwijl Al-Awlaki's preken op YouTube steeds meer succes hadden – zijn preken werden vaak wel honderdvijftigduizend keer gedownload – werd Asiri steeds bedrevener in het maken van bommen. In april 2010 kwamen de beide mannen op de dodenlijst te staan. Inmiddels had Al-Awlaki gezelschap gekregen van zijn heimelijke en zelfbenoemde volgeling uit Pakistan.

Twee keer werd geprobeerd Al-Awlaki op te sporen en te doden. De eerste keer was het Jemenitische leger erbij betrokken, maar dat liet hem ontsnappen toen zijn dorp was omsingeld; de tweede keer vernietigde een door een Amerikaanse UAV gelanceerde raket het huis waar hij zich zou bevinden. Maar hij was al vertrokken. Op 30 september 2011 werd hij eindelijk gevonden en gedood, op een eenzame weg in Noord-Jemen. Hij was in het dorp Khashef geweest en voor dollars verraden door een jonge volgeling. Een paar uur later cirkelde een Predator UAV, gelanceerd vanuit een geheime locatie in de Saoedische woestijn, boven zijn hoofd.

In Nevada keken verschillende ogen naar de drie geparkeerde Toyota Landcruisers – het favoriete voertuig van Al Qaida – op het dorpsplein, maar toestemming voor de lancering werd niet gegeven omdat er vrouwen en kinderen vlakbij stonden. Bij zonsopgang op 30 september 2011 zag men hem in het voorste voertuig stappen. De camera's waren zo goed dat zijn gezicht, toen hij even opkeek, het hele plasmascherm op Creech Air Force Base vulde.

Twee Landcruisers vertrokken, maar de derde leek problemen te hebben. De motorkap stond open en iemand was met de motor bezig. Wat de kijkers niet wisten, was dat er nog drie anderen stonden te wachten tot ze konden instappen, die de VS graag allemaal had willen doden. De eerste was de bommenmaker Al-Asiri. De tweede was Fahd al-Quso, plaatsvervangend hoofd van AQAP. Hij was een van de mannen achter de moord op zeventien Amerikaanse bemanningsleden van de torpedobootjager *Cole* in de haven van Aden in 2000. Hij zou later sterven tijdens een andere UAV-aanval in mei 2012. De derde man kenden de Amerikanen niet. Hij keek niet op. Zijn hoofd was bedekt en hij droeg een masker tegen het stof, zodat niemand zag dat hij amberkleurige ogen had.

De twee voorste SUV's reden over een stoffige weg naar de provincie Jawf, maar ze hielden veel afstand van elkaar, zodat de kijkers in Nevada niet wisten welke ze moesten aanvallen. Later stopten ze om te ontbijten en werden naast elkaar geparkeerd. Er liepen acht mensen om de voertuigen heen: twee chauffeurs en vier bodyguards. De andere twee waren Amerikaans staatsburgers: Al-Awlaki zelf en Samir Khan, redacteur van het Engelstalige jihadistische online tijdschrift *Inspire*.

De onderofficier in Creech vertelde zijn superieur wat hij in het vizier had. Vanuit Washington mompelde iemand: 'Doe je best.' Dat was een majoor van JSOC, een moeder die op het punt stond haar kinderen naar de voetbaltraining te brengen.

In Nevada haalde iemand de trekker over. Boven Noord-Jemen, op een hoogte van twintigduizend meter tijdens een prachtige zonsopgang, maakten twee Hellfire-raketten zich los van de Predator, snoven als jachthonden het signaal op en doken naar de woestijn. Twaalf seconden later gingen zowel de Landcruisers als de acht mannen in rook op.

Nog geen zes maanden later had JSOC voldoende bewijzen dat Al-Asiri, hoewel hij nog maar dertig jaar was, nog altijd bommen maakte en dat die steeds geraffineerder werden. Hij experimenteerde met het implanteren van explosieven in het menselijk lichaam, waar geen enkele scanner ze kon vinden.

Hij stuurde zijn jongere broer op pad om de Saoedische directeur Contraterrorisme, prins Mohammed bin Nayef, te vermoorden. De jongen beweerde dat hij het terrorisme had afgezworen, thuis wilde komen, veel informatie bezat en een gesprek wilde. De prins bleek bereid hem te ontvangen. Zodra de jonge Al-Asiri de kamer binnenkwam, ontplofte hij. De prins had geluk, want hij werd achteruit geblazen door de deur waardoor hij het vertrek was binnengekomen en kwam er vanaf met slechts sneden en kneuzingen. De jonge Al-Asiri had een kleine, maar krachtige bom in zijn anus. De ontsteking zat in een mobiele telefoon aan de andere kant van de grens. Zijn eigen broer had hem ontworpen en geactiveerd.

En de dode Al-Awlaki had een opvolger: een man die alleen bekendstond als de Prediker hield preken via internet. Even invloedrijk, even van haat vervuld, even gevaarlijk. Tijdens de Arabische Lente viel de niet erg succesvolle president van Jemen, waarop het roer werd overgenomen door een nieuwe man, jonger, gewelddadiger en eerder bereid samen te werken met de VS in ruil voor substantiële ontwikkelingshulp.

Er vlogen meer UAV's boven Jemen. Het aantal door Amerika betaalde agenten nam toe. Het leger werd ingezet tegen AQAP-leiders. Al-Quso werd vermoord. Maar men dacht dat de Prediker, wie hij ook was, in Jemen bleef. En nu, dankzij een jongen op een zolderkamer in Centreville, wist Tracker waar hij zich daadwerkelijk bevond.

Terwijl Tracker het dossier dichtsloeg waarin het leven van Al-Awlaki werd beschreven, kwam er een verslag binnen van degenen die Gray Fox alleen maar 'de drone-jongens' had genoemd. Voor deze operatie maakte JSOC geen gebruik van de UAV-basis van de CIA in Nevada, maar van zijn eigen toegewijde eenheid op de Pope Air Force Base in de buurt van Fayetteville, North Carolina.

Het verslag was beknopt en accuraat. Ze hadden gezien dat vrachtwagens het pakhuis in Kismayo bezochten. Ze kwamen aanrijden, reden naar binnen en vertrokken. Ze arriveerden met lading, maar vertrokken leeg. Twee hadden een open laadbak en het leek alsof de lading uit groente en fruit bestond.

Tracker draaide zich om en keek naar de foto van de Prediker die aan zijn muur hing. Waar heb jij in vredesnaam groente en fruit voor nodig? vroeg hij zich af. Hij rekte zich uit, stond op en liep naar buiten, de zomerzon in. Hij negeerde de glimlach van de mensen op de parkeerplaats, duwde zijn Fireblade van de standaard, zette zijn helm op met het vizier naar beneden en reed de poort uit richting de snelweg en vervolgens in zuidelijke richting naar D.C. en later over de hoofdweg naar Centreville.

'Ik wil dat je iets voor me controleert,' zei hij tegen Ariel nadat hij de trap naar de schemerige zolder was opgeklommen. 'Iemand in Kismayo koopt groente en fruit. Kun jij uitzoeken waar dat vandaan komt en waar het naartoe gaat?'

Er waren wel anderen met een computer die hij had kunnen benaderen, maar in de uitgestrekte spionagewereld van de wapenindustrie, boordevol rivalen en loslippige medewerkers, had Ariel twee voordelen die van onschatbare waarde waren: hij rapporteerde aan slechts één man en praatte nooit met iemand. Ariels vingers vlogen over de toetsen. De kaart van Zuid-Somalië verscheen op het scherm. 'Dat is niet alleen maar woestijn,' zei hij. 'Er is ook een gebied met dichte bossen en akkers langs beide oevers van de Lower Juba Valley. Kijk, daar staan boerderijen.'

Tracker bekeek het gebied met rechthoekjes boomgaarden en akkers, een groene oase te midden van de zachtgele woestijn. Het enige vruchtbare gebied van het land was de voedselkom in het zuiden. Als die vrachtwagenladingen groente en fruit hier echt waren geteeld en vervolgens naar Kismayo gebracht, waar gingen ze van daaruit dan naartoe? Naar plaatselijke marktjes of waren ze bestemd voor de export?

'Ga eens naar het havengebied van Kismayo.'

De haven was net als de rest behoorlijk vernield. Ooit was het een drukke haven geweest, maar de kade was op zeker tien plaatsen kapot en de oude kranen waren geknakt en zo beschadigd dat ze niet meer gebruikt konden worden. Het was natuurlijk mogelijk dat er af en toe een vrachtschip aanmeerde. Niet om te lossen, want wat kon Al-Shabaabs failliete minilandje importeren en betalen? Maar om iets in te laden? Groente en fruit? Misschien. Maar met welke bestemming? En waarom?

'Ga op zoek binnen de commerciële wereld, Ariel. Kijk of je een bedrijf kunt vinden dat zakendoet met Kismayo. Iemand die groente en fruit koopt dat in de Lower Juba Valley is verbouwd. Zo ja, wie zijn dat? Misschien zijn zij wel eigenaar van dat pakhuis.'

Vervolgens liet hij Ariel achter en reed terug naar TOSA.

In de meest noordelijke buitenwijken van Tel Aviv aan de weg naar Herzliya staat in een rustige straat vlak bij een markt een groot onopvallend kantoorgebouw dat de mensen die er werken eenvoudig het Office noemen. Dit is het hoofdkantoor van de Mossad. Twee dagen nadat Tracker in het Mandarin Oriental met Simon Jordan had gesproken, kwamen drie mannen, alle drie in een overhemd met korte mouwen en met een of twee knoopjes open bij elkaar in het kantoor van de directeur waar al vele gedenkwaardige besprekingen hadden plaatsgevonden.

Daar, in de herfst van 1972 na de moord op Israëlische atleten tijdens de Olympische Spelen in München, had Zvi Zamir zijn *kidonim* (bajonetten) opdracht gegeven de fanatici van Zwarte September, die hier verantwoordelijk voor waren, op te sporen en te doden. Premier Golda Meir had tot deze Operatie Mivtza Za'am Ha'el (Wraak van God) besloten. Ruim veertig jaar later was het nog steeds shabby.

De drie mannen verschilden qua rang en leeftijd, maar ze gebruikten alleen elkaars voornaam. De oudste werkte daar al twintig jaar en kon op de vingers van zijn ene hand aftellen wanneer hij achternamen had gehoord. De grijze directeur was Uri, de naam van het hoofd Operaties was David, en de jongste, de baas van de divisie Hoorn van Afrika, heette Benny.

'De Amerikanen vragen onze hulp,' zei Uri.

'Verbaast me niets,' mompelde David.

'Het ziet ernaar uit dat ze de Prediker hebben opgespoord.'

Hij hoefde niets uit te leggen. Jihadterroristen hebben verschillende doelwitten waar ze hun geweld op richten en Israël staat bovenaan op die lijst, naast de VS. De drie mannen kenden de top vijftig, ook al streden Hamas in het zuiden, Hezbollah in het noorden en de Iraanse moordenaars van Al-Qud in het oosten om de eerste plaats. De preken van de Prediker waren dan wel op Amerika en Groot-Brittannië gericht, maar ze wisten heel goed wie hij was.

'Hij blijkt in Somalië te zitten, onder de hoede van Al-Shabaab. Hun vraag is heel eenvoudig: hebben we iemand in het zuiden van Somalië?'

De twee oudere mannen keken naar Benny. Hij was jonger, een voormalig lid van het Elite Sayeret Matkal-commando, sprak vloeiend Arabisch zodat hij onopvallend de grens kon oversteken en was dus lid van Mistaravim, een anti-terreureenheid. Hij keek aandachtig naar de pen in zijn handen.

'En, Benny, is dat zo?' vroeg David vriendelijk. Ze wisten allemaal wat er speelde: het was een nachtmerrie voor een agent om een van zijn mensen aan een buitenlandse agency uit te lenen.

'Ja, dat is zo. Eentje maar. Hij zit in de haven van Kismayo.'

'Hoe communiceer je met hem?' vroeg de directeur.

'Dat is ongelofelijk moeilijk,' zei Benny. 'En traag. Dat kost tijd. Wij kunnen niet gewoon een berichtje sturen en hij kan niet even een kaartje sturen. Zelfs zijn e-mails worden misschien gemonitord. Daar worden nu mensen opgeleid om bomaanslagen te plegen. Opgeleid in het Westen. Modernste technologie. Waarom?'

'Wanneer de Yankees hem willen gebruiken, zouden we de communicatie moeten opvoeren. Met een kleine zender/ontvanger,' zei David. 'En daar zouden ze goed voor moeten betalen.'

'O, maar dat doen ze echt wel,' zei de directeur. 'Laat dat maar aan mij over. Ik zal hun laten weten dat we hen misschien kunnen helpen en de prijs met hen bespreken.'

Hij had het niet over geld, maar over hulp in allerlei andere vormen: het Iraanse nucleaire programma, het verstrekken van uiterst geclassificeerde hightech-apparatuur. Hij zou met een behoorlijke waslijst komen.

'Heeft hij een naam?' vroeg David.

'Opaal,' zei Benny. 'Agent Opaal. Hij is een controleur bij de vishaven.'

Gray Fox viel met de deur in huis. 'Jij hebt met de Israëliërs gepraat,' zei hij.

'Klopt. Hebben ze al gereageerd?'

'En of! Ze hebben een man. Diep erin. In Kismayo zelfs. Ze willen ons helpen, maar stellen belachelijke eisen. Je kent de Israëliërs: die geven zelfs het zand in de Negevwoestijn niet weg.'

'Maar willen ze over de prijs onderhandelen?'

'Ja,' zei Gray Fox, 'maar niet op ons niveau, veel hoger. Hun hoogste man bij de ambassade heeft zich rechtstreeks tot het hoofd van JSOC gewend.' Hij bedoelde admiraal William McRaven.

'En, heeft hij hun eisen afgewezen?'

'Vreemd genoeg niet. De eisen zijn geaccepteerd. Je kunt je gang gaan. Je contactpersoon is hun Mossad-chef bij de ambassade. Ken je hem?'

'Ja. Oppervlakkig.'

'Nou, je kunt aan de slag. Vertel ze wat je wilt en dan proberen zij je dat te geven.'

Toen Tracker terugkwam in zijn kantoor was er bericht van Ariel.

'Er schijnt één koper te zijn van groente, fruit en kruiden uit Somalië.

Het bedrijf heet Masala Pickles en zij maken pittige chutneys en pickles, dat spul dat de Britten bij hun curry eten. Hun producten worden gebotteld, ingevroren of ingeblikt in een fabriek in Kismayo en vervolgens naar de hoofdfabriek getransporteerd.'

Tracker belde hem op. Voor een willekeurige luisteraar zou hun gesprek nietszeggend zijn, dus vervormde hij het niet. 'Ik heb je bericht ontvangen, Ariel. Goed gedaan. Eén vraagje: waar staat die hoofdfabriek?'

'O, sorry, overste. In Karachi.'

Karachi. Pakistan. Natuurlijk.

7

Voor zonsopgang steeg een tweemotorige Beech King Air op van Sde Dov, het militaire vliegveld ten noorden van Tel Aviv, draaide in zuidoostelijke richting en begon te klimmen. Hij vloog over Beersheva en door de no-flyzone boven de kerncentrale in Dimona, en verliet ten zuiden van Eilat het Israëlische luchtruim.

Het vliegtuig was spierwit, op de romp stond UNITED NATIONS en op de staartvin stonden de letters WFP, de afkorting van World Food Programme. Iemand die het registratienummer zou hebben gecontroleerd, zou hebben ontdekt dat het toestel eigendom was van een lege vennootschap op Grand Cayman en voor de lange termijn was verhuurd aan het WFP. Maar dat was allemaal onzin.

Het toestel was eigendom van de Metsada (Special Ops) Divisie van de Mossad en 'woonde' in de Sde Dov-hangar die ooit de zwarte Spitfire had gehuisvest van Ezer Weizman, de oprichter van de Israëlische luchtmacht.

Ten zuiden van de Golf van Aqaba volgde de King Air een route tussen de landmassa's van Saoedi-Arabië in het oosten en Egypte/Soedan in het westen. Hij bleef in het internationale luchtruim boven de Rode Zee, tot hij de kust van Somaliland bereikte en boven Somalië vloog. Geen van beide landen had onderscheppingsjagers.

Het witte vliegtuig vloog op een hoogte van vijfduizend voet boven Somalië tot de Indische Oceaan ten noorden van Mogadishu en vloog vervolgens in zuidwestelijke richting, parallel aan de kust en iets buiten de kustlijn. Iemand die het vliegtuig zag, zou aannemen dat hij afkomstig was van een nabijgelegen vliegveld omdat hij geen externe brandstoftanks en dus maar een beperkt bereik had. Diezelfde iemand kon niet zien dat het grootste deel van het interieur in beslag werd genomen door twee gigantische brandstoftanks.

Iets ten zuiden van Mogadishu zette de cameraman zijn apparatuur klaar en begon voorbij Marka te filmen. Hij maakte scherpe opnamen van het hele strand vanaf Marka tot een punt vijfenzeventig kilometer ten noorden van Kismayo, een totale lengte van driehonderd kilometer zandige kust. Daarna stopte de cameraman met filmen en vloog de King Air weg. Hij keerde, schakelde over van zijn inwendige brandstoftanks naar de hoofdvoorraad en vloog terug naar huis. Na een vlucht van twaalf uur landde hij op het vliegveld van Eilat, tankte bij en vloog naar Sde Dov. Een motorrijder bracht de opnamen naar de fotografische analyseafdeling van de Mossad.

Wat Benny wilde en kreeg, was een duidelijke en niet te missen locatie voor een rendez-vous langs de kustweg, waar hij agent Opaal kon treffen met nieuwe instructies en de noodzakelijke apparatuur. De locatie die hij wilde, moest zowel gemakkelijk te bereiken zijn voor iemand op een motor op de snelweg als voor iemand in een opblaasboot op zee.

Zodra hij die locatie had, bereidde hij zijn boodschap voor Opaal voor.

Gevangenisdirecteur Doherty probeerde een keurige federale gevangenis te leiden en natuurlijk was er wel een kapel, maar toch wilde hij niet dat zijn dochter daar trouwde. Als vader van de bruid wilde hij haar een onvergetelijke dag bezorgen en dus zou de ceremonie plaatsvinden in de katholieke kerk St. Francis Xavier met een receptie in het Clarendon Hotel in het centrum.

Het huwelijk was aangekondigd in de *Phoenix Republic* en dus was het niet verrassend dat er, toen het gelukkige paar arriveerde, veel nieuwsgierigen en genodigden voor de deuren van de kerk stonden.

Niemand besteedde veel aandacht aan de getaande jongeman die midden in de mensenmassa stond, een jongen in een wit wijd gewaad en met een afwezige blik. Dat gebeurde pas toen de jongen tussen de toeschouwers door naar voren drong en op de vader van de bruid afrende. Hij had iets in zijn rechterhand, alsof hij hem een cadeau wilde aanbieden. Het was echter geen cadeau, maar een Colt .45. Hij schoot vier keer op Doherty, die door de kracht van de vier kogels achterovervielen en in elkaar zakte.

Een paar seconden hing er, zoals altijd wanneer een afschuwelijke gebeurtenis nog niet tot iedereen is doorgedrongen, een verbijsterde stilte. Daarna kwam de reactie. Gegil, geschreeuw en in dit geval nog meer schoten toen de twee dienstdoende politieagenten van Phoenix hun wapen trokken en schoten. De aanvaller ging ook neer. Er ontstond een chaos: de hysterische mevrouw Doherty, de huilende bruid die opzij werd geduwd, de sirenes van de politieauto's en ambulances, de in paniek geraakte menigte die alle kanten op rende.

Daarna nam 'het systeem' de leiding. De plaats delict werd afgezet met politietape, het vuurwapen werd opgeraapt en in een plastic bewijszak gestopt en de moordenaar werd geïdentificeerd. Nieuwsuitzendingen vanuit Arizona die avond vertelden aan heel Amerika dat er weer een moord had plaatsgevonden. En de in beslag genomen laptop van de fanaticus, gevonden in zijn huurkamer boven de garage waar hij werkte, braakte een lange lijst online preken van de Prediker uit.

Binnen het TRADOC (Training and Doctrine Command) van het Amerikaanse leger is een filmafdeling, een audiovisuele dienst, gehuisvest in Fort Eustis, Virginia. Normaal gesproken worden daar trainingsfilms en documentaires gemaakt die elk aspect van het werk en de functie van het leger uitleggen en ophemelen. De commandant aarzelde dan ook geen seconde toen hij het verzoek kreeg voor een ontmoeting met ene luitenant-kolonel Jamie Jackson, werkzaam op het hoofdkantoor van JSOC in Fort Bragg, North Carolina.

Zelfs binnen het leger zag Tracker geen enkele reden om te vertellen dat hij in werkelijkheid luitenant-kolonel Kit Carson was, bij TOSA werkte en slechts een paar kilometer verderop in dezelfde staat was ondergebracht. Dat wordt simpelweg *need to know* genoemd, met andere woorden: die informatie wordt alleen verstrekt aan iemand die het écht moet weten.

'Ik wil een korte film maken,' zei hij. 'Maar deze film krijgt de kwalificatie "Top Secret" en zal slechts door een beperkt aantal mensen worden bekeken.'

De commandant was geïntrigeerd en enigszins onder de indruk, maar schrok niet. Hij was trots op het vermogen van zijn unit om films te maken. Hij kon zich niet herinneren dat hij ooit eerder zo'n vreemd verzoek had gekregen, maar daardoor kon de aangeboden opdracht alleen nog maar interessanter worden. En op de basis had hij de beschikking over filmfaciliteiten en geluidsstudio's.

'Het wordt een bijzonder korte film met slechts één scène. Er wordt niet op locatie gefilmd. Er is maar één kleine set nodig, waarschijnlijk buiten de basis. Er zijn geen camera's nodig, slechts één camcorder –

geluid en beeld. De film zal hoogstens op internet te zien zijn. Daarom kan de filmploeg heel klein zijn, misschien niet meer dan zes man die stuk voor stuk geheimhouding hebben gezworen. Wat ik nodig heb, is een jonge filmer die veel ervaring heeft,' zei de bezoeker.

Tracker kreeg wat hij wilde: kapitein Damian Mason. De commandant kreeg niet wat hij wilde en dat waren antwoorden op zijn ontelbare vragen. Wat hij wel kreeg, was een telefoontje van een driesterrengeneraal die hem duidelijk maakte dat de bevelen van deze man moesten worden uitgevoerd.

Damian Mason was jong, bereidwillig en een filmfanaat. Zodra hij zijn tijd bij de audiovisuele dienst had uitgediend, wilde hij naar Hollywood om echte films te maken, met verhalen en filmsterren. 'Wordt dit een trainingsfilm, overste?' vroeg hij.

'Ik hoop dat hij instructief wordt, op zijn eigen wijze,' zei Tracker. 'Vertel eens, bestaat er één bestand met de foto's van iedere beschikbare acteur in het land?'

'Eigenlijk wel. Ik denk dat u de Academy Players-directory bedoelt. Iedere castingdirector in het land heeft er een.'

'Is er een exemplaar op de basis?'

'Dat betwijfel ik, overste. We maken geen gebruik van professionele acteurs.'

'Nu wel. Of in elk geval eentje. Kun je een exemplaar voor me regelen?'

'Natuurlijk, overste.'

Twee dagen later werd er één bezorgd door FedEx. Het was een bijzonder dik boek, met bladzijde na bladzijde de gezichten van eerzuchtige acteurs en actrices, van heel jong tot heel oud.

Een andere wetenschap die politiemachten en geheime diensten wereldwijd beoefenen, is gezichtsvergelijking. Dat is een hulpmiddel voor de recherche voor het opsporen van misdadigers die hebben geprobeerd hun uiterlijk te veranderen. De automatisering heeft iets wat vroeger hoogstens de intuïtie van een politieagent was, veranderd in een wetenschap.

In de VS bestaat software die ECHELON heet en zich bevindt in de Electronic Research Facility van de FBI in Quantico, Maryland. Feitelijk worden er honderden maten van het gezicht opgenomen en opgeslagen. Oren zijn vergelijkbaar met vingerafdrukken, ze zijn nooit identiek, maar helaas met lang haar niet altijd zichtbaar. De afstand tussen oogpupillen, tot op de micrometer nauwkeurig, kan binnen een fractie van een seconde een match betekenen. Zelfs misdadigers die uitgebreide plastische chirurgie hebben ondergaan, kunnen ECHELON vaak niet voor de gek houden. Terroristen die door de camera's van een UAV zijn gefotografeerd, kunnen binnen een paar seconden worden geïdentificeerd als het echt belangrijke doelwit in plaats van de een of andere vervanger. Dat bespaart een kostbare raket.

Tracker vloog terug naar het oosten en gaf ECHELON een opdracht: scan elk mannelijk gezicht in de Players-directory en zoek een dubbelganger van deze man. Hij gaf hun het gezicht van de Prediker zonder de dikke baard. Die zou er later opgeplakt kunnen worden.

ECHELON scande bijna duizend mannengezichten en kwam met iemand die meer dan wie ook leek op de Pakistaan Abu Azzam. Hij was van Spaanse afkomst en heette Tony Suarez. In zijn cv stond dat hij bijrolletjes en figurantenrollen had gedaan en zelfs een paar woorden had gezegd in een commercial voor barbecues.

Tracker ging terug naar zijn kantoor bij TOSA. Er was bericht van Ariel: zijn vader had een winkel ontdekt die buitenlandse producten verkocht en had een potje pickles en een potje mangochutney van Masala Pickles gekocht. De computer onthulde dat vrijwel alle groente, fruit en kruiden geteeld waren in de Lower Juba Valley.

Maar dat was nog niet alles. Hij had ook ontdekt dat Masala Pickles niet alleen veel succes had in Pakistan en het Midden-Oosten, maar ook in Groot-Brittannië, waar men gek was op gekruid eten en Indiase curry's. Het bedrijf was volledig eigendom van de oprichter, Mustafa Dardari, die een woning in Karachi en een herenhuis in Londen bezat. Ten slotte was er een foto van de tycoon, een vergroting van een staatsieportret van de directie.

Tracker bekeek het gezicht: gelijkmatig, gladgeschoren, stralend – het kwam hem vaag bekend voor. Uit zijn bureaula haalde hij de afdruk van de foto die hij met zijn iPhone had gemaakt. Hij was gevouwen zodat de helft die hij niet had willen zien onzichtbaar was. Maar die helft wilde hij nu wel zien: de andere lachende schooljongen, vijftien jaar geleden.

Tracker wist dat de band tussen jeugdvrienden soms nooit wordt verbroken. Hij dacht terug aan de waarschuwing van Ariel, dat iemand e-mails stuurde naar het pakhuis in Kismayo. De Trol bedankte voor iets wat hij had ontvangen. De Prediker had een vriend in het Westen.

Kapitein Mason bekeek het veronderstelde gezicht van de Prediker, vroeger Zulfiqar Ali Shah, vroeger Abu Azzam, zoals hij er nu zou uitzien. Ernaast lag het gezicht van de nietsvermoedende Tony Suarez, de werkloze bijrolacteur die in een kraakpand in Malibu woonde. 'Natuurlijk, het is mogelijk,' zei hij na een tijdje. 'Met make-up, een ander kapsel, andere kleren, contactlenzen, een script met repetities, autocue.' Hij tikte op de foto van de Prediker. 'Zegt die vent weleens iets?'

'Af en toe.'

'Ik kan niet instaan voor de stem.'

'Laat die stem maar aan mij over,' zei Tracker.

Kapitein Mason, die er in burgerkleren uitzag als meneer Mason, vloog naar Hollywood met een dik pak dollars en kwam terug met de heer Suarez. Deze werd ondergebracht in een bijzonder comfortabele suite in een hotelketen dertig kilometer bij Fort Eustis vandaan. Om ervoor te zorgen dat hij er niet vandoor ging, kreeg hij een oppasser toegewezen in de vorm van een bijzonder knappe blonde korporaal die te horen had gekregen dat ze alles moest doen om te voorkomen dat de Californische gast de eerstvolgende achtenveertig uur het hotel verliet of haar slaapkamer binnenging.

Of de heer Suarez echt geloofde dat men hem wilde inschakelen voor een voorproductie van een filmhuisfilm voor een cliënt uit het Midden-Oosten was niet van belang. Of de film wel een plot had, interesseerde hem niet. Hij was helemaal tevreden met deze luxe suite met champagnebar, meer dan genoeg dollars en het gezelschap van een blonde stoot. Kapitein Mason had in hetzelfde hotel een grote vergaderzaal gereserveerd en hem verteld dat de screentest de volgende dag zou plaatsvinden.

Het team van de audiovisuele dienst arriveerde in twee onopvallende auto's en met een kleine verhuiswagen. Ze namen de vergaderzaal in bezit en blindeerden alle ramen met zwart papier en tape. Daarna construeerden ze een bijzonder eenvoudig decor. Eigenlijk was het niet meer dan een laken dat ze voor een muur hingen. Ook dat laken was zwart en er stonden Koranteksten op in cursief Arabisch schrift. Het laken was gemaakt in het atelier van een van de geluidsstudio's in Fort Eustis. Het was een replica van de achtergrond van alle uitzendingen van de Prediker. Voor het laken zetten ze een eenvoudige houten stoel met armleuningen. Aan de andere kant van de zaal werden met stoelen, tafels en lampen twee werkruimtes gecreëerd voor 'Garderobe' en 'Make-up', hoewel geen van deze mensen ook maar enig idee had wat hier het nut van was.

De cameratechnicus zette zijn camcorder klaar en richtte hem op de stoel, terwijl een van zijn collega's in de stoel zat om te helpen met de afstand, scherpte en helderheid. De geluidstechnicus controleerde het geluidsniveau. De autocue-operator zette zijn scherm klaar, iets onder de cameralens, zodat het leek alsof de spreker recht in de camera keek.

Meneer Suarez werd opgehaald en naar de 'Garderobe' gebracht, waar een vaderlijke oudere sergeant, net als de anderen in burgerkleding, klaarstond met het wijde gewaad en de pruik die hij moest dragen. Ook deze had Tracker uitgekozen uit de gigantische voorraad verkleedspullen die daar was opgeslagen, waar het hoofd van de 'Garderobe' na bestudering van de foto's van de Prediker vervolgens weer wijzigingen aan had aangebracht.

'Ik hoef toch geen Arabisch te spreken?' protesteerde Tony Suarez. 'Niemand heeft het over Arabisch gehad.'

'Nee hoor, zeker weten van niet,' stelde 'meneer' Mason hem gerust die nu als regisseur fungeerde. 'Nou ja, een paar woorden, maar de uitspraak is niet belangrijk. Hier, kijk maar even, alleen maar voor de controle van de *lip-sync*, om te zien of uw lippen synchroon met het beeld bewegen.' Hij gaf Suarez een kaart waar verschillende Arabische woorden op stonden.

'Shit man, die zijn écht moeilijk!'

Een oudere man, die rustig bij de muur had staan wachten, stapte naar voren. 'Probeer het maar, zeg mij maar na,' zei hij en hij sprak de vreemde woorden uit als een Arabier.

Suarez probeerde het. Het was niet hetzelfde, maar zijn lippen bewogen op de juiste manier. Na het dubben zou het er goed uitzien.

Tony Suarez liep nu naar de stoel voor de make-up. Daar zat hij een uur. De ervaren visagist maakte zijn huidskleur donkerder zodat die er iets getaander uitzag. De zwarte baard en snor werden aangebracht. De shemagh-pruik bedekte zijn eigen hoofdhaar. Dankzij de contactlenzen had de acteur ten slotte die verbazingwekkende amberkleurige ogen. Toen Suarez opstond en zich omdraaide, was Tracker ervan overtuigd dat hij naar de Prediker keek.

Tony Suarez werd naar de stoel gebracht en ging zitten. Camcorder en geluidsniveaus, scherpinstelling en autocue werden een heel klein beetje aangepast. De acteur had een uur lang tijdens de make-up naar de tekst gekeken die hij van de autocue moest lezen. Hij had het meeste uit zijn hoofd geleerd en, hoewel hij het Arabisch niet uitsprak als een Arabier, struikelde hij niet meer over zijn woorden.

'En actie,' zei kapitein Mason. Op een dag, dat was zijn droom, zou hij die woorden tegen Brad Pitt en George Clooney zeggen. De invaller begon te praten.

Tracker mompelde iets in Masons oor.

'Ernstiger praten, Tony,' zei Mason. 'Dit is een bekentenis. Jij bent de grootvizier die tegen de sultan zegt dat hij zich heeft vergist en dat het hem spijt. Oké, opnieuw. En actie.'

Na acht takes had Suarez zijn top bereikt en nu werd hij weer minder.

Tracker liet de opnamen stoppen.

'Oké, mensen, *it's a wrap*,' zei Mason. Hij was gek op dat soort uitspraken. De filmploeg haalde alles weg wat ze hadden opgebouwd. Tony Suarez kreeg zijn spijkerbroek en trui weer aan, was weer gladgeschoren en rook enigszins naar reinigingscrème. 'Garderobe' en 'Make-up' werden gedemonteerd en in de vrachtwagen geladen. Het laken werd naar beneden gehaald, opgerold en weggebracht. Het zwarte papier en de tape werden voor de ramen weggehaald.

Ondertussen liet Tracker de camcordertechnicus de vijf beste opnamen van de korte toespraak opzoeken. Hij koos de versie die hij wilde en liet de rest wissen.

De stem van de acteur was nog steeds zuiver Californisch. Maar Tracker kende een Britse televisie-imitator die zijn publiek aan het lachen maakte door zijn griezelig echte imitatie van de stemmen van beroemdheden. Hij zou hier één dag naartoe worden gevlogen en goed worden betaald. Technici zouden zorgen voor een perfecte lip-sync.

Ze meldden bij de receptie dat de vergaderzaal weer leeg was. Tony Suarez verliet zijn suite met pijn in z'n hart en werd teruggebracht naar Washington National voor zijn nachtvlucht naar Los Angeles. Het team van Fort Eustis was veel dichter bij huis en arriveerde daar bij zonsondergang.

Ze hadden een leuke dag achter de rug, maar ze hadden nog nooit van de Prediker gehoord en wisten absoluut niet wat ze hadden gedaan. Tracker daarentegen, wist dat wel. Hij wist dat, wanneer hij de beelden zou uitzenden die op de cassette stonden die hij bij zich had, er een absolute chaos zou ontstaan onder de jihadstrijders.

De man die met een groepje Somaliërs op het vliegveld van Mogadishu uit het Turkse vliegtuig stapte, had een paspoort dat verklaarde dat hij een Deen was en andere documenten in vijf talen, waaronder Somali, waaruit bleek dat hij Jensen heette en voor het Save the Children Fund werkte.

Hij heette natuurlijk niet echt Jensen, en hij werkte voor de Mossad. Hij was de vorige dag van vliegveld Ben Gurion naar Larnaca op Cyprus gevlogen, had zijn naam en nationaliteit veranderd en was vervolgens naar Istanbul gevlogen.

Hij moest lang wachten, heel vermoeiend, in de transit lounge van de businessclass op de vlucht naar het zuiden van Somalië met een tussenstop in Djibouti. Maar Turkish Airlines was nog steeds de enige nationale luchtvaartmaatschappij die op Mogadishu vloog.

Het was nog maar acht uur 's ochtends en zelfs nu was het al ontzettend warm op het asfalt. Terwijl de vijftig passagiers naar de aankomsthal liepen, duwden de Somaliërs die economyclass hadden gevlogen de drie passagiers uit de businessclass opzij.

De Deen had geen haast, hij wachtte bij de paspoortcontrole rustig op zijn beurt. Hij had natuurlijk geen visum; een visum krijg je als je aankomt, wist hij uit ervaring. De douanebeambte controleerde de eerdere datumstempels voor binnenkomst en vertrek, en hij keek op een lijst ongewenste personen, maar niemand die Jensen heette stond erop.

De Deen schoof een biljet van vijftig dollar onder het glazen scherm door. 'Voor het visum,' mompelde hij in het Engels.

De douanier schoof het bankbiljet naar zich toe en zag even later tussen de bladzijden van het paspoort nog een biljet van vijftig dollar.

'Een kleinigheidje voor uw kinderen,' mompelde de Deen.

De douanier knikte. Hij glimlachte niet, maar stempelde het visum erin, keek naar het inentingsbewijs tegen gele koorts, sloeg het paspoort dicht, knikte en gaf hem terug. Voor zijn kinderen, natuurlijk. Een fatsoenlijke gift. Prettig om een Europeaan te ontmoeten die wist hoe het hoorde.

Voor het gebouw stonden twee krakkemikkige taxi's. De Deen zette zijn tas in de eerste, stapte in en zei: 'Peace Hotel, alstublieft.' De chauffeur reed naar de omheinde ingang van het vliegveld dat door Oegandese soldaten werd bewaakt. Dit vliegveld ligt in het centrum van de Afrikaanse Unie-legerbasis, een zone binnen de Mogadishu-enclave, omheind door prikkeldraad, zandzakken en beveiligingsmuren, en bewaakt met Casspir-pantservoertuigen. Binnen dit fort bevindt zich een ander fort: kamp Bancroft. Hier wonen de *whiteys*, de honderden aannemers, medewerkers van hulporganisaties, bezoekende vertegenwoordigers van de media en een paar ex-huurlingen die nu als bodyguard voor de steenrijken werken.

De Amerikanen woonden in hun eigen compound aan het einde van de start- en landingsbaan. Daar stonden hun ambassade, enkele hangars met onbekende inhoud en een opleidingsschool voor jonge Somaliërs die werden opgeleid om ooit stiekem, als Amerikaans agent, het gevaarlijke Somalië binnen te glippen. Degenen die Somalië uit lange en ontmoedigende ervaring kenden, wisten dat dit waarschijnlijk nooit zou gebeuren.

De taxi reed ook langs andere gebouwen in dat binnenste heiligdom: de kleine onderkomens van de Verenigde Naties, de Afrikaanse Unie en de Europese Unie, en zelfs de sjofele Britse ambassade waar men hartstochtelijk en leugenachtig volhield dat dit niet nog een 'spionagecentrum' was.

De Deen Jensen durfde niet in Bancroft te blijven uit angst dat hij een andere Deen of een echte medewerker van Save the Children tegen het lijf zou lopen. Hij ging naar het enige hotel buiten de beveiligingsmuren waar het voor een blanke man redelijk veilig was om te logeren.

De taxi reed door de laatste bemande poort – nog meer rood-wit gestreepte slagbomen, nog meer Oegandezen – en vervolgens over de anderhalve kilometer lange weg naar het centrum van Mogadishu. Hoewel dit niet zijn eerste verblijf hier was, verbaasde de Deen zich nog altijd over de enorme afvalberg waar de twintig jaar durende burgeroorlog deze ooit fraaie Afrikaanse stad in had veranderd.

De taxi sloeg een steeg in, een betaald straatjochie trok een wirwar van prikkeldraad opzij en vervolgens ging er een krakend en ruim tweeënhalve meter hoog stalen hek open. Er was geen contact geweest, dus keek iemand door een kijkgat.

Nadat de Deen de taxichauffeur had betaald, checkte hij in en werd hij naar zijn kamer gebracht. Deze was klein, functioneel, met ramen van melkglas (tegen herkenning van de gast) en de gordijnen dichtgetrokken (tegen de hitte). Hij kleedde zich uit, stond een hele tijd onder het lauwe, zachte straaltje water van de douche, probeerde zich in te zepen en af te drogen en trok andere kleren aan.

In zijn teenslippers, ruwe canvas broek en lange katoenen shirt zonder knopen was hij ongeveer net zo gekleed als een lokale Somaliër. Hij had een schoudertas bij zich en droeg een donkere bril. Zijn handen waren zongebruind door de Israëlische zon. Zijn lichte gezicht en blonde haren waren duidelijk Europees.

Hij wist waar ze scooters verhuurden. Een tweede taxi, besteld door het Peace Hotel, bracht hem daar naartoe. In de taxi haalde hij de shemagh uit zijn tas, en wikkelde de gebruikelijke Arabische hoofddoek om zijn blonde lokken, trok de punt voor zijn gezicht langs en stopte hem aan de andere kant in. Dit was helemaal niet verdacht; mannen die een shemagh dragen, doen dit vaak om hun neus en mond tegen de constante stof- en zandwolken te beschermen.

Hij huurde een rammelende witte Piaggio-brommer. De verhuurder kende hem van eerdere bezoeken en omdat de Deen altijd een voldoende grote borgsom in dollars betaalde en de brommer altijd heel terugbracht, vond hij stomme formaliteiten als een rijbewijs niet nodig.

De Deen voegde zich in de stroom ezelwagens, bijna uit elkaar vallende vrachtwagens, pick-ups en scooters, vermeed de enkele kameel of voetganger, en leek precies op een gewone Somaliër. Hij reed over de Maka-al-Mukarama, de snelweg die het centrum van Mogadishu doorsnijdt. Hij passeerde de glanzend witte Isbahaysiga Moskee, indrukwekkend doordat hij onbeschadigd was, en keek naar iets aan de overkant wat minder aantrekkelijk was. Het vluchtelingenkamp Darawysha was niet verplaatst of verbeterd sinds zijn laatste bezoek. Het was nog altijd een zee van ellendige krotten, waar tienduizend hongerige en doodsbange vluchtelingen woonden. Ze hadden geen sanitair, eten, werk of hoop, en hun kinderen speelden in de plassen urine. Zij waren echt, dacht hij, degenen die Frantz Fanon de ongelukkigen van de aarde noemde. Darawysha was een van de achttien arme steden in de enclave. De westerse hulporganisaties probeerden wel te helpen, maar dat was een onmogelijke taak.

De Deen keek op zijn goedkope horloge. Hij was op tijd. De besprekingen vonden altijd om twaalf uur plaats. De man die hij zou ontmoeten, zou op de gebruikelijke plek kijken. Als hij daar niet was – en dat was negenennegentig procent van de tijd het geval – zou de andere man gewoon doorgaan met zijn leven. Als hij er wel was, zouden ze elkaar de afgesproken tekens geven.

Hij reed met zijn brommer naar de vervallen Italiaanse Wijk. Een blanke man die daar zonder een groot gewapend escorte naartoe ging, was een stomkop. Hij liep geen gevaar om te worden vermoord, maar wel gekidnapt. Want een Europeaan of een Amerikaan kon twee miljoen dollar waard zijn. Maar met zijn Somalische sandalen, Afrikaanse shirt en zijn shemagh om zijn hoofd en voor zijn gezicht, voelde de Israëlische agent zich veilig als hij niet te lang bleef.

De vissers komen elke ochtend aan de kust in een kleine hoefijzervormige baai tegenover het Uruba Hotel waar de stroming van de Indische Oceaan de vissersboten uit de golven tilt en op het strand smijt. Daarna brengen de magere, donkere mannen die de hele nacht hebben gevist op baars, kingfish en haai hun vangst naar de marktkraam in de hoop dat er kopers zijn.

Tweehonderd meter van de baai ligt de markt, een dertig meter grote onverlichte schuur vol stinkende vis, al dan niet vers. De agent van de Deen was de marktbaas, Kamal Duale, die ervoor werd betaald om elke dag om twaalf uur zijn kantoor te verlaten en toezicht te houden op de menigte op de markt. De meesten waren er om iets te kopen, maar nu nog niet. Degenen met geld zouden de verse vis krijgen; zonder koeling in een hitte van veertig graden zou de vis algauw gaan stinken. Dan kon je ze voor een koopje krijgen.

Als meneer Duale al verbaasd was om zijn contactpersoon in de menigte te zien, liet hij dat niet blijken. Hij keek alleen maar. Hij knikte. De man naast de Piaggio knikte terug, en legde zijn rechterhand op zijn borstkas. Vingers gespreid, gesloten, weer gespreid. Nog twee lichte knikjes. De man op de brommer reed weg. De afspraak was gemaakt: morgen om tien uur.

De volgende dag kwam de Deen al om acht uur naar beneden om te ontbijten. Hij had geluk: er waren eieren. Hij nam er twee, gebakken, met brood en thee. Hij wilde niet veel eten, want hij probeerde te voorkomen dat hij naar het toilet moest.

Zijn brommer stond geparkeerd bij de muur van de compound. Om halftien trapte hij hem aan, wachtte tot de stalen poort openging en hem naar buiten liet en reed weer naar de poort van het kamp van de Afrikaanse Unie. Toen hij de betonnen blokken en het bewakershuisje naderde, trok hij zijn shemagh af. Zijn blonde haar verraadde hem meteen.

Een Oegandese soldaat kwam uit het hokje, met zijn geweer in de aanslag. Maar vlak voor de slagboom maakte de blonde rijder een bocht, hief een hand en riep: '*Jambo*,' wat hallo betekent.

De Oegandees liet, toen hij zijn moedertaal Swahili hoorde, zijn wapen zakken. Alweer zo'n gekke *mzungu* (blanke). Hij ging het liefst naar huis, maar hij kreeg goed betaald en zou al gauw genoeg hebben voor vee en een echtgenote. De mzungu reed de parkeerplaats van het Village Café naast het toegangshek op, stopte en liep naar binnen.

De baas van de vismarkt zat aan een tafeltje koffie te drinken. De Deen liep naar de bar en bestelde hetzelfde, terwijl hij dacht aan de volle, aromatische koffie die hij in de kantine van het kantoor in Tel Aviv kon krijgen.

Zoals altijd vond de overdracht plaats in het herentoilet van het Village Café.

De Deen haalde dollars tevoorschijn – de gangbare valuta, zelfs in vijandige landen. De Somaliër keek waarderend toe terwijl de Deen de dollars uittelde. Een deel was voor de visser die de boodschap de volgende ochtend naar Kismayo zou brengen, maar die zou worden betaald in de bijna waardeloze Somalische shillings. Duale zou alle dollars houden en ze bewaren tot de dag waarop hij genoeg geld had om te emigreren.

En daarna kreeg hij de zending: een korte aluminium huls, zoals wel wordt gebruikt om dure sigaren in te bewaren. Maar deze was op maat gemaakt, sterker en zwaarder. Duale stak hem meteen tussen zijn riem.

In zijn kantoor stond een kleine, sterke generator, stiekem gedoneerd door de Israëliërs. Hij liep op bijzonder dubieuze petroleum, maar hij wekte stroom op en daarop liepen zijn airconditioner en zijn koelvriescombinatie. Hij was de enige man op de vismarkt die altijd verse vis had.

Een van de vissen die hij in de koeling had, was een één meter lange kingfish, die ochtend gekocht en nu diepgevroren. Die avond zou zijn visser deze vis meenemen, met de huls diep in zijn ingewanden geramd, en naar het zuiden varen. Onderweg zou hij steeds vissen, tot hij twee dagen later in de vissershaven van Kismayo was. Daar zou hij de kingfish verkopen, niet helemaal vers meer, aan een controleur op de markt, en zeggen dat de vis afkomstig was van zijn vriend. Hij wist niet waarom en dat kon hem niets schelen ook. Hij was gewoon een arme Somaliër die zijn best deed vier zonen op te voeden die zijn bootje moesten overnemen zodra ze daartoe in staat waren.

De twee mannen in het Village Café kwamen het toilet uit, dronken ieder afzonderlijk hun koffie op en vertrokken, ook afzonderlijk. Meneer Duale nam de huls mee naar huis en ramde hem diep in de maag van de bevroren kingfish. De blonde man wikkelde zijn shemagh om zijn hoofd en voor zijn gezicht, en reed terug naar het verhuurbedrijf. Hij leverde de Piaggio weer in en kreeg het grootste deel van zijn borgsom terug, waarna de verhuurder hem een lift gaf naar het hotel. Er waren geen taxi's in de buurt en hij wilde deze goede, hoewel onregelmatige, klant niet kwijtraken.

De Deen moest wachten tot het vliegtuig van Turkish Airlines om acht uur de volgende ochtend terugvloog. Hij doodde de tijd door in zijn kamer een Engelse roman te lezen. Na een kom kamelenstoofpot ging hij naar bed.

In de schemering stopte de visser de kingfish, gewikkeld in een vochtige zak, in de viskluis in zijn vissersbootje. Maar hij hakte de staart eraf, zodat hij hem kon herkennen te midden van de andere kingfish die hij misschien nog zou vangen. Daarna ging hij de zee op, voer naar het zuiden en legde zijn lijnen uit.

Om negen uur de volgende dag, na de gebruikelijke chaos tijdens het boarden, steeg het Turkse lijntoestel op. De Deen zag de gebouwen en de versterkingen van kamp Bancroft kleiner worden. Ver naar het zuiden toe zeilde een vissersbootje langs Marka. Het vliegtuig draaide naar het noorden, tankte bij in Djibouti en landde halverwege de middag in Istanbul.

De Deen van het Save the Children Fund bleef in het luchthavengebouw, ging vlug door de transitprocedures en haalde de laatste vlucht naar Larnaca. In zijn hotelkamer veranderde hij zijn naam, paspoort en ticket en nam de volgende dag de eerste vlucht terug naar Tel Aviv.

'Problemen gehad?' vroeg de majoor die Benny heette. Hij had 'de Deen' naar Mogadishu gestuurd met nieuwe instructies voor Opaal.

'Nee. Routine,' zei de Deen die nu weer Moshe was.

Er was een versleutelde e-mail van het Office aan Simon Jordan in Washington. Als gevolg daarvan had hij een gesprek met de Amerikaan die bekendstond als Tracker. Hij had een voorkeur voor hotelbars, maar nooit twee keer achter elkaar dezelfde. De tweede ontmoeting vond plaats in het Four Seasons, Georgetown. Het was hoogzomer en ze troffen elkaar op het terras onder de markiezen. Er zaten nog meer mannen van middelbare leeftijd die hun colbertje hadden uitgetrokken, maar zij waren allemaal dikker dan de twee die helemaal achterin zaten.

'Ik heb gehoord dat je vriend in het zuiden nu volledig op de hoogte is,' zei Simon Jordan. 'Dus moet ik je vragen: wat wil je eigenlijk dat hij doet?'

Hij luisterde aandachtig terwijl Tracker vertelde wat hij in gedachten had. Hij roerde peinzend in zijn club soda. Hij had geen enkele twijfel over het lot dat hij voor de Prediker in gedachten had, en dat zou geen vakantie op Cuba zijn.

'Wanneer onze man je op deze manier kan helpen,' zei hij ten slotte, 'en wanneer hij tegelijk met het doelwit tijdens een raketaanval wordt gedood, zullen we nog heel lang serieus weigeren nog eens met jullie samen te werken.'

'Dat is zeker niet mijn bedoeling,' zei Tracker.

'Ik wil dat daar geen enkele onduidelijkheid over bestaat, Tracker. Is dat duidelijk?'

'Zo duidelijk als maar kan. Geen raketaanval tenzij Opaal kilometers uit de buurt is.'

'Uitstekend. Dan zal ik ervoor zorgen dat de instructies worden gegeven.'

'Wáár wil je naartoe?' vroeg Gray Fox.

'Gewoon naar Londen. Zij willen net zo graag als wij dat de Prediker de mond wordt gesnoerd. Daar woont zijn kennelijke contact met de buitenwereld en ik wil dichter bij het centrum van de gebeurtenissen zijn. Ik heb het idee dat we de Prediker bijna te pakken hebben. Dat heb ik al tegen Konrad Armitage gezegd en hij zegt dat ik welkom ben en dat zijn mensen zullen doen wat ze kunnen. We hoeven alleen maar te bellen.'

'Hou contact, Tracker. Ik moet dit met de admiraal overleggen.'

In de vissershaven van Kismayo bekeek een jongeman met een donkere huid en een klembord de gezichten van de vissers die van zee kwamen. Kismayo, dat in 2012 door de regeringstroepen was ingenomen, was een jaar eerder na bloederige gevechten heroverd door Al-Shabaab, en de fanatici waren ontzettend waakzaam. Hun religieuze politie was overal om absolute vroomheid van de bevolking te waarborgen. De paranoia over spionnen uit het noorden was algemeen. Zelfs de vissers, die normaal gesproken hun vangst luidruchtig uitlaadden, waren stil van angst.

De donkere jongeman zag een gezicht dat hij kende en al weken niet had gezien. Met zijn klembord en zijn pen gereed om de omvang van de vangst te noteren, liep hij naar de man die hij kende. 'Allahoe akbar,' zei hij. 'Wat heb je gevangen?'

'Baarzen en maar drie kingfish, insjallah,' zei de visser. Hij wees naar een van de kingfish die de zilverkleurige glans van een verse vangst was kwijtgeraakt en geen staart meer had. 'Van je vriend,' mompelde hij.

Opaal gebaarde dat ze allemaal verkocht mochten worden. Nadat de vissen op de stenen tafels waren uitgespreid, stopte hij de gemarkeerde vis in een jutezak. Zelfs in Kismayo mocht een controleur een vis meenemen voor het avondeten.

Zodra hij alleen was, in zijn hut bij de kust, iets buiten de stad, haalde hij de aluminium huls uit de vis en schroefde de dop eraf. Er zaten twee rollen in, een rol dollars en een rol met instructies. Deze laatste zou hij uit zijn hoofd leren en daarna verbranden. De dollars begroef hij onder de aarden vloer. De dollars waren tien biljetten van honderd en de instructies waren eenvoudig:

Met de dollars koop je een sterke scooter, crossmotor of brommer, en jerrycans met benzine die je op de achterzitting vastmaakt. Er moeten afstanden worden overbrugd.
Ten tweede koop je een goede radio met zoveel bereik dat je Kol Israel kunt ontvangen. 's Avonds laat op de zondag, maandag, woensdag en donderdag is er op Kanaal Acht een praatprogramma. Het begint om halftwaalf en heet Yanshufim (Nachtuilen).
Dit programma wordt altijd voorafgegaan door het weerbericht. Ergens langs de kust in de richting van Marka is een nieuwe rendez-vouslocatie gemarkeerd voor een persoonlijke ontmoeting. Die locatie kun je niet missen en is gemarkeerd op de bijgaande kaart.
Wanneer je de gecodeerde instructie hoort, wacht je tot de volgende dag. Vertrek als het donker is. Rijd naar de rendez-vouslocatie en zorg dat je er bij zonsopgang bent. Je contact zal daar zijn met

meer geld, apparatuur en instructies.
De woorden in het weerbericht waar jij op moet wachten, zijn: 'Morgen zal het licht regenen in Ashkelon.'
Succes,
Opaal.

8

De vissersboot was oud en gehavend, maar dat was ook de bedoeling. Hij was verroest en had dringend een verfje nodig, maar ook dat was met opzet gedaan. In een zee vol vissersboten mocht deze boot niet opvallen.

In het holst van de nacht trok de boot zijn anker op en gleed de baai uit, waar Rafi Nelsons strandbar vroeger was, iets buiten Eilat. Toen de zon opkwam, voer de boot ten zuiden van de Golf van Aqaba, tjoekte de Rode Zee in en voer langs de duikresorts aan de kust van Sinaï in Egypte. De zon stond al hoog aan de hemel toen hij langs Taba Heights en Dahab voer; er waren al een paar vroege duikboten voorbij de riffen, maar niemand lette op de groezelige Israëlische visser.

Er stond een kapitein aan het roer en zijn eerste stuurman was in de kombuis koffie aan het zetten. Er waren maar twee echte zeelieden aan boord: twee echte vissers die de lange lijnen en de netten moesten hanteren wanneer ze net deden alsof ze waren afgedreven. Maar de andere acht waren commando's van de Sayeret Matkal.

De viskluis was schoongemaakt zodat hij niet meer stonk; daar konden ze slapen op acht stapelbedden langs de wanden. Op het dek was een gewoon eetgedeelte. De luiken waren gesloten zodat als de zon hoger stond de airco in de kleine ruimte zijn werk kon doen.

Toen de boot over de Rode Zee tussen Saoedi-Arabië en Soedan voer, veranderden ze zijn identiteit. Het werd de *Omar al-Dhofari* uit de haven Omani van Salalah. De bemanning paste erbij: door hun uiterlijk en kennis van de taal konden ze allemaal doorgaan voor Golf-Arabieren.

In de engte tussen Djibouti en Jemen voeren ze langs het Jemenitische eiland Perim de Golf van Aden in. Vanaf dat moment bevond de boot zich wel in piratengebied, maar was feitelijk niet in gevaar. Somalische piraten zijn op zoek naar een prooi met handelswaarde en een eigenaar die bereid is losgeld te betalen. Een vissersboot uit Oman past niet in dat plaatje.

De mannen aan boord zagen een fregat van de internationale marinevloot die het leven van de piraten flink had bemoeilijkt, maar ze werden niet eens aangehouden. De zon reflecteerde de lenzen van de sterke kijker waardoor de boot werd bekeken, maar dat was alles. Omdat de boot uit Oman kwam, was hij ook niet interessant voor de piratenjagers.

Op de derde dag rondde de boot Cape Guard, het meest oostelijke punt van het vasteland van Afrika, en koerste naar het zuiden met alleen Somalië aan stuurboord, in de richting van zijn operationele station voor de kust tussen Mogadishu en Kismayo. Toen hij zijn station had bereikt, draaide hij bij. De netten werden uitgezet om de dekmantel in stand te houden, en er werd een kort en onschuldig mailtje gestuurd naar het denkbeeldige vriendinnetje Miriam in het Office met de mededeling dat hij klaar was en wachtte.

De baas van de divisie Hoorn van Afrika, Benny, ging ook naar het zuiden, maar veel sneller. Hij vloog met El-Al naar Rome en vandaar naar Nairobi. De Mossad is lang heel sterk aanwezig geweest in Kenia, en Benny werd opgehaald door het plaatselijke hoofd van de Mossad in burgerkleding en een ongemerkte auto. Het was een week geleden sinds de Somalische visser met de stinkende kingfish zijn lading aan Opaal had overgedragen, en Benny moest maar hopen dat er inmiddels een soort motor was gekocht.

Het was een donderdag en die avond begon het praatprogramma *Nachtuilen* zoals gewoonlijk vlak voor middernacht. Het werd voorafgegaan door het weerbericht. Deze keer werd aangekondigd dat het ondanks een hittegolf in Ashkelon licht zou regenen.

Natuurlijk wilden de Britten met Tracker samenwerken. In het Verenigd Koninkrijk waren vier moorden gepleegd door jonge fanatici die naar eer, het paradijs of allebei verlangden, geïnspireerd door de Prediker, en de autoriteiten wilden hem even graag het zwijgen opleggen als de Amerikanen.

Tracker was ondergebracht in een van de safehouses van de Amerikaanse ambassade, een kleine maar goed ingerichte cottage aan een keienstraatje in Mayfair. Hij had een korte ontmoeting met het hoofd van JSOC op de ambassade en met het hoofd van de CIA daar. Vervolgens werd hij naar het hoofdkwartier van de Secret Intelligence Service aan Vauxhall Cross gebracht. Tracker was al twee keer eerder in het grote groen met zandstenen gebouw aan de Theems geweest, maar de man met wie hij een gesprek had kende hij nog niet.

Adrian Herbert was ongeveer even oud, midden veertig, en dus studeerde hij nog toen Boris Jeltsin in 1991 een einde maakte aan het Sovjet-communisme en de Sovjet-Unie. Hij had snel promotie gemaakt na zijn studie geschiedenis aan het Lincoln College in Oxford en een jaar aan de SOAS, de School of Oriental and African Studies in Londen. Zijn specialiteit was Centraal-Azië en hij sprak Urdu en Pasjtoe, en een beetje Arabisch.

De baas van de SIS, die vaak ten onrechte MI6 wordt genoemd, wordt altijd alleen maar de Chief genoemd. Nadat hij zijn hoofd om de deur had gestoken om dag te zeggen, liet hij Adrian Herbert alleen met zijn gasten. Ook aanwezig, als een beleefdheidsbetuiging, was een stafmedewerker van de Security Service oftewel MI5 uit Thames House, vijfhonderd meter verderop op de noordoever van de Theems.

Nadat hij hun bijna ritueel koffie met koekjes had aangeboden, keek Herbert naar zijn drie Amerikaanse gasten en mompelde: 'Hoe kunnen wij u helpen, denkt u?'

De twee medewerkers van de Amerikaanse ambassade lieten Tracker het woord doen. Alle aanwezigen wisten waar de man van TOSA mee was belast. Tracker zag geen enkele aanleiding om uit te leggen wat hij tot nu toe had gedaan, hoever hij was gekomen of wat zijn volgende stap was. Zelfs onder vrienden en bondgenoten is het altijd *need to know*.

'De Prediker is niet in Jemen, maar in Somalië,' zei hij. 'Ik weet nog niet precies waar hij verblijft, maar we weten dat zijn computer in een pakhuis annex bottelarij in de haven van Kismayo staat en ook dat zijn preken daarvandaan worden uitgezonden. Ik ben er vrij zeker van dat hij daar zelf niet is.'

'Volgens mij heeft Konrad Armitage u al verteld dat wij niemand in Kismayo hebben,' zei Herbert.

'Het lijkt erop dat niemand daar iemand heeft zitten,' loog Tracker. 'Maar daar ben ik nu ook niet naar op zoek. We hebben vastgesteld dat iemand met dat pakhuis communiceert en dat hij een ontvangstbevestiging en een bedankje heeft ontvangen voor zijn berichten. Het pakhuis is eigendom van Masala Pickles, gevestigd in Karachi. Misschien hebt u wel van dit bedrijf gehoord.'

Herbert knikte. Hij hield van Indiaas en Pakistaans eten, en nam zijn ouders weleens mee naar een curryrestaurant als ze op bezoek waren in Londen. De mangochutney van Masala Pickles was alom bekend.

'Door een heel bijzonder toeval, waar wij geen van allen in geloven, is Masala Pickles volledig eigendom van de heer Mustafa Dardari die als jongen de beste vriend was van de Prediker in Islamabad. Ik zou graag zien dat er een onderzoek naar deze man wordt ingesteld.'

Herbert keek even naar de man van MI5.

Deze knikte. 'Dat kan waarschijnlijk wel,' mompelde hij. 'Woont hij hier?'

Tracker wist dat MI5, die weliswaar in de belangrijkste buitenlandse stations vertegenwoordigers had, voornamelijk in eigen land werkte. En dat de SIS, met als voornaamste taak spionage en contraspionage tegen vermeende vijanden van Hare Majesteit in het buitenland, ook over faciliteiten beschikte om in eigen land operaties uit te voeren. Hij wist ook dat, net als bij de CIA en de FBI in Amerika, de rivaliteit tussen de 'interne' en 'externe' geheime diensten animositeit had opgewekt, maar de gemeenschappelijke bedreiging van het jihadistische extremisme en terrorisme tien jaar geleden tot een veel inniger samenwerking had geleid.

'Hij verplaatst zich,' zei Tracker. 'Hij heeft een woning in Karachi en een herenhuis in Londen, aan Pelham Crescent. Volgens mijn informatie is hij drieëndertig, single, innemend en maatschappelijk actief.'

'Volgens mij heb ik hem ontmoet,' zei Herbert. 'Privédiner, twee jaar geleden, en de gastheer was een Pakistaanse diplomaat. Heel beminnelijk, als ik het me goed herinner. En u wilt dat we hem in de gaten houden?'

'Ik wil dat er bij hem wordt ingebroken,' zei Tracker. 'Ik wil dat er afluisterapparatuur in zijn flat wordt geplaatst, geluid en beeld. Maar wat ik vooral wil is zijn computer.'

Herbert keek naar Laurence Firth, de man van Five. 'Gezamenlijke operatie?' stelde hij voor.

Firth knikte. 'Daar hebben we natuurlijk de faciliteiten voor. Ik moet wel toestemming krijgen van hogerhand. Zou geen probleem moeten zijn. Is hij op dit moment in de stad?'

'Geen idee,' zei Tracker.

'Nou, het moet geen probleem zijn dat uit te vinden. En ik neem aan dat de hele theevisite onzichtbaar moet zijn en ook moet blijven?'

Ja, dacht Tracker, een bijzonder onzichtbare theevisite, inderdaad.

De afspraak was dat beide diensten fiat voor een bijzonder geheime operatie zouden krijgen zonder sanctie van een rechterlijk ambtenaar – met andere woorden: volkomen illegaal. Maar beide Britse spionnen hadden er alle vertrouwen in dat ze, na het spoor van dood en verderf dat de Prediker in hun land had getrokken, op ministerieel niveau op geen enkel bezwaar zouden stuiten. De enige politieke waarschuwing zou zoals gebruikelijk luiden: doe wat je volgens jou moet doen, maar ik wil er niets van weten. Echt leiderschap dus.

Terwijl Tracker met de auto van de ambassade terug naar zijn cottage werd gebracht, dacht hij dat er nu twee mogelijke routes waren naar de precieze locatie van de Prediker. De ene was Dardari's pc, áls die kon worden gebruikt. De andere route hield hij nog even voor zich.

De volgende dag even na zonsopgang voer ms *Malmö* de haven van Göteborg uit in de richting van de open zee. Het was een vrachtschip van 22.000 ton, wat in de scheepvaartwereld een *handy size* wordt genoemd. De geel-blauwe Zweedse vlag wapperde aan de achtersteven.

De *Malmö* maakte deel uit van de grote handelsvloot van Harry Andersson, een van de laatste nog overgebleven Zweedse scheepsmagnaten. Andersson was jaren geleden begonnen met zijn scheepvaartmaatschappij met een oud 'wild' stoomschip en had zijn bedrijf eigenhandig uitgebouwd tot hij met veertig schepen de grootste scheepsmagnaat van het land was.

Ondanks de belastingdruk was hij nooit naar het buitenland verhuisd; ondanks de kosten had hij zijn schepen nooit onder goedkope vlag laten varen. Hij had nooit 'rondgezwalkt', behalve op zee, en hij was nooit naar de beurs gegaan, zodat hij de enige eigenaar van Andersson Line was en, een zeldzaamheid in Zweden, op eigen houtje miljonair was geworden. Hij was twee keer getrouwd geweest en had zeven kinderen, maar slechts één, zijn jongste zoon die jong genoeg was om zijn kleinzoon te kunnen zijn, wilde net als zijn vader zeeman worden.

De *Malmö* had een lange vaart voor de boeg. De vracht bestond uit Volvo's en de bestemming was Perth, Australië. Op de brug stond kapitein Stig Eklund, de eerste en tweede stuurman waren Oekraïners en de eerste machinist was een Pool. De bemanning bestond verder uit tien Filipijnen: een kok, een hofmeester en acht matrozen.

De enige boventallige was kadet Ove Carlsson, die studeerde voor zijn brevet koopvaardij-officier. Dit was zijn eerste lange vaart; hij was nog maar negentien. Slechts twee mannen aan boord wisten wie hij echt was: de jongen zelf en kapitein Eklund. Zijn vader wilde dat zijn jongste zoon, wanneer hij op een van zijn schepen zou gaan varen, geen last had van rancune en niet naar de ogen zou worden gekeken door mannen die naar zijn gunsten dongen.

En dus reisde de jonge aspirant-officier onder de meisjesnaam van zijn moeder. Een vriend in de regering had een echt paspoort op een valse naam uitgegeven, en dankzij dit paspoort had de aspirant-officier van de Zweedse koopvaardij-autoriteiten documenten op diezelfde naam gekregen.

De vier officieren en de aspirant-officier stonden die zomerochtend op de brug toen de hofmeester hen koffie bracht en de *Malmö* met zijn stompe boeg door de golven van het Skagerrak ploegde.

Agent Opaal was er inderdaad in geslaagd een sterke crossmotor te kopen. Hij had hem gekocht van een Somaliër die wanhopig graag samen met zijn vrouw en kind het land wilde verlaten en de dollars nodig had om in Kenia een nieuw bestaan op te bouwen. Wat de Somaliër deed, was illegaal volgens de wetten van Al-Shabaab; als hij werd betrapt, kon hij hiervoor worden bestraft met geseling of erger. Maar hij had ook nog een sjofele open vrachtauto en dacht dat hij de grens wel kon bereiken als hij 's nachts reed en zich overdag schuilhield in de dichte vegetatie tussen Kismayo en de Keniaanse grens.

Op de duozitting had Opaal een grote rieten mand vastgemaakt waarin andere mensen hun karige boodschappen zouden doen, maar waar hij een grote jerrycan met extra benzine wilde verbergen.

Op de kaart die hij uit de ingewanden van de kingfish had gehaald, stond aangegeven waar hij zijn contactpersoon zou ontmoeten: een locatie aan de kust, bijna honderdvijftig kilometer noordelijker. De kustweg was een oneffen weg vol kuilen geworden, maar hij dacht dat hij het wel zou redden tussen zonsondergang en zonsopgang.

Verder had hij een oude maar nog goed werkende transistorradio gekregen, waarop hij naar verschillende buitenlandse zenders kon luisteren – ook verboden door Al-Shabaab. Maar hij woonde alleen in zijn hut buiten de stad en wanneer hij de radio heel zacht zette en tegen zijn oor drukte, kon hij naar Kol Israel luisteren zonder dat iemand die een paar meter verderop stond het kon horen. Op die manier had hij gehoord dat het zou gaan regenen in Ashkelon.

De bewoners van die mooie stad zouden de volgende dag wel verbaasd opkijken als ze een blauwe lucht zagen zonder ook maar één wolkje, maar dat was hun probleem.

Benny was al bij de vissersboot. Hij was gearriveerd per helikopter, die eigendom was en werd bestuurd door een andere Israëliër op wat zogenaamd een privécharter was voor een rijke toerist van Nairobi naar het Oceans Sports Hotel in Waitamu aan de kust ten noorden van Malindi. In werkelijkheid was de helikopter de kust voorbijgevlogen en vervolgens naar het noorden gedraaid. Hij vloog over Lamu Island en ten oosten van het Somalische eiland Ras Kambooni tot het navigatiesysteem de vissersboot lokaliseerde. De helikopter bleef op een hoogte van drie meter hangen, terwijl Benny zich via een touw naar het dek liet zakken waar wachtende handen hem vastpakten.

Die avond vertrok Opaal onder dekking van de duisternis. Het was vrijdagavond en de straten waren nagenoeg verlaten nu de bevolking aan het bidden was. Twee keer zag de agent koplampen achter zich verschijnen, zodat hij een zijstraatje in reed en zich verborg tot de vrachtwagen voorbij was gereden. Dat deed hij ook toen hij voor zich koplampen zag aankomen. En hij reed alleen in het licht van de maan.

Hij was vroeg. Toen hij wist dat hij nog maar een paar kilometer van de ontmoetingsplaats vandaan was, stopte hij weer en wachtte tot de zon opkwam. Bij het eerste licht reed hij door, maar langzaam. Even later zag hij het: links was een *wadi*, een droge rivierbedding die zo breed en diep was dat er een brug overheen liep. In het regenseizoen zou de rivier weer water bevatten en de kolkende watermassa onder de betonnen brug door stromen. En tussen de snelweg en de kust stond een groep reusachtige casuarinabomen.

Opaal verliet de weg en duwde zijn crossmotor zo'n honderd meter tot aan het water. Daarna luisterde hij. Een kwartier later hoorde hij het: het zachte geronk van een buitenboordmotor. Hij knipperde twee keer met zijn lampen, aan, uit, aan, uit. Het geronk kwam zijn kant op en de omtrek van een *rigid inflatable boat* (RIB), een bootje met een harde scheepsromp en luchtgevulde rubberen randen, doemde op vanuit de donkere zee. Hij keek naar de weg achter hem. Niemand.

Benny stapte aan wal. Wachtwoorden werden uitgewisseld. Daarna omhelsde Benny zijn agent. Er was nieuws van thuis, waar verlangend naar was uitgezien. Een briefing en apparatuur.

Dat laatste was bijzonder welkom. Opaal zou het natuurlijk moeten begraven, onder de aarden vloer van zijn hut en het gat daarna afdekken met multiplexplanken. Hij kreeg een kleine, maar uiterst geavanceerde zender/ontvanger. Dit apparaat kon berichten uit Israël opvangen en dertig minuten bewaren terwijl ze werden genoteerd of uit het hoofd geleerd. Daarna zouden ze vanzelf worden gewist.

En het apparaat kon berichten van Opaal naar het Office sturen die ongecodeerd werden uitgesproken, comprimeren tot één enkel piepje dat zo kort was dat een eventuele luisteraar bijzonder geavanceerde apparatuur moest bezitten om de uitzending die slechts een fractie van een seconde in beslag nam op te vangen en op te nemen. In Tel Aviv zou het piepje in normale spraak worden omgezet.

En dan was er de briefing. Het pakhuis, de noodzaak om te weten wie daar woonden, of ze ooit vertrokken en zo ja, waar naartoe. Een beschrijving van elk voertuig dat werd gebruikt door eventuele bewoners of regelmatige bezoekers van het pakhuis. Wanneer een bezoeker niet in het pakhuis woonde, een complete beschrijving van zijn woning en de exacte locatie.

Opaal hoefde dit niet te weten, en Benny kon het alleen maar aannemen, maar ergens zou een Amerikaanse UAV rondvliegen – een Predator, een Global Hawk of misschien de nieuwe Sentinel – die langzaam, uur na uur, rondjes draaide, naar beneden keek en alles zag. Maar in de wirwar van straten in Kismayo konden de kijkers één voertuig te midden van de honderden voertuigen gemakkelijk kwijtraken, tenzij dat voertuig tot in detail was beschreven.

Na weer een omhelzing gingen ze uit elkaar. De RIB, bemand door vier bewapende commando's, voer naar de open zee. Opaal vulde de tank van zijn crossmotor en reed naar het zuiden, naar zijn hut, om zijn zender/ontvanger en de batterij te begraven die op zonne-energie liep en via een fotovoltaïsche cel werd opgeladen.

Benny werd uit de boot gehaald met een touwladder die onder de helikopter hing. Nadat hij was verdwenen, begonnen de commando's aan een nieuwe dag met zware oefeningen, zwemmen en vissen om verveling te voorkomen. Misschien waren ze niet meer nodig, maar voor het geval dit wel zo was moesten ze blijven.

Benny werd afgezet op het vliegveld van Nairobi en vloog eerst naar Europa en daarna naar Israël. Opaal reed heen en weer door de straten rondom het pakhuis en vond een kamer die hij kon huren. Door een spleet in de kromgetrokken luiken kon hij de toegangshekken in de gaten houden.

Om argwaan te voorkomen, zou hij als controleur in de haven moeten blijven werken. En hij moest eten en slapen. De rest van de tijd zou hij het pakhuis zo goed mogelijk in de gaten houden. Hij hoopte dat er iets zou gebeuren.

Heel ver weg, in Londen, deed Tracker zijn best om te zorgen dát er iets gebeurde.

De installateurs van het afluistersysteem in het huis aan Pelham Crescent hadden voldoende vertrouwen in hun vaardigheden om bekend te maken wie ze waren. Op de buitenmuur onder de dakrand hing een fraai bordje: DIT GEBOUW WORDT BESCHERMD DOOR DAEDALUS SECURITY SYSTEMS. Het werd stiekem gefotografeerd vanuit het weelderige park in het midden van de halvemaanvormige rij huizen.

Daedalus, dacht Tracker toen hij de foto zag, was de Griekse technicus die een niet bepaald veilig paar vleugels had ontworpen voor zijn zoon Icarus die, nadat de was waarmee de vleugels waren bevestigd was gesmolten, in zee viel en stierf. Maar hij had ook een duivels en ingenieus doolhof geconstrueerd voor koning Minos van Kreta.

De moderne Daedalus probeerde ongetwijfeld de vaardigheden te evenaren van de bouwer van die doolhof. Hij heette Steve Bamping en was de oprichter en nog altijd de baas van zijn eigen exclusieve bedrijf dat voor zijn welvarende klanten anti-inbraakinstallaties aanlegde. Met toestemming van de directeur van de G Branch van MI5 gingen Firth en Tracker bij hem op bezoek. Zijn eerste reactie op hun verzoek was een botte weigering.

Firth deed het woord tot Tracker een stapel foto's tevoorschijn haalde en ze in twee rijen op het bureau van Bamping legde. Het waren twaalf foto's.

De directeur van Daedalus Security keek er niet-begrijpend naar: op elke foto was een dode man te zien, op een tafel in een mortuarium, met gesloten ogen. 'Wie zijn dit?' vroeg hij.

'Dode mannen,' zei Tracker. 'Acht Amerikanen en vier Britten. Allemaal onschuldige burgers die voor hun land werkten. Allemaal in koelen bloede vermoord door jihadistische moordenaars die waren geïnspireerd en aangemoedigd door een prediker op het internet.'

'De heer Dardari? Echt niet!'

'Nee, de Prediker. Hij zendt zijn haatpreken uit vanuit het Midden-Oosten en we hebben redelijk goede bewijzen dat zijn helper in Londen uw klant is. Daarom ben ik de Atlantische Oceaan overgestoken.'

Steve Bamping keek nog steeds naar de foto's van de twaalf doden. 'Lieve god,' mompelde hij. 'Wat wilt u?'

Dat vertelde Firth hem.

'Is dit geautoriseerd?'

'Op kabinetsniveau,' zei Firth. 'En nee, ik heb niet de handtekening van de minister van Binnenlandse Zaken om dat te bewijzen. Maar wanneer u met de directeur-generaal van MI5 wilt praten, kan ik u zijn rechtstreekse nummer geven.'

Bamping schudde zijn hoofd. Hij had op Firths ID al gezien dat hij een medewerker was van de antiterrorismeafdeling van MI5. 'Dit blijft strikt geheim,' zei hij.

'Wij houden onze mond,' zei Firth. 'Onder alle omstandigheden.'

Het alarmsysteem dat op Pelham Crescent was geïnstalleerd, was een Gold Menu: elke deur en elk raam was voorzien van een onzichtbaar op straling gebaseerd alarm dat verbonden was met de centrale computer. De eigenaar zelf zou alleen door de voordeur binnenkomen wanneer het systeem geactiveerd was.

De voordeur zag er gewoon uit en had een Bramah-slot dat met een sleutel kon worden geopend. Wanneer de deur werd geopend als de alarminstallatie aanstond, was er een piepje te horen. Dertig seconden lang zou niemand worden gewaarschuwd. Daarna zou het geluid stoppen en ging er een stil alarm naar de alarmcentrale van Daedalus. Daar zou men de politie waarschuwen en zelf een busje sturen.

Maar om een mogelijke dief die een gokje wilde wagen in verwarring te brengen, kwam het piepje uit een kast in de hal, terwijl de computer op een totaal andere plek stond. De eigenaar had dertig seconden om naar de juiste kast te lopen, de deur waar de computer achter stond te openen en op een verlicht paneel een zescijferige code in te toetsen. Er waren miljoenen opties, zodat alleen iemand die de juiste code kende, het piepje in minder dan dertig seconden kon laten ophouden en kon voorkomen dat het alarm werd geactiveerd.

Wanneer hij zich vergiste en de dertig seconden verstreken, stond er een telefoon en moest hij een telefoonnummer van vier cijfers intoetsen, waarna hij werd doorverbonden met de alarmcentrale. Dan moest hij de door hemzelf uitgekozen pincode opgeven om het alarm uit te schakelen. Eén foutief cijfer zou de centrale duidelijk maken dat iemand hem hiertoe dwong en ondanks de beleefde reactie zou de 'gewapende indringer in huis'-procedure worden gevolgd.

Er waren nog twee voorzorgsmaatregelen. Wanneer onzichtbare stralen in de ontvangstkamers en op de trappen werden onderbroken, zou er een stil alarm afgaan, maar het knopje waarmee dit kon worden uitgeschakeld was heel klein en verborgen achter de computer. Zelfs wanneer er een pistool op zijn hoofd gericht was, hoefde de bedreigde eigenaar de stralen niet te deactiveren.

Ten slotte bestreek een verborgen camera achter een minuscuul gaatje de hele hal; deze werd nooit uitgeschakeld. Vanaf elke plek ter wereld kon meneer Dardari een telefoonnummer intoetsen waarna hij op zijn iPhone zijn hele hal kon zien.

Maar, zoals de heer Reynolds later met duizenden excuses zou uitleggen, zelfs uiterst geavanceerde systemen kampten weleens met een probleem. Wanneer er een vals alarm binnenkwam terwijl de heer Dardari in Londen was maar niet thuis, moest hij worden opgetrommeld en daar was hij natuurlijk niet blij mee. Het team van Daedalus bood zijn excuses aan en de Londense politie was bijzonder beleefd.

Dardari liet zich vermurwen en gaf toestemming dat een technicus het kleine foutje herstelde. Hij liet hen binnen, zag dat ze in de computerkast aan het werk gingen, verveelde zich al snel en liep naar de woonkamer waar hij een cocktail voor zichzelf klaarmaakte. Toen de twee technici, allebei computerspecialisten van MI5, zich bij hem meldden, zette hij zijn glas neer en ging geamuseerd akkoord met een test. Hij verliet zijn woning en kwam weer binnen. De pieper ging af. Hij liep naar de kast en schakelde het alarm uit. Voor de zekerheid stond hij in zijn eigen hal toen hij de spionagecamera op zijn iPhone activeerde. Hij zag zichzelf en de twee technici in de hal staan. Daarna bedankte hij hen, waarop zij vertrokken. Twee dagen later vertrok hij ook, want hij ging een week naar Karachi.

Het probleem met computergestuurde systemen is dat de computer alles controleert. Als de computer zijn eigen weg gaat is hij niet alleen nutteloos, maar werkt hij ook samen met de vijand.

Het team van MI5 kwam niet met het afgezaagde busje van het gas- of telefoonbedrijf, want de buren wisten misschien dat hun buurman een tijdje zou wegblijven. Ze kwamen om twee uur 's nachts, heel stilletjes, in donkere kleren en met rubber zolen onder hun schoenen; zelfs de straatlantaarns vielen een paar minuten uit. Een paar seconden later waren ze binnen en bij geen van de buren werd het licht aangedaan.

Snel schakelde de leider van het team het alarm en de infrarode stralen uit. Na nog een paar toetsaanslagen op het toetsenbord van de computer bleef de camera stilstaan en op de compleet lege hal gericht. Wanneer meneer Dardari nu inbelde vanuit Punjab zou hij een lege hal zien. Maar hij was op dat moment nog in de lucht.

Deze keer waren er vier mannen en ze werkten snel. Ze installeerden minuscule microfoontjes en camera's in de drie belangrijkste vertrekken: woonkamer, eetkamer en studeerkamer. Toen ze klaar waren, was het buiten nog steeds pikkedonker. Een stem in het oortje van de teamleider bevestigde dat de straat verlaten was, waarna ze ongezien vertrokken.

Het enige nog resterende probleem was de pc van de Pakistaanse zakenman. Die had hij meegenomen. Maar na zes dagen was hij terug en twee dagen later vertrok hij naar een officieel diner. Het derde bezoek nam de minste tijd in beslag. De computer stond op zijn bureau. De harde schijf werd verwijderd en in een *drive duplicator* gestopt die de technici 'de box' noemden. De harde schijf van meneer Dardari werd aan de ene kant in de box gestopt en een lege aan de andere kant. Drie kwartier later was de hele database opgehaald en op de kopie gezet, waarna hij zonder een spoor na te laten weer werd teruggeplaatst. Nadat er een USB-stick in de computer was gestopt, werd hij aangezet en de malware ingevoerd, waarmee de computer de opdracht kreeg om elke toekomstige toetsaanslag en elke binnenkomende e-mail te monitoren. Deze gegevens zouden worden doorgestuurd naar de computers van de Security Service, die een *log file* zou opslaan elke keer dat de Pakistaan zijn computer gebruikte. En hij zou er niets van merken.

Tracker had er geen enkele moeite mee om toe te geven dat de mensen van MI5 goed waren. Hij wist dat het gestolen materiaal naar een donutvormig gebouw zou gaan iets buiten de stad Cheltenham in Gloucestershire, de thuisbasis van GCHQ, het Government Communications Headquarters, het Britse equivalent van Fort Meade. Daar zouden de cryptografen de kopie bekijken om te zien of de informatie al dan niet gecodeerd was. Wanneer de informatie gecodeerd was, zou die moeten worden gekraakt. De beide organisaties samen zouden in staat moeten zijn het hele leven van de Pakistaan bloot te leggen.

Maar Tracker wilde iets anders en zijn gastheren hadden daar geen enkel bezwaar tegen. Hij vroeg of alle transmissies uit het verleden en elke toekomstige toetsaanslag kon worden doorgestuurd naar een jonge man die op een schemerige zolder in Centreville over zijn computer gebogen zat. Hij had speciale instructies die alleen naar Ariel mochten gaan.

De eerste bevestiging kwam heel snel. Er was geen twijfel over mogelijk dat Mustafa Dardari continu in contact stond met de computer in een pakhuis in Kismayo, Somalië. Hij wisselde informatie en waarschuwingen uit met de Trol, en hij was de persoonlijke cyberspacevertegenwoordiger van de Prediker.

Ondertussen probeerden de cryptografen te achterhalen wat hij precies had gezegd en wat de Trol tegen hem had gezegd.

Agent Opaal hield het pakhuis al een week in de gaten toen zijn wacht, die werd gekenmerkt door slaapgebrek, werd beloond. Op een avond zwaaide het hek naar het pakhuis open. En er reed geen lege vrachtwagen naar buiten, maar een oude gedeukte pick-up, met een cabine en een open laadbak. Dat is het gebruikelijke voertuig in zowel Noord- als Zuid-Somalië. Wanneer er in de laadbak een stuk of zes *clan fighters* rondom een machinegeweer zitten, wordt die een *technical* genoemd. De pick-up die Opaal zag vertrekken, had een lege laadbak en in de cabine zat slechts één chauffeur.

Die man was de Trol, maar dat kon Opaal niet weten. Het enige wat hij had, was de opdracht van zijn contactpersoon: volg alles wat geen goederentruck is. Hij verliet zijn huurkamer, haalde het kettingslot van zijn crossmotor en reed erachteraan.

Het was een lange, zware rit, die de hele nacht duurde, tot na zonsopgang. Het eerste deel van de route kende hij al. De kustweg liep naar het noordoosten en volgde de kust, langs de droge wadi en de groep casuarinabomen waar hij Benny had ontmoet en daarna verder in de richting van Mogadishu. Het was al halverwege de ochtend en zelfs zijn reservetank was bijna leeg, toen de pick-up het kuststadje Marka binnenreed.

Marka was, net als Kismayo, een stevig bolwerk van Al-Shabaab geweest tot 2012, toen federale soldaten ze met veel ondersteuning van pelotons van de African Mission to Somalia (AMISOM) hadden heroverd op de jihadisten. Maar in 2013 waren de rollen weer omgedraaid, de fanatici waren teruggekomen en hadden na bloedige gevechten beide steden en het land ertussenin heroverd.

Duizelig van vermoeidheid volgde Opaal de pick-up tot deze stopte bij een bewaakte poort van een soort omheinde binnenplaats. De chauffeur van de pick-up toeterde. Een luikje in de houten poort ging open, een half gezicht werd zichtbaar en iemand keek naar buiten. Even later zwaaide de poort open.

Opaal stapte af, hurkte achter zijn motor terwijl hij net deed alsof hij aan het voorwiel prutste en tuurde tussen de spaken door. De chauffeur was kennelijk een bekende, want na de begroeting reed hij naar binnen. De poort ging weer dicht, maar Opaal zag een flits van een compound met een centrale binnenplaats en drie gebroken witte gebouwen met luiken voor de ramen. Het leek op een van de duizenden compounds waaruit Marka bestaat, een uitgestrekt complex van lage witte rechthoeken tussen de okergele heuvels en de zandige kust met de glanzende blauwe oceaan erachter. Alleen de minaretten van de moskeeën waren hoger dan de huizen.

Opaal reed een stukje verder, stopte in een steeg die vol troep lag, vond een schaduwplekje in de steeds groter wordende hitte, trok zijn shemagh over zijn hoofd en ging slapen. Later reed hij de stad in op zoek naar een man met een vat petroleum en een handpomp. Deze keer betaalde hij niet met dollars, dat was te gevaarlijk. Hij kon worden verraden aan de *mutawa*, de religieuze politie met hun van haat vervulde ogen en hun stokken. Hij betaalde met een stapel shillings.

Hij reed terug in de koelte van de nacht en was op tijd terug voor zijn werk op de vismarkt. Pas die middag kon hij een korte, mondelinge boodschap inspreken, zijn in jute verpakte zender/ontvanger opgraven en aan de helemaal opgeladen batterij koppelen en op de verzendknop drukken. Het bericht werd ontvangen in het Office ten noorden van Tel Aviv en volgens afspraak doorgestuurd naar TOSA in Virginia.

Nog geen dag later had een Global Hawk van de Amerikaanse lanceerbasis in Jemen de compound gevonden. Het duurde even, maar het bericht van de Mossad ging over een fruitmarkt met kramen en met op de grond uitgestalde koopwaar, slechts honderd meter bij de compound vandaan. En over de minaret, twee straten verderop. En over de door de Italianen aangelegde rotonde met de vele afslagen, zeshonderd meter in een rechte lijn naar het noorden waar de Mogadishu-snelweg om de stad heen liep. Het kon dus niet missen, daar was er maar één van.

Tracker had een link van de UAV gekregen van het JSOC-operatiecentrum buiten Tampa dat was verbonden met de Amerikaanse ambassade. Daar zat hij naar de drie huizen in de compound te kijken. Welke? Geen van de drie? Zelfs áls de Prediker daar was, was hij veilig voor een UAV-aanval. Een Hellfire of een Brimstone zou minstens tien van deze dicht op elkaar staande huizen eromheen platleggen. Vrouwen, kinderen. Zijn oorlog was niet tegen hen gericht en hij had geen bewijs.

Hij wilde dat bewijs hebben, hij had dat bewijs nodig en toen de cryptografen klaar waren, dacht hij dat de in Karachi gevestigde chutneymaker dat bewijs wel zou leveren.

In zijn hut in Kismayo lag Opaal te slapen toen het ms *Malmö* zich aansloot bij de koopvaardijschepen die in een rij lagen te wachten tot ze het Suezkanaal binnen konden varen. Nu het schip stil in de Egyptische zon lag te bakken, was de hitte moordend. Twee van de Filipijnen zaten te vissen, ze hoopten op verse vis voor het avondeten. Anderen zaten onder dekzeilen in de beschutting van de stalen zeecontainers die fungeerden als radiatoren, maar waar de auto's in zaten. De Europeanen bleven echter binnen, waar de airconditioning, die op de hulpmotor liep, het leven enigszins dragelijk maakte. De Oekraïners waren aan het kaarten en de Pool was in zijn machinekamer. Kapitein Eklund typte een e-mail aan zijn vrouw en aspirant-officier Ove Carlsson bestudeerde zijn navigatielessen.

Ver in het zuiden scande een jihadistische fanaticus, vervuld van haat tegen het Westen en alles wat het deed, de prints van de berichten die hem vanuit Kismayo waren gebracht.

En in een bakstenen fort in de heuvels achter de baai van Garacad maakte een sadistisch stamhoofd, die Al-Afrit, de Duivel, werd genoemd, plannen om twaalf van zijn jonge mannen weer de zee op te sturen, ondanks de gevaren, om op zoek te gaan naar nieuwe buit.

9

Er zat inderdaad een code verstopt in de berichten van Dardari in Londen en van de Trol in Kismayo, en die code werd gekraakt. De twee mannen communiceerden oppervlakkig gezien 'ongecodeerd'. Ze wisten natuurlijk dat zowel GCHQ in Engeland als Fort Meade in Maryland berichten wantrouwen die duidelijk gecodeerd zijn.

Er is zoveel zakelijk en industrieel internetverkeer dat niet alles grondig kan worden onderzocht. Daarom geven beide afluistercentra altijd voorrang aan alle berichten die ook maar enigszins verdacht zijn. En omdat Somalië een bijzonder verdacht land is, worden alleen de onschuldig lijkende berichten bestudeerd, hoewel die geen prioriteit hebben.

Tot nu toe was het internetverkeer tussen Londen en Kismayo onopgemerkt gebleven, maar daar was nu verandering in gekomen. De berichten gingen zogenaamd tussen de baas van een grote voedselfabriek in Londen en zijn manager op een locatie waar bepaalde grondstoffen werden geproduceerd. De berichten vanuit Londen leken vragen over de beschikbaarheid en de prijzen van groente, fruit en kruiden die allemaal ter plaatse werden geteeld. De berichten vanuit Kismayo leken de antwoorden van de manager.

De codesleutel zat verstopt in de prijslijsten, ontdekten Cheltenham en Ariel bijna tegelijkertijd. Daar zaten tegenstrijdigheden in: soms waren de prijzen te hoog en soms te laag vergeleken met de prijzen op de wereldmarkt van diezelfde producten in die tijd van het jaar. Sommige cijfers waren realistisch, andere niet. In het laatste geval waren de cijfers letters, deze letters vormden woorden en de woorden vormden berichten.

Uit het maandenlange berichtenverkeer tussen een herenhuis in het Londense West End en een pakhuis in Kismayo, bleek dat Mustafa Dardari de contactpersoon met de buitenwereld van de Prediker was. Hij was zowel financier als informant, en verstrekte zowel adviezen als waarschuwingen. Hij gaf financiële steun aan officiële publicaties die zich intensief bezighielden met het westerse denken over antiterrorisme. Hij bestudeerde het werk van denktanks over dat onderwerp en bestelde officiële documenten van het Royal United Services Institute en het International Institute for Strategic Studies in Londen en hun Amerikaanse tegenhangers.

Uit de e-mails aan zijn vriend bleek dat hij regelmatig dineerde bij mensen bij wie de kans groot was dat ze een hooggeplaatste ambtenaar, militair of veiligheidsman zouden uitnodigen. Kortom, hij was een spion. Hij was ook, achter zijn burgerlijke verwesterde façade, een salafist en jihadistisch extremist – net als zijn jeugdvriend in Somalië.

Ariel ontdekte nog iets: er zaten typefouten – één verkeerd getypte letter – in de teksten, maar die waren nooit willekeurig. Heel weinig niet-professionals kunnen lange teksten typen zonder af en toe een verkeerde toets aan te slaan en een typefout van één letter te maken. In de journalistiek en bij uitgeverijen hebben ze daar correctoren voor, maar veel amateurs vinden typefouten onbelangrijk zolang de betekenis maar duidelijk is.

De Trol vond het wel belangrijk, maar Dardari niet, omdat hij zijn typefouten met opzet maakte. In elk bericht stonden slechts één of twee typefouten, maar die hadden wel een bepaalde logica: ze stonden niet altijd op dezelfde plaats en ze hingen altijd samen met de typefouten in het voorafgaande bericht. Ariel leidde hieruit af dat het 'verklikkers' waren: kleine signalen die, wanneer ze ontbraken, de lezer waarschuwden dat de afzender werd bedreigd of dat zijn computer door een vijand werd gebruikt.

Wat het e-mailverkeer niet bevestigde, waren twee dingen die Tracker wel moest weten. De berichten verwezen naar 'mijn broer', maar dat kon een begroeting zijn tussen twee moslims, en ze verwezen naar 'onze vriend', maar Zulfiqar Ali Shah of Abu Azzam werden nooit bij naam genoemd. De berichten bevestigden echter nooit dat 'onze vriend' niet in Kismayo woonde, maar in een compound in het centrum van Marka.

De enige manier waarop Tracker deze twee bewijzen in handen kon krijgen en in het verlengde daarvan toestemming kon krijgen voor een dodelijke aanval was na positieve identificatie door een betrouwbare bron of wanneer hij de Prediker ertoe kon verleiden een afschuwelijke vergissing te begaan en vanuit zijn huis online te gaan. De Global

Hawk hoog boven de compound in Marka zou dat onmiddellijk signaleren en opvangen.

Om het eerste te bereiken, moest iemand met een opvallende en vooraf afgesproken hoofdbedekking – een honkbalpetje bijvoorbeeld – op de binnenplaats gaan staan, omhoogkijken en knikken. Tampa zou dat gezicht zien, net zoals Creech Anwar al-Awlaki omhoog had zien kijken toen zijn gezicht een heel televisiescherm in een ondergrondse bunker in Nevada had gevuld.

Om het tweede te bereiken, had Tracker een troef in handen die hij nog altijd kon uitspelen.

Het ms *Malmö* voer rustig het Suezkanaal bij Port Suez uit, de Rode Zee in. Kapitein Eklund nam afscheid van de Egyptische loods en bedankte hem. De loods stapte in zijn langszij wachtende motorsloep en zou een paar uur later op een ander vrachtschip zitten dat in noordelijke richting voer. De *Malmö*, nu weer onder zijn eigen leiding, voer naar het zuiden in de richting van Bab-el-Mandeb en zou daarna naar het oosten varen, de Golf van Aden in. Kapitein Eklund was tevreden; ze waren goed opgeschoten.

Opaal kwam thuis van zijn werk in de vishaven, controleerde of hij echt helemaal alleen was en of er niemand naar hem keek, en haalde zijn zender/ontvanger onder de vloer vandaan. Hij wist dat deze dagelijkse controle op eventueel binnengekomen berichten de gevaarlijkste momenten waren in zijn leven als spion in het Al-Shabaab-gebied. Hij verbond de zender/ontvanger met de opgeladen batterij, deed zijn oordopjes in, pakte pen en papier en maakte zich klaar om aantekeningen te maken. Het bericht, nadat hij dit tot leessnelheid had vertraagd, was in het Hebreeuws en duurde maar een paar minuten. Zijn pen vloog over het papier.

Het bericht was kort en to the point.

Geweldig dat je de pick-up hebt gevolgd vanuit het pakhuis naar Marka. Rijd er de volgende keer dat dit gebeurt niet meteen achteraan. Ga naar je zender/ontvanger en laat ons weten dat hij naar het noorden rijdt. Verstop vervolgens je zender/ontvanger weer en rijd achter de pick-up aan.

De Taiwanese trawler voer ver uit de Somalische kust en was niet tegengehouden. Daar was ook geen enkele reden voor. Een laagvliegend patrouillevliegtuig dat de zee in de gaten hield voor een van de internationale zeemachten die nu probeerden het internationale scheepvaartverkeer tegen Somalische piraten te beschermen, was naar beneden gedoken om een kijkje te nemen, maar doorgevlogen.

Het schip was duidelijk dat wat het leek: een diepzeevisser uit Taipeh. Het sleepnet was niet neergelaten, maar dat was niet vreemd wanneer de boot op zoek was naar nieuwe en betere viswateren. In werkelijkheid was het schip een paar weken eerder buitgemaakt door Al-Afrit en dat was wel opgemerkt, maar hij voer niet onder zijn eigen naam. De oorspronkelijke naam was veranderd; men had de Chinese bemanning gedwongen een nieuwe naam op de boeg en achtersteven te schilderen. Twee mannen van diezelfde bemanning, meer waren er niet nodig, stonden nu op de brug. De tien Somalische piraten hadden zich verborgen. De inzittenden van het patrouillevliegtuig die de boot met verrekijkers scanden, hadden twee oosterse mannen aan het roer zien staan en kregen dan ook geen argwaan. De beide mannen waren gewaarschuwd dat ze gedood zouden worden zodra ze zouden gebaren dat ze hulp nodig hadden.

Deze truc was niet nieuw, maar de internationale patrouille-eenheden hadden moeite om het te ontdekken. De bemanningsleden van de Somalische skiffs die net deden alsof ze onschuldige vissers waren, werden al snel betrapt. Ze riepen misschien wel dat ze hun kalasjnikovs nodig hadden om zichzelf te verdedigen, maar dat konden ze natuurlijk niet hardmaken voor de draagbare granaatwerpers. En waar ze altijd door werden verraden, was de lichte aluminium ladder: die heb je niet nodig om te vissen, maar wel om een koopvaardijschip te enteren.

De Somalische piraterij had al ongelofelijk veel geld gekost. De meeste grote en waardevolle schepen hadden professionele ex-soldaten aan boord die wapens bij zich hadden en wisten hoe ze die moesten gebruiken; ongeveer tachtig procent van de schepen was aldus beschermd. De UAV's die nu vanuit Djibouti opstegen, konden zo'n zestigduizend vierkante kilometer per dag scannen en de oorlogsschepen van de vier internationale vloten werden geassisteerd door helikopters. De piraten, van wie er steeds meer gevangen werden genomen, werden met internationale steun berecht, schuldig bevonden en gevangengezet op de Seychellen. Hun gloriedagen waren voorbij.

Maar één list werkte nog steeds: een moederschip. De *Shan-Lee 08*, zoals hij nu heette, was daar één van. Hij kon veel langer dan een skiff op zee blijven en had een enorm bereik. De kleine aanvalsboten met hun snelle buitenboordmotoren werden benedendeks opgeslagen. Een moederschip leek onschuldig, maar de aanvallende skiffs konden binnen een paar minuten aan dek en op het water zijn.

Nu ze de Rode Zee hadden verlaten en de Golf van Aden binnenvoeren, zorgde kapitein Eklund ervoor dat ze de internationaal aanbevolen Transit Corridor gebruikten waar koopvaardijschepen maximale bescherming werd geboden als ze de gevaarlijke Golf van Aden passeerden.

De Corridor loopt evenwijdig aan de kust van Aden en Oman, van de vijfenveertigste tot de drieënvijftigste graad oosterlengte. Na deze acht lengtezones vaart het koopvaardijschip voorbij de noordkust bij Puntland, het begin van de veilige toevluchtsoorden van de piraten, en ver voorbij de Hoorn. Schepen die de zuidelijke punt van India willen ronden, varen zodoende vele kilometers te ver door in noordelijke richting voordat ze naar het zuiden kunnen afbuigen, voor de lange oversteek van de Indische Oceaan. Maar dankzij het feit dat de marineschepen hier uitgebreid patrouilleren, zijn ze hier wel veilig.

Kapitein Eklund volgde de voorgeschreven doorgang naar de drieenvijftigste lengtegraad en boog vervolgens, in de overtuiging dat hij veilig was, af naar het zuidoosten richting India. De UAV's konden inderdaad zestigduizend vierkante kilometer per dag scannen, maar de Indische Oceaan is vele miljoenen vierkante kilometers groot, en een schip kan zomaar verdwijnen in deze enorme oceaan. De marineschepen van de NAVO en de EU NAVFOR (de EU Naval Force) zijn in de Corridor vaak in groten getale aanwezig, maar op de oceaan varen ze ver uit elkaar. Alleen de Fransen hebben een speciale eenheid voor de Indische Oceaan: *A L'Indien*.

De kapitein van de *Malmö* was ervan overtuigd dat hij nu zo ver oostelijk voer dat de Somaliërs geen bedreiging meer vormden. Overdag en zelfs 's nachts was het drukkend heet. Vrijwel alle schepen die in deze wateren varen, hebben in de thuishaven een 'inwendig fort' laten aanbrengen. Dit wordt beschermd door stalen deuren die van binnenuit kunnen worden afgesloten en is voorzien van eten, drinken, kooien en toiletartikelen, genoeg voor meerdere dagen. Er zijn ook systemen in aangebracht waarmee de motoren kunnen worden ontkoppeld van externe bediening, en systemen waarmee de motoren en de stuurinrichting van binnenuit kunnen worden bediend. Ten slotte is er nog een kant-en-klare alarmoproep aanwezig die vanaf de top van de mast kan worden uitgezonden. Binnen dit fort kunnen de bemanningsleden, als ze zichzelf op tijd kunnen opsluiten, er vrijwel zeker van zijn dat er hulp op komst is en daarop wachten. De piraten, hoewel ze het schip wel in handen hebben, kunnen hem niet besturen en ook de bemanning niet bedreigen. Maar ze zullen wel proberen naar binnen te komen, zodat de bemanning alleen maar kan hopen dat er snel een fregat of een torpedobootjager aankomt.

Maar toen de *Malmö* langs de eilanden van de Laccadiven voer, lagen de bemanningsleden in hun hutten te slapen. Ze zagen de skiffs in hun kielzog niet en ze hoorden het gekletter van de ladders tegen de boeg niet toen de Somaliërs in het maanlicht aan boord klommen. De stuurman schakelde het alarm in, maar te laat. Donkere, behendige mannen met vuurwapens renden de bovenbouw binnen en de brug op. Binnen vijf minuten was de *Malmö* gekaapt.

Toen de zon opkwam zag Opaal dat de hekken van het pakhuis openzwaaiden en de pick-up tevoorschijn kwam. De vrachtwagen was dezelfde als de vorige keer en hij reed ook dezelfde kant op. Opaal ging op zijn crossmotor zitten en volgde de pick-up naar de noordelijke buitenwijken van Kismayo tot hij zeker wist dat ze op de kustweg naar Marka reden. Toen pas ging hij terug naar zijn hut en tilde hij de zender/ontvanger uit het gat onder de vloer. Hij had zijn boodschap al voorbereid en comprimeerde deze tot een opname die slechts een fractie van een seconde duurde. Nadat hij de batterij uit de fotovoltaïsche oplader had gehaald en aan de zender/ontvanger had gekoppeld, hoefde hij alleen nog maar op de verzendknop te drukken.

Het bericht werd opgevangen door de permanente luistervink in het Office, waarna het werd gedecodeerd en naar Benny werd gebracht die in dezelfde tijdzone als Kismayo nog steeds aan zijn bureau zat. Benny schreef een korte instructie die werd gecodeerd en vervolgens verzonden naar een boot die was vermomd als een vissersboot uit Shalalah, dertig kilometer uit de Somalische kust.

Een paar minuten later verliet de RIB de zijkant van de vissersboot en voer snel naar de kust. Er waren zeven commando's aan boord, plus een kapitein die de leiding had. Pas toen de zandduinen aan de kust in zicht kwamen, namen ze snelheid terug zodat de motor minder geluid maakte en niet kon worden gehoord door eventuele meeluisterende oren op dit verlaten stuk zand.

Zodra de boeg het zand raakte, sprongen de kapitein en zes van zijn mannen eruit en renden naar de weg. Ze wisten waar ze naartoe moesten: naar de plek waar een droge wadi onder een betonnen brug door liep en waar een groepje casuarinabomen stond. Een van de mannen rende driehonderd meter over de weg in de richting van Kismayo, vond een plekje in het gras van de berm, ging liggen en richtte zijn sterke nachtkijker in zuidelijke richting op de weg. Hem was precies verteld naar welk voertuig hij moest uitkijken; hij wist zelfs het kenteken. Achter hem lagen de andere mannen in hinderlaag in de berm te wachten.

De kapitein lag met een *communicator* in zijn hand zodat hij het rode lichtje, zodra het begon te knipperen, niet kon missen. Er reden vier voertuigen voorbij, maar niet het voertuig waar zij op wachtten.

Eindelijk kwam hij eraan. De commando op de uitkijk kon zich onmogelijk vergissen in het groenige schemerlicht van de nachtkijker. De smoezelige, oorspronkelijk gebroken witte kleur was niet van belang in de groene gloed van de nachtkijker, maar hij kon de gedeukte grille wel zien, evenals de gedraaide bullbar die zijn werk duidelijk niet had gedaan. En het kenteken klopte. Hij drukte op de verzendknop van zijn *pulser*.

De kapitein, die achter hem lag, zag de rode gloed op de communicator in zijn hand en siste '*Kadima*' tegen zijn mannen. Ze sprongen overeind, aan weerszijden van de weg, met breed rood-witte tape tussen hen in. In het donker leek het op een gesloten slagboom. De kapitein ging ervoor staan en scheen met een afgeschermde zaklamp naar de grond en stak een hand op.

Ze droegen geen camouflagekleding, maar witte gewaden en een Somalische hoofdbedekking. Ze hadden allemaal een kalasjnikov bij zich. Geen enkele Somaliër zou het lef hebben om door een wegafzetting van de religieuze mutawa te rijden. De motor van de pick-up pruttelde toen de chauffeur eerst één versnelling terugschakelde, en daarna nog een.

De piraten hadden twee man achtergelaten om de Taiwanese schipper en zijn stuurman te bewaken. De andere acht waren aan boord gegaan van de *Malmö*. Een van hen sprak een beetje Engels; hij kwam uit het piratennest Garacad en dit was zijn derde kaping. Hij wist wat er moest gebeuren.

Kapitein Eklund niet, ondanks de briefing door een Zweedse marineofficier in Göteborg. Hij wist dat hij genoeg tijd zou hebben gehad om in zijn hut op de verzendknop van het gebruikelijke mayday-signaal te drukken. Hij wist dat dit bericht vanuit de top van de mast zou worden verzonden, waarna de luisteraars wisten dat zijn schip was gekaapt.

De piratenleider, die vierentwintig was en Jimali heette, wist dat ook en maakte zich er niet druk over. Laat die vijandige mariniers maar komen, ze waren nu toch te laat. Ze zouden nooit aanvallen en een bloedbad aanrichten. Hij kende de obsessie van de kuffar met mensenlevens en daar walgde hij van. Een goede Somaliër was nooit bang voor pijn of voor de dood.

De vijf officieren en de tien Filipijnen werden op het dek verzameld. Kapitein Eklund werd te verstaan gegeven dat, wanneer er mensen aan boord waren die zich verborgen hielden, een van de officieren overboord zou worden gegooid.

'Meer zijn er niet,' zei de kapitein. 'Wat willen jullie?'

Jimali wees naar zijn mannen. 'Eten, geen varkensvlees,' zei hij.

Kapitein Eklund gaf de Filipijnse kok opdracht naar de kombuis te gaan om een maaltijd te bereiden. Een van de piraten ging met hem mee.

'Jij. Meekomen.' Jimali gebaarde naar de kapitein en samen liepen ze naar de brug. 'Jij vaart naar Garacad, jij blijft leven.'

De kapitein bekeek de kaarten, zocht de Somalische kust en vond het dorp, honderdzestig kilometer ten zuiden van Eyl, een ander piratennest. Hij berekende een geschatte koers en draaide aan het roer.

Een Frans fregat van A L'Indien was de eerste die hen ontdekte, iets na zonsondergang. Hij zond een paar berichten uit, minderde vaart en ging erachteraan. De Franse kapitein was niet van plan zijn mariniers opdracht te geven aan boord te gaan van de *Malmö* en dat wist Jimali. Hij keek vanaf de brug naar de ongelovigen, daagde hen bijna uit aan te vallen.

Op grote afstand van het op het oog onschuldige schouwspel van een Frans fregat dat een Zweeds vrachtschip volgde met een Taiwanese trawler op grote afstand erachteraan, vlogen de elektronische berichten heen en weer.

Het signaal van het Automatic Identification System (AIS) van de *Malmö* was meteen opgepikt. Het werd gemonitord door de Britse Maritime Trade Operations in Dubai en de Amerikaanse MARLO, de Maritime Liaison in Bahrain. Een aantal oorlogsschepen van de NAVO en de EU werd op de hoogte gebracht van het probleem, maar zou – zoals Jimali heel goed wist – niet aanvallen.

De operations room van de Andersson Line in Stockholm was vierentwintig uur per dag bemand en werd meteen geïnformeerd. Het hoofdkantoor belde de *Malmö*. Jimali gebaarde naar kapitein Eklund dat hij de oproep mocht beantwoorden, maar het gesprek op de speaker moest zetten en alleen in het Engels mocht communiceren. Zelfs nog voordat de kapitein iets had gezegd, wist Stockholm al dat hij in het gezelschap was van gewapende Somaliërs en ze dus op hun woorden moesten letten.

Kapitein Eklund bevestigde dat de *Malmö* die nacht was gekaapt. Zijn mannen waren allemaal veilig en werden goed behandeld. Er waren geen gewonden. Ze voeren volgens opdracht naar de kust van Somalië.

Scheepseigenaar Harry Andersson werd gebeld toen hij zat te ontbijten in zijn vorstelijke woning in een ommuurd park in Östermalm, Stockholm. Hij kleedde zich verder aan terwijl zijn auto werd voorgereden en werd even later meteen naar de operations room gebracht. De vlootinspecteur van de nachtdienst was nog aan het werk en vertelde de eigenaar alles wat de verschillende bronnen en kapitein Eklund hem hadden kunnen vertellen.

Meneer Andersson was bijzonder succesvol geweest en was dus rijk geworden, onder andere dankzij het feit dat hij twee erg nuttige eigenschappen had. Ten eerste kon hij een situatie heel snel inschatten en op basis daarvan een actieplan opstellen dat was gebaseerd op de realiteit in plaats van op fantasie. Ten tweede was hij daadkrachtig.

Hij stond diep in gedachten verzonken midden in de operations room. Niemand durfde hem te storen. Zijn schip was gekaapt door piraten, voor hem de eerste keer. Een gewapende overval op zee zou een bloedbad veroorzaken en was dus geen oplossing. De *Malmö* zou naar de Somalische kust varen en daar voor anker gaan. Zijn eerste verantwoordelijkheid lag bij zijn vijftien personeelsleden; daarna kon hij proberen zijn schip en de lading terug te veroveren. En daarna was er het probleem van een van die medewerkers die zijn zoon was.

'Rij mijn auto voor,' zei hij. 'Bel Bjorn, waar hij ook is, en zeg dat hij het vliegtuig moet klaarmaken voor onmiddellijk vertrek. Vluchtplan voor Northolt, Londen. Reserveer een suite voor me in het Connaught. Hannah, heb jij je paspoort bij je? Dan ga je met me mee.'

Een paar minuten later zat hij achter in zijn Bentley met zijn personal assistant Hannah naast hem. Ze reden zo snel mogelijk naar Bromma Airport en met behulp van zijn mobiele telefoon maakte hij plannen voor de onmiddellijke toekomst.

Het was nu een zaak voor de verzekeraars. Hij was verzekerd via een gespecialiseerd syndicaat van zeeassuradeuren bij Lloyds. Zij zouden bepalen wat er ging gebeuren, omdat het hun geld was dat op het spel stond. Daar betaalde hij hun elk jaar een vermogen voor.

Voordat ze opstegen, had hij gehoord dat het garantiesyndicaat al een onderhandelaar had aangewezen – zij hadden vast en zeker al vaker met dit bijltje gehakt – en dat was een firma die Chauncey Reynolds heette en na onderhandelingen al diverse schepen had teruggehaald. Hij wist dat hij lang voordat zijn schip de Somalische kust bereikte al in Londen zou zijn. Voordat zijn Learjet de Zweedse kust had bereikt, had hij al voor zes uur die middag een afspraak met zijn advocaten gepland. Het zou dus een latertje voor hen worden.

Terwijl zijn vliegtuig aan de daling op Northolt bezig was, begonnen ze bij Chauncey Reynolds aan de voorbereidingen. Ze belden naar Surrey, naar de woning van de onderhandelaar die ze voor deze klus in gedachten hadden. Zijn vrouw moest hem uit de tuin bij zijn bijenkasten vandaan halen.

Hij had zijn ervaring als gijzelingsonderhandelaar opgedaan bij de Londense politie. Hij was een bedrieglijk traag sprekende Welshman die Gareth Evans heette.

De Trol was al heel erg dood toen Opaal arriveerde. De Trol was gezien door de man die op de uitkijk stond en herkend, doordat de kapitein hem al eerder had gezien, tijdens de ontmoeting op het strand met Benny. Weer begon het rode lichtje in de hand van de kapitein te knipperen en weer werd de weg afgezet.

Opeens zag Opaal in het vage licht van zijn koplamp de groep mannen in hun wijde gewaden, de zwaaiende zaklamp en de op hem gerichte aanvalsgeweren. Net zoals iedere andere geheim agent ver achter de vijandelijke linies die een afschuwelijke dood te wachten stond als hij werd ontdekt, raakte hij even in paniek. Waren zijn papieren in orde? Zou zijn verhaal dat hij werk zocht in Marka standhouden? Wat zou de mutawa in vredesnaam willen midden in de nacht?

De man met de zaklamp liep naar hem toe en keek naar zijn gezicht. De maan kwam tussen de wolken vandaan, een voorbode van de naderende moesson. Twee zwarte gezichten, een paar centimeter bij elkaar vandaan in het nachtelijke duister, één van nature donker, de ander donker gemaakt met crème.

'Sjalom, Opaal. Kom van de weg af. Er komt een vrachtwagen aan.'

De mannen verdwenen tussen de bomen en het kweekgras, en namen Opaals crossmotor mee. De vrachtwagen reed door. De kapitein liet Opaal de plaats van de botsing zien.

De pick-up van de Trol had kennelijk een klapband gehad. De rechtervoorband was helemaal aan flarden en de spijker stak nog steeds uit het loopvlak waar mensenhanden hem in hadden geslagen. De chauffeur was de macht over het stuur verloren en de pick-up was kennelijk van de weg geraakt. Helaas gebeurde dit midden op de betonnen brug. Hij was met hoge snelheid over de rand getuimeld en op de steile oever van de wadi terechtgekomen. Door de klap was de chauffeur met zijn buik tegen het stuur en met zijn hoofd tegen de voorruit gevlogen, zodat zowel zijn borstkas als zijn hoofd was verbrijzeld. Iemand had hem kennelijk uit de cabine gehaald en naast het voertuig gelegd. Hij was dood en zijn nietsziende ogen waren gericht op de sprieterige toppen van de casuarinabomen tussen hem en de maan.

'Oké, we moeten praten,' zei de kapitein. Hij vertelde Opaal precies wat Benny hem had verteld via de veilige verbinding tussen de trawler en Tel Aviv. Letterlijk. Daarna gaf hij hem een stapel papieren en een rood honkbalpetje. 'Dit heeft de stervende man je gegeven voordat hij stierf. Je hebt je best gedaan, maar het was hopeloos. Hij was al te ver heen. Nog vragen?'

Opaal schudde zijn hoofd. Het verhaal was geloofwaardig. Hij stopte de papieren in zijn windjack.

De kapitein van de Sayeret Matkal stak zijn hand uit. 'Wij moeten terug naar de zee. Succes, mijn vriend. Mazzeltof.'

Het kostte enige tijd om de laatste voetafdrukken in het zand te wissen, alle afdrukken behalve die van Opaal. Even later waren ze vertrokken, de donkere oceaan op, in de richting van de wachtende vissersboot. Opaal duwde zijn crossmotor weer naar de weg en reed door naar het noorden.

Iedereen in het kantoor van Chauncey Reynolds had ervaring met wat in de loop van tien jaar een gezamenlijk overeengekomen ritueel was geworden.

De piraten kwamen allemaal uit Puntland en werkten vanaf een ruim twaalfhonderd kilometer lange kust, van Boosaaso in het noorden tot Mareeg aan de kust, iets ten noorden van Mogadishu. Ze waren piraat geworden om het geld, meer niet. Hun argument was dat vele jaren geleden Zuid-Koreaanse en Taiwanese vissersvloten naar hun traditionele visgronden - waar zij van leefden - waren gekomen en die hadden leeggevist. Hoe het ook zij, zij waren aan de piraterij begonnen en hadden sindsdien veel geld verdiend, veel meer dan ze ooit met een paar tonijnen hadden kunnen verdienen. Ze waren begonnen met het enteren en kapen van koopvaardijschepen die vlak langs hun kust voeren. In de loop der tijd hadden ze steeds meer ervaring opgedaan en waren ze veel verder naar het oosten en het zuiden actief geworden. In het begin waren hun vangsten klein, hadden ze onhandig onderhandeld en werden er koffers met dollarbiljetten door lichte vliegtuigjes vanuit Kenia bij een vooraf afgesproken plaats op zee gedropt.

Maar aan die kust vertrouwt niemand wie dan ook. Deze dieven kennen geen 'dieveneer'. Schepen die door de ene groep piraten waren veroverd, werden terwijl ze voor anker lagen door een andere clan gestolen. Rivaliserende bendes vochten om de drijvende koffers met geld. Uiteindelijk kreeg een bepaalde afgesproken procedure de voorkeur.

De bemanning van een gekaapt schip werd zelden of nooit aan wal gebracht. Uit angst dat een ankerketting in de woeste branding zou breken, gingen gekaapte schepen drie kilometer buiten de kust voor anker. De officieren en de bemanningsleden leefden aan boord onder nauwelijks acceptabele omstandigheden, maar met een stuk of twaalf bewakers, terwijl de onderhandelingen tussen hun bazen – scheepseigenaar en stamhoofd – zich voortsleepten.

Aan de westerse kant deden bepaalde firma's van verzekeraars, advocaten en onderhandelaars door ervaring deskundigheid op. Aan de Somalische kant namen goed opgeleide onderhandelaars – niet zomaar Somaliërs, maar van de juiste clan – de onderhandelingen voor hun rekening. Dit gebeurde nu met behulp van moderne technologie: computers en iPhones. Zelfs het geld werd nog maar zelden als bommen vanuit grote hoogte gedropt; de Somaliërs hadden bankrekeningnummers waar het losgeld onmiddellijk van af werd gehaald.

Na verloop van tijd leerden de onderhandelaars van de beide kanten elkaar kennen en zij streefden ernaar de zaak goed te regelen. Maar de Somaliërs hadden alle troeven in handen. Voor de verzekeraars was een vertraagde lading een verloren lading. Voor de scheepseigenaren betekende een schip dat geen geld verdiende een verlies. Daarbij kwam de angst van de bemanning en hun wanhopige familieleden, zodat men altijd probeerde de zaak snel af te handelen. Dat wisten de Somalische piraten maar al te goed en zij hadden alle tijd van de wereld. Dat was de basis van de chantage: tijd. Bepaalde schepen hadden jaren voor die kust voor anker gelegen.

Gareth Evans had al tien keer met succes onderhandeld over de vrijlating van schepen met een al dan niet heel erg kostbare lading. Hij had zich grondig verdiept in Puntland en de complexe tribale structuren. Toen hij hoorde dat de *Malmö* naar Garacad voer, wist hij welke stam dat deel van de kust beheerste en uit hoeveel clans die stam bestond. Verschillende clans gebruikten dezelfde onderhandelaar, een uiterst gladde, minzame Somaliër die was afgestudeerd aan een Amerikaanse universiteit in het Midden-Westen: de heer Ali Abdi.

Dit vertelde hij aan Harry Andersson, terwijl het in Londen donker begon te worden en de *Malmö* aan de andere kant van de wereld naar Garacad voer. Aan de glanzende tafel in de vergaderzaal werden afhaalmaaltijden genuttigd en mevrouw Bulstrode, de koffiejuffrouw die zich bereid had verklaard om te blijven, bracht de ene kan koffie na de andere.

Eén vertrek werd ingericht als de operations room voor Gareth Evans. Wanneer een nieuwe Somalische onderhandelaar zou worden aangesteld, zou kapitein Eklund vanuit Stockholm te horen krijgen welk nummer moest worden gebeld om het balletje aan het rollen te brengen.

Gareth Evans bestudeerde de informatie over de *Malmö* en de lading – glimmende nieuwe auto's – en dacht dat het wel zou lukken om een schikking te treffen voor vijf miljoen dollar. Hij wist ook dat de eerste eis veel en veel te hoog zou zijn. Bovendien wist hij dat het rampzalig zou zijn om akkoord te gaan met een belachelijke eis; die zou meteen verdubbeld worden. Ook aandringen op snelheid zou in hun eigen nadeel werken, want ook dat zou de prijs opdrijven. De gevangengenomen bemanning had gewoon pech. Zij zouden geduldig moeten afwachten.

Uit de verhalen van vrijgelaten bemanningen was bekend dat, terwijl de weken aan boord zich voortsleepten, de Somaliërs – meestal stamleden zonder enige opleiding – het vroeger smetteloze schip in een stinkend rattenhol veranderden. Ze maakten geen gebruik van de toiletten, maar urineerden wanneer ze aandrang kregen, het maakte niet uit waar ze op dat moment waren, binnen of buiten. De hitte deed de rest. Olie om de generatoren en dus de airco te laten werken, zou opraken. Niet diepgevroren eten zou gaan rotten, waarna de bemanning net als de Somaliërs geitenvlees te eten kregen van geiten die op het dek werden geslacht. De enige afwisseling bestond uit vissen, bordspellen, kaarten en lezen, maar die konden de verveling niet eeuwig verdrijven.

De bespreking was om tien uur 's avonds afgelopen. Wanneer de *Malmö* op volle kracht voer, wat waarschijnlijk het geval was, zou het schip de baai van Garacad rond het middaguur Londense tijd binnenvaren. Niet lang daarna zouden ze horen wie het schip had gekaapt en wie was aangesteld als hun onderhandelaar. Daarna zou Gareth Evans zichzelf zo nodig voorstellen en zouden de complexe onderhandelingen beginnen.

Opaal reed in de vroege avond Marka binnen, terwijl de stad sluimerde in de zinderende hitte. Hij vond de compound en bonsde op de deur. Hij hoorde stemmen en rennende voetstappen, alsof iemand werd verwacht maar te laat was.

Het luikje in de dikke houten poort klapte open en iemand keek naar buiten. Het was een Arabisch gezicht, maar geen Somaliër. De ogen scanden de straat, maar zagen geen pick-uptruck. Toen bleven ze rusten op Opaal. 'Ja,' snauwde een stem, kwaad omdat de een of andere onbenul naar binnen wilde.

'Ik heb papieren voor de Sjeik,' zei Opaal in het Arabisch.

'Wat voor papieren?' De stem was ronduit vijandig en nieuwsgierig.

'Dat weet ik niet,' zei Opaal. 'Dat moest ik zeggen van de man die op de weg lag.'

Achter de poort werd overlegd. Het gezicht van de eerste man werd opzij geduwd en een andere man nam zijn plaats in. Geen Somaliër of Arabier, maar hij sprak wel Arabisch. Een Pakistaan? 'Waar kom je vandaan en wat voor papieren?'

Opaal haalde een verzegelde stapel papieren onder zijn windjack vandaan. 'Ik kom uit Marka. Er lag een man op de weg. Hij was van de weg geraakt met zijn pick-uptruck. Hij vroeg me deze papieren hiernaartoe te brengen en legde me uit hoe ik hier moest komen. Meer weet ik niet.' Hij probeerde het pakje door de opening te duwen.

'Nee, wacht!' riep een stem en even later ging de poort open. Er stonden vier mannen, allemaal met een dikke baard. Opaal werd vastgepakt en naar binnen gesleurd. Een tienerjongen kwam naar buiten rennen, pakte zijn crossmotor en duwde hem naar binnen. De poort ging weer dicht. Twee mannen hielden hem vast.

De man die misschien een Pakistaan was, torende hoog boven hem uit. Hij keek naar het pakje en haalde diep adem. 'Waar heb je deze vandaan, vuile hond? Wat heb je met onze vriend gedaan?'

Opaal speelde de doodsbange onbenul, wat niet moeilijk was. 'De man die de vrachtwagen bestuurde, meneer. Ik ben bang dat hij dood is...–'

Meer kon hij niet zeggen. Iemand sloeg hem zo hard met zijn vlakke rechterhand dat hij op de grond viel. Hij hoorde verward geschreeuw in een taal die hij niet verstond, hoewel hij behalve zijn moedertaal Hebreeuws ook Engels, Somalisch en Arabisch sprak. Hij werd overeind getrokken door een stuk of zes handen en weggesleept. In de compound stond een soort schuur. Hij werd naar binnen gegooid, de deur werd dichtgesmeten en hij hoorde dat de grendel ervoor werd geschoven. Het was donker en het stonk er. Hij wist dat hij zijn rol moest volhouden, liet zich op een stapel oude zakken vallen en begroef zijn hoofd in zijn handen – het toonbeeld van wanhopige verslagenheid.

Het duurde een halfuur voor ze terugkwamen. De twee of drie bodyguardachtige mannen waren er, maar ook een nieuwe. Hij was wel een Somaliër en had een gecultiveerde stem. Misschien had hij wel een opleiding genoten. Hij wenkte hem en even later stond Opaal te knipperen in het felle zonlicht. 'Kom,' zei de Somaliër, 'de Sjeik wil je spreken.'

Hij werd naar het hoofdgebouw gebracht. De voordeur bevond zich tegenover de poort. In de hal werd hij deskundig en grondig gefouilleerd. Zijn versleten portefeuille werd in beslag genomen en aan de Somaliër overhandigd. Deze haalde er de gebruikelijke documenten uit, bekeek ze en vergeleek de korrelige foto met Opaals gezicht. Daarna knikte hij, stopte de portefeuille in zijn zak, draaide zich om en liep door. Opaal werd achter hem aan geduwd.

Ze liepen een fraai ingerichte woonkamer binnen met een grote plafondventilator. Er stond een bureau met papieren en schrijfgerei erop.

Een man zat in een draaistoel met zijn rug naar de deur. De Somaliër liep naar hem toe en fluisterde iets in zijn oor. Opaal had durven zweren dat hij nu Arabisch sprak. Hij overhandigde de zittende man Opaals portefeuille en zijn identiteitsbewijs.

Opaal zag dat het pakje dat hij had meegenomen was opengemaakt. Er lagen verschillende vellen papier op het bureau. De zittende man draaide zich om, keek op van de portefeuille en daarna naar Opaal. Hij had een dikke zwarte baard en amberkleurige ogen.

10

Vlak nadat de *Malmö* zijn anker in het bijna veertig meter diepe water van de baai van Garacad had laten zakken, voeren drie aluminium skiffs vanuit het dorp naar het schip.

Jimali en zijn zeven mannen konden niet wachten om naar het vasteland te gaan. Ze waren twintig dagen op zee geweest, de meesten van hen op elkaar gepropt in de Taiwanese trawler. Hun proviand was allang op en ze hadden twee weken lang Europese en Filipijnse gerechten gegeten, waar ze niet van hielden. Ze verlangden naar hun traditionele geitenstoofpot en het gevoel van zand onder hun voeten.

De donkere hoofden in de skiffs ongeveer anderhalve kilometer verderop, die hen vanaf de kust tegemoetkwamen, waren van de mannen die hen zouden aflossen. Zij zouden het voor anker liggende schip zo lang als nodig was bewaken. Slechts een van de mannen die naar de *Malmö* voeren, was geen onverzorgd stamlid. Achter in de derde boot zat een keurig uitziende Somaliër in een goed gesneden pak in geelbruine camouflagekleuren stijf rechtop met een attachékoffertje op zijn schoot. Hij was de onderhandelaar van Al-Afrit, de heer Abdi.

'Nu begint het,' zei kapitein Eklund. Hij sprak Engels, de taal die alle Zweden, Oekraïners, de Pool en de Filipijnen aan boord beheersten. 'We moeten geduldig zijn. Laat mij het woord maar doen.'

'Niet praten,' snauwde Jimali. Hij hield er niet van wanneer zijn gevangenen Engels spraken, omdat hij deze taal niet goed beheerste.

Aan de zijkant van het schip werd een ladder neergelaten en de nieuwe bewakers, bijna allemaal tieners, klommen naar boven. Het leek alsof ze de sporten amper raakten. Meneer Abdi, die het niet prettig vond op zee, zelfs niet vlak bij de kust, nam er de tijd voor en greep terwijl hij naar boven klom de touwen stevig vast. Zijn attachékoffertje kreeg hij terug zodra hij op het dek stond.

Kapitein Eklund wist niet wie hij was, maar zag aan zijn kostuum en zijn manieren dat dit in elk geval iemand was die een opleiding had genoten. Hij stapte naar voren. 'Ik ben kapitein Eklund, de gezagvoerder van de *Malmö*,' zei hij.

Meneer Abdi stak zijn hand uit. 'Ik ben Ali Abdi, de onderhandelaar voor de Somalische kant van de zaak,' zei hij. Hij sprak vloeiend Engels met een enigszins Amerikaanse intonatie. 'Bent u nooit eerder... hoe zal ik het zeggen... een gast van de Somaliërs geweest?'

'Nee,' zei de kapitein, 'en ook nu zou ik dat liever niet zijn.'

'Dat begrijp ik. Bijzonder vervelend voor u. Maar u bent op de hoogte gebracht, toch? Eerst moeten we bepaalde formaliteiten afhandelen en daarna kunnen de echte onderhandelingen beginnen. Hoe eerder er een akkoord is bereikt, hoe eerder u weer kunt doorvaren.'

Kapitein Eklund wist dat heel ver hier vandaan zijn werkgever in overleg zou zijn met verzekeraars en advocaten en dat ook zij één onderhandelaar zouden aanwijzen. Hij hoopte maar dat beide mannen goed en ervaren waren, en snel een losgeldsom zouden overeenkomen, zodat hij zou worden vrijgelaten. Het was wel duidelijk dat hij de regels van het spel niet kende. Voor de Europeanen was op dit moment snelheid de eerste prioriteit.

Abdi's eerste prioriteit was dat hij naar de brug werd gebracht en met de satelliettelefoon van het schip contact kon opnemen met de operations room in Stockholm en vervolgens met het onderhandelingskantoor, waarschijnlijk in Londen, de thuisbasis van Lloyds, wat het epicentrum van het hele onderhandelingsproces zou zijn. Vanaf de brug keek hij naar het dek en mompelde: 'Misschien is het verstandig om zonneschermen te maken, door tussen de deklading zeildoeken te spannen. Dan kunnen uw mannen de zeelucht opsnuiven zonder geroosterd te worden door de zon.'

Stig Eklund had wel gehoord over het stockholmsyndroom, waarbij gijzelaars en gegijzelden een vriendschappelijke band opbouwen op basis van hun gemeenschappelijke leefomgeving. Hij was niet van plan zijn inwendige afkeer van de mensen die zijn schip hadden gekaapt te laten varen. Aan de andere kant was deze keurig geklede, goed opgeleide en beschaafd sprekende Somaliër in de vorm van Ali Abdi in elk geval iemand met wie hij op een gecivilseerde manier een gesprek kon voeren. 'Dank u,' zei hij. Zijn eerste en tweede stuurman stonden achter hem. Ze hadden het gehoord en begrepen. Hij knikte tegen hen en zij verlieten de brug om de zonneschermen te laten aanbrengen.

'En nu wil ik graag praten met uw mensen in Stockholm,' zei Abdi.

Een paar seconden later was er via de satelliettelefoon contact gelegd met Stockholm. Abdi's gezicht lichtte op toen hij hoorde dat de eigenaar van het schip al bij Chauncey Reynolds in Londen was. Hij had twee keer eerder via Chauncey Reynolds onderhandeld over de vrijlating van schepen, beide keren voor andere stamhoofden, en elke keer hadden ze al na slechts enkele weken succes gehad. Nadat hij het telefoonnummer had gekregen, vroeg hij kapitein Eklund om de Londense advocaten te bellen. Julian Reynolds kwam aan de lijn.

'Ah, meneer Reynolds, nu spreken we elkaar weer. U spreekt met Ali Abdi op de brug van de *Malmö* en kapitein Eklund staat naast me.'

Julian Reynolds in Londen keek blij. Hij dekte de microfoon af met zijn hand en zei: 'Het is Abdi weer.' Iedereen slaakte een zucht van opluchting, ook Gareth Evans. Iedereen in Londen kende de vreselijke reputatie van Al-Afrit, de wrede, oude tirannieke leider van Garacad. De benoeming van de wellevende Abdi veroorzaakte een beetje licht in de duisternis.

'Goedemorgen, meneer Abdi. Salam aleikum.'

'Aleikum as-salam,' antwoordde Abdi. Hij nam aan dat de Zweden en Britten hem met alle plezier zouden wurgen als ze de kans kregen, maar deze moslimbegroeting was een aardige poging tot hoffelijkheid. Hij hield van hoffelijkheid.

'Ik geef de telefoon aan iemand die u volgens mij al kent,' zei Reynolds. Hij gaf de hoorn aan Gareth Evans en zette het gesprek op de speakers. De stem vanaf de Somalische kust was luid en duidelijk te horen. En het gesprek was even duidelijk te horen in Fort Meade en in Cheltenham waar alles werd opgenomen.

'Dag, meneer Abdi. Met Gareth. Komen we elkaar alweer tegen, ook al is het maar via de telefoon. Mij is gevraagd de zaken in Londen waar te nemen.'

In Londen hoorden vijf mannen – de scheepseigenaar, twee advocaten, een verzekeraar en Gareth Evans – dat Abdi grinnikte.

'Meneer Gareth, mijn vriend. Ik ben heel blij dat u het bent. Ik ben ervan overtuigd dat we deze zaak op een goede manier kunnen afronden.'

Abdi's gewoonte om altijd 'meneer' voor iemands naam te zeggen, lag tussen afstandelijk beleefd en te intiem in. Hij noemde Gareth Evans altijd meneer Gareth.

'In het advocatenkantoor hier in Londen is een vertrek voor me gereserveerd,' zei Evans. 'Zal ik daar naartoe gaan, zodat we kunnen beginnen?'

Dit ging Abdi te snel; hij wilde vasthouden aan de gebruikelijke routine. Ten eerste wilde hij de Europeanen duidelijk maken dat zij de enigen waren die haast hadden. Hij wist dat Stockholm al had uitgerekend hoeveel de *Malmö* hen nu elke dag kostte; datzelfde gold voor de drie verzekeraars.

Eén verzekeringsmaatschappij dekte de boeg en de machines, een andere de lading en een derde het oorlogsrisico van het garantiesyndicaat voor de bemanning. Ze zouden hun – huidige en toekomstige – verliezen allemaal op een andere manier berekenen.

Ze moeten nog maar wat langer met hun cijfers stoeien, dacht hij. Maar hij zei: 'Ah, meneer Gareth, mijn vriend, u bent al verder dan ik. Ik heb nog iets meer tijd nodig om de *Malmö* en zijn lading te bekijken voordat ik een redelijk bedrag kan voorstellen waarmee u vol vertrouwen naar uw opdrachtgevers kunt gaan.'

Hij had al op internet gekeken toen hij nog in zijn privékamer zat die voor hem was gereserveerd in het hoofdkwartier van Al-Afrit, het aarden fort in de heuvels voorbij Garacad. Hij wist dat hij rekening moest houden met factoren als de leeftijd en de conditie van het vrachtschip, de houdbaarheid van de vracht en het verlies van mogelijke toekomstige winsten. Maar dat had hij allemaal al gedaan en hij had ook al besloten om met vijfentwintig miljoen dollar te beginnen. Hij wist dat ze uiteindelijk zouden uitkomen op vier miljoen, of misschien vijf als de Zweed haast had. 'Meneer Gareth, ik stel voor dat we morgenochtend beginnen. Negen uur Londense tijd? Dan is het hier middag en ben ik weer terug in mijn kantoor aan de kust.'

'Heel goed, mijn vriend. Ik zal er zijn om uw telefoongesprek aan te nemen.'

Ze zouden een satellietgesprek per computer voeren. Skypen was uitgesloten, omdat aan iemands mimiek veel te veel was af te lezen.

'Nog één ding voordat we het voor vandaag voor gezien houden. Kunt u me verzekeren dat de bemanning, inclusief de Filipijnen, veilig aan boord gevangen wordt gehouden en op geen enkele manier zal worden mishandeld?'

Geen van de andere Somaliërs hoorde deze vraag, omdat de mannen op de *Malmö* buiten gehoorsafstand van de brug waren en sowieso geen Engels spraken. Maar Abdi begreep wat er werd bedoeld.

De meeste Somalische warlords en stamhoofden behandelden hun gevangenen humaan, maar er waren een of twee opvallende uitzonderingen. Al-Afrit was daar één van, en de ergste; hij was een gemene, oude bruut met een reputatie.

Op persoonlijk niveau wilde Abdi wel voor Al-Afrit werken, en zijn beloning bedroeg twintig procent. Door zijn werk als gijzelingsonderhandelaar voor piraten was hij al op een veel jongere leeftijd dan gebruikelijk een rijk man. Maar hij hoefde zijn opdrachtgever niet te mogen, en dat was dan ook niet het geval. Hij walgde van hem. Maar hij had geen bodyguards die hem beschermden.

'Ik heb er alle vertrouwen in dat de bemanning aan boord zal blijven en goed zal worden behandeld,' zei hij en hij verbrak de verbinding. Hij hoopte maar dat hij gelijk had.

De amberkleurige ogen bleven zo'n tien seconden op de jonge gevangene rusten. Het was stil in het vertrek. Opaal voelde dat de goed opgeleide Somaliër die hem had binnengelaten en de twee Pakistaanse bodyguards achter hem stonden.

Toen de man iets zei, sprak hij verrassend vriendelijk en in het Arabisch. 'Hoe heet je?'

Dat vertelde Opaal.

'Is dat een Somalische naam?'

De Somaliër die achter hem stond schudde zijn hoofd. De Pakistanen begrepen het niet.

'Nee, Sjeik, ik kom uit Ethiopië.'

'Dat is een overwegend kuffar-land. Ben je een christen?'

'Dank aan Allah, de Genadige, de Meelevende, nee, nee, nee, Sjeik, ik ben geen christen. Ik kom uit Ogaden, vlak over de grens. Wij zijn allemaal moslims en worden daar bijna allemaal voor vervolgd.'

Het gezicht met de amberkleurige ogen knikte goedkeurend. 'En waarom ben je naar Somalië gekomen?'

'In mijn dorp ging het gerucht dat ronselaars van het Ethiopische leger onze mensen zouden dwingen mee te doen aan de invasie van Somalië. Ik ben ontsnapt en naar mijn medegelovigen in Allah gekomen.'

'Ging je vannacht van Kismayo naar Marka?'

'Ja.'

'Waarom?'

'Ik zoek werk, Sjeik. Ik heb een baan als expeditieklerk in de vishaven, maar ik hoopte in Marka iets beters te kunnen vinden.'

'En hoe kwam je aan deze papieren?'

Opaal vertelde zijn verhaal. Hij was 's nachts onderweg geweest om de zinderende hitte en de zandstormen die overdag woedden te vermijden. Hij had gezien dat hij niet veel benzine meer had en was gestopt om zijn tank bij te vullen met de reservebenzine uit zijn jerrycan. Dit was toevallig op een betonnen brug over een droge wadi. Hij hoorde een zachte kreet. Hij dacht dat het de wind was in de hoge bomen die daar vlakbij staan, maar toen hoorde hij het weer. Het leek vanonder de brug vandaan te komen. Hij klauterde langs de oever van de wadi naar beneden en zag een pick-uptruck, helemaal in de kreukels. Hij dacht dat hij van de brug was gevlogen en op de oever van de wadi terecht was gekomen. Er zat een man achter het stuur, maar hij was zwaargewond. 'Ik heb geprobeerd hem te helpen, Sjeik, maar ik kon niets doen. Mijn motor zou nooit twee mensen kunnen vervoeren en ik kreeg hem niet naar boven. Ik heb hem uit de cabine gehaald voor het geval die in brand zou vliegen, maar hij was stervende, insjallah.' De stervende man had hem gesmeekt als een broer zijn tas mee te nemen en af te leveren in Marka. Hij beschreef de compound: vlak bij de straatmarkt, voorbij de Italiaanse rotonde, een dubbele deur met een luikje erin voor de uitkijkpost. 'Ik hield hem in mijn armen toen hij stierf, Sjeik, maar ik kon zijn leven niet redden.'

De man in het wijde gewaad dacht hier even over na en bladerde vervolgens in de papieren die in de tas hadden gezeten. 'Heb je de tas opengemaakt?'

'Nee, Sjeik, daar had ik niets mee te maken.'

De man met de amberkleurige ogen dacht na. 'Er zat geld in de tas. Misschien is dit een eerlijke man, wat denk jij, Jamma?'

De Somaliër grijnsde. De Prediker sprak een hele tijd in het Urdu tegen de Pakistanen. Ze liepen naar voren en grepen Opaal.

'Mijn mannen zullen terugkeren naar die plaats. Ze zullen het wrak onderzoeken dat daar zeker nog ligt, net als het lichaam van mijn bediende. Als je hebt gelogen, zul je wensen dat je hier nooit naartoe was gekomen. Ondertussen blijf je hier en wacht je tot ze terug zijn.'

Weer werd hij opgesloten, maar deze keer niet in de vervallen schuur in de tuin, waar een slimme man 's nachts uit kon ontsnappen. Hij werd naar een kelder gebracht met een vloer van zand, en opgesloten. Daar bleef hij twee dagen en één nacht. Het was er pikkedonker. Hij kreeg een plastic fles met water waar hij in het donker zuinig van dronk. Toen hij eruit werd gehaald en naar boven werd gebracht, kneep hij zijn ogen halfdicht en knipperde hevig in het zonlicht dat door de luiken sijpelde. Hij werd weer naar de Prediker gebracht.

De man had iets in zijn rechterhand. Zijn amberkleurige ogen werden op zijn gevangene gericht en bleven rusten op de doodsbange Opaal. 'Het schijnt dat je gelijk had, mijn jonge vriend,' zei hij in het Arabisch. 'Mijn bediende is inderdaad met zijn truck op de oever van de wadi beland en daar gestorven. De oorzaak...' Hij liet zien wat hij in zijn hand had. 'Deze spijker. Mijn mensen vonden die in de band. Je hebt de waarheid verteld.' Hij stond op, liep naar de jonge Ethiopiër toe en bleef voor hem staan. Hij keek argwanend op hem neer. 'Hoe komt het dat je Arabisch spreekt?'

'Dat heb ik in mijn vrije tijd geleerd, meneer. Ik wilde onze Heilige Koran beter kunnen lezen en begrijpen.'

'Spreek je nog meer talen?'

'Een beetje Engels, meneer.'

'En hoe heb je dat geleerd?'

'Vlak bij mijn dorp stond een school. Die werd geleid door een missionaris uit Engeland.'

De Prediker werd gevaarlijk stil. 'Een ongelovige. Een kuffar. En van hem heb je ook van het Westen leren houden?'

'Nee, meneer! Integendeel zelfs. Daardoor heb ik geleerd om hen te haten voor alle eeuwen van ellende die ze ons volk hebben aangedaan en om alleen de woorden en het leven te bestuderen van onze profeet Mohammed, moge Hij rusten in vrede.'

De Prediker dacht hierover na en glimlachte ten slotte. 'Dus we hebben hier een jonge man...' – hij had het duidelijk tegen zijn Somalische secretaris – '... die zo eerlijk is dat hij geen geld steelt, zo meelevend is dat hij de wens van een stervende man vervult en alleen maar de Profeet wil dienen. En die Somalisch, Arabisch en een beetje Engels spreekt. Wat denk jij, Jamma?'

De secretaris trapte in de val. Omdat hij de Prediker gunstig wilde stemmen, beaamde hij dat dit inderdaad een geweldige ontdekking was. Maar de Prediker had een probleem. Hij was zijn computerexpert kwijtgeraakt, de man die hem zijn gedownloade berichten uit Londen bracht terwijl hij ervoor zorgde dat niet bekend werd dat hij in Marka was en niet in Kismayo. Alleen Jamma kon hem in Kismayo vervangen, want de rest had geen verstand van computers. Daardoor zou hij zijn secretaris kwijtraken, maar nu stond tegenover hem een jongeman die kon lezen en schrijven, drie talen sprak naast zijn Oegandese dialect en werk zocht.

De Prediker was al tien jaar in leven gebleven dankzij zijn voorzichtigheid die aan paranoia grensde. Hij had meegemaakt dat de meesten van zijn tijdgenoten – van Lashkar-e-Taiba, de 313 Brigade, de Beulen van Chorasan, het Haqqani-netwerk en AQAP, de Yemen group – waren achtervolgd, opgespoord, onder vuur genomen en weggevaagd. In meer dan de helft van de gevallen waren ze verraden.

Hij had alles gedaan om camera's te ontlopen, was steeds ergens anders gaan wonen, had zijn naam veranderd, zijn gezicht verborgen en zijn ogen gemaskeerd. En hij was in leven gebleven.

In zijn persoonlijke gevolg tolereerde hij alleen diegenen die hij dacht te kunnen vertrouwen. Zijn vier Pakistaanse bodyguards waren bereid voor hem te sterven, maar ze waren dom. Jamma was slim, maar nu moest hij hem naar Kismayo sturen om de twee computers te bemannen.

De nieuweling beviel hem wel. Hij had bewezen dat hij eerlijk was, oprecht. Als hij hem in dienst nam, kon hij dag en nacht een oogje op hem houden. Hij zou met niemand kunnen communiceren. En hij had behoefte aan een persoonlijke secretaris. Het was onmogelijk dat de jongeman die voor hem stond een jood en een spion was. Hij besloot het risico te nemen. 'Zou je mijn secretaris willen worden?' vroeg hij vriendelijk.

Jamma hapte naar adem. 'Dat zou een bijzonder grote eer zijn, meneer. Ik zou een trouwe dienaar zijn, insjallah.'

De bevelen werden uitgedeeld. Jamma moest met een van de pick-ups in de compound naar Kismayo rijden om de leiding van het pakhuis in Masala op zich te nemen, plus de computer die de preken van de Prediker uitzond.

Opaal zou Jamma's kamer krijgen en leren waar zijn werk uit bestond. Een uur later zette hij het felrode honkbalpetje met het logo van New York op dat hij bij de verongelukte pick-up had gekregen. Het petje was eigendom geweest van de laatste Israëlische schipper van de vissersboot die had moeten stoppen toen er nieuwe opdrachten uit Tel Aviv binnenkwamen. Opaal duwde zijn crossmotor over de binnenplaats naar de vervallen schuur in de muur, zodat hij niet in de zon zou blijven staan. Halverwege bleef hij even staan en keek omhoog. Toen knikte hij langzaam en liep door.

In een ondergrondse control room buiten Tampa werd de man ver beneden de rondcirkelende Global Hawk gezien en opgemerkt. Het beeld werd onmiddellijk doorgestuurd naar een vertrek in de Amerikaanse ambassade in Londen.

Tracker keek naar de tengere man in zijn dishdasha en met zijn rode petje op die in het verafgelegen Marka omhoogkeek. 'Goed gedaan, knul,' mompelde hij. Agent Opaal was binnen de muren van het fort en had zojuist alles bevestigd wat Tracker moest weten.

De laatste moordenaar was geen vakkenvuller en werkte ook niet bij een garage. Hij was een Syriër van geboorte, was goed opgeleid en had tandheelkunde gestudeerd. Hij werkte als technicus bij een goede orthodontist in een van de buitenwijken van Fairfax, Virginia. Zijn naam was Tariq Hoessein.

Hij was niet als vluchteling of student tien jaar eerder vanuit Aleppo gekomen, maar als legale immigrant die alle tests had doorstaan. Dat hij Amerika in het bijzonder en het Westen in het algemeen haatte, bleek uit zijn geschriften die werden gevonden toen de staatspolitie van Virginia en de FBI zijn keurige bungalow doorzochten. Het werd nooit duidelijk of hij toen al door die haat werd verteerd of dat die pas was ontstaan tijdens zijn verblijf in Amerika.

Uit zijn paspoort bleek dat hij in die tien jaar drie keer was teruggekeerd naar het Midden-Oosten en men ging ervan uit dat hij tijdens die bezoeken was 'geïnfecteerd' met zijn woede en afkeer. Zijn dagboek en zijn laptop gaven een paar antwoorden, maar niet allemaal.

Zijn werkgevers, buren en vrienden en kennissen werden allemaal grondig ondervraagd, maar het leek alsof hij hen allemaal voor de gek had gehouden. Achter zijn beleefde, glimlachende uiterlijk was hij een toegewijde salafist en was hij lid van de gevaarlijkste en wreedste tak van het jihadisme. Elke regel in zijn teksten droop van zijn afkeer en minachting voor de Amerikaanse samenleving.

Net zoals andere salafisten vond hij het absoluut niet nodig de traditionele gewaden te dragen, zijn baard te laten staan of vijf keer per dag te bidden. Hij was elke dag gladgeschoren en had kortgeknipt zwart haar. Hij woonde alleen in zijn vrijstaande bungalow in een van de buitenwijken en hij ging buiten zijn werk om met collega's en anderen.

Door de Amerikaanse voorkeur voor vriendelijk klinkende verbasteringen van voornamen, werd hij Terry Hoessein genoemd.

Tegen zijn vrienden in de plaatselijke bar verklaarde hij zijn geheelonthouding met zijn wens in vorm te blijven en dat werd geaccepteerd. Zijn weigering om varkensvlees te eten of aan een tafel te zitten waar dit werd gegeten, werd niet eens opgemerkt.

Hij was single en verschillende meisjes hadden een oogje op hem, maar hij verpakte zijn afwijzingen altijd beleefd en vriendelijk. Er kwamen weleens een paar homo's naar de plaatselijke bar en hem werd een paar keer gevraagd of hij ook homo was. Hij ontkende dat beleefd en zei alleen maar dat hij op de ware wachtte.

Uit zijn dagboek bleek duidelijk dat hij vond dat homofiele mannen zo langzaam mogelijk dood gestenigd moesten worden, en het idee dat hij naast de een of andere dikke, blanke, varkensvlees etende ongelovige trut moest liggen, vervulde hem met afkeer.

Zijn woede en haat werden niet veroorzaakt door de preken van de Prediker, maar daardoor wel gekanaliseerd. Uit zijn laptop bleek dat hij de Prediker al twee jaar actief volgde, maar zichzelf nooit had verraden door zich aan te melden op de fanwebsite, hoewel hij dat heel graag had gewild. Uiteindelijk besloot hij te doen waar de Prediker op aandrong: zijn bewondering voor Allah en zijn Profeet perfectioneren door de daad van totale zelfopoffering en Hem voor eeuwig in het paradijs gezelschap te houden. Tegelijkertijd wilde hij zo veel mogelijk Amerikanen mee de dood in sleuren en sterven als een shahid door de hand van hun ongelovige politie.

Hiervoor had hij een pistool nodig. Hij had al een rijbewijs van de staat Virginia, het belangrijkste identiteitsbewijs met pasfoto, maar dat stond op naam van Hoessein. Gezien de mediaberichten over de aanslagen dat voorjaar en die zomer, dacht hij dat dit misschien een probleem kon vormen.

Hij keek in de spiegel en realiseerde zich dat hij er met zijn zwarte haar, donkere ogen en getaande huid uitzag alsof hij uit het Midden-Oosten kwam. En zijn achternaam zou dat bewijzen. Maar een van zijn collega's in het laboratorium zag er net zo uit en hij was van Spaanse afkomst. Tariq Hoessein besloot dat hij een rijbewijs wilde hebben met een meer Spaans klinkende naam en ging op zoek op internet.

Het verbaasde hem hoe eenvoudig het was. Hij hoefde zich niet eens persoonlijk te melden en ook geen brief te schrijven. Hij vroeg gewoon online een rijbewijs aan op naam van Miguel 'Mickey' Hernandez, uit New Mexico. Het kostte natuurlijk wel geld: hij moest negenenzeventig dollar aan Global Intelligence ID Card Solutions betalen, plus vijfenvijftig dollar voor de snelle levering. Het rijbewijs van de staat Virginia om zijn 'verloren' rijbewijs te vervangen werd per post bezorgd.

Maar hij was op internet vooral op zoek geweest naar het juiste vuurwapen. Urenlang scande hij duizenden webpagina's over vuurwapens en tijdschriften over vuurwapens. Hij wist min of meer wat hij wilde en wat het wapen moest kunnen. Hij was alleen op zoek naar adviezen over welk wapen hij precies moest kopen.

Hij overwoog de Bushmaster, die op Sandy Hook was gebruikt, maar verwierp dat idee vanwege de lichte 5,6 mm-munitie. Hij wilde zwaardere patronen. Ten slotte koos hij voor het Heckler & Koch G3-aanvalsgeweer met de standaard NAVO 7,62 mm-patronen die, zo werd hem verzekerd, door vertind staalplaat zouden dringen zonder te vervormen.

Dankzij de zoekmachine kwam hij ook te weten dat de Amerikaanse wetgeving het onwaarschijnlijk maakte dat hij de volautomatische versie zou kunnen krijgen. Maar het halfautomatische geweer voldeed aan zijn eisen. Dit wapen zou elke keer dat hij de trekker overhaalde één kogel afschieten, en dat was snel genoeg voor wat hij in gedachten had.

Als het hem al had verbaasd hoe gemakkelijk hij een rijbewijs kon krijgen, was hij helemaal verbijsterd toen hij begreep hoe gemakkelijk het was om een geweer te kopen. Hij ging naar een wapenshow op de Prince William County Fairgrounds in Manassas, nog geen uur rijden en toch nog in Virginia. Hij dwaalde behoorlijk onder de indruk door de verkoophallen, waar genoeg dodelijke wapens te koop werden aangeboden om meer dan één oorlog te beginnen. Ten slotte vond hij de HK G3. Nadat hij zijn rijbewijs had laten zien, wilde de dikke verkoper hem met alle plezier het 'jachtgeweer' verkopen in ruil voor contant geld. Hij liep er gewoon mee naar buiten en legde hem in de kofferbak van zijn auto. Niemand keek verbaasd.

De munitie voor het magazijn voor twintig patronen was even gemakkelijk te verkrijgen, maar dan bij een wapenwinkel in Church Falls. Hij kocht honderd patronen, een extra magazijn en een magazijnklem om twee magazijnen aan elkaar vast te klemmen zodat hij veertig patronen kon afschieten voordat hij moest herladen. Toen hij alles had wat hij nodig had, reed hij rustig terug naar zijn kleine woning en bereidde zich voor op de dood.

De derde middag kwam Al-Afrit zijn nieuwe buit bekijken. Vanaf de brug van de *Malmö* zag kapitein Eklund de grotere *dhow* pas toen hij al halverwege de kust en zijn schip voer. Door zijn verrekijker zag hij dat midscheeps, onder een zonnescherm, Abdi in zijn kostuum stond naast een man in een wit gewaad.

Jimali en zijn groep piraten waren vervangen door twaalf andere jongelui, die zich te goed deden aan een Somalische gewoonte die de Zweedse zeeman nooit eerder had gezien. Toen ze aan boord kwamen, hadden de nieuwelingen grote bossen groene blaadjes bij zich, geen takjes maar grote bossen. Dit was hun *qat*, waar ze continu op kauwden. Stig Eklund zag dat ze daar tegen de tijd dat de zon onderging high van waren geworden en vervolgens slaperig of licht ontvlambaar werden.

Toen de Somaliër die naast hem stond zijn blik volgde en de dhow ontdekte, werd hij op slag nuchter, rende naar de kajuitstrap en schreeuwde iets tegen zijn makkers die onder het zonnescherm lagen te luieren.

Het oude stamhoofd klauterde via de aluminium ladder naar het dek, rekte zich uit en keek om zich heen. Kapitein Eklund had zijn pet opgezet en salueerde. Ik kan beter het zekere voor het onzekere nemen, dacht hij. Meneer Abdi, die was meeegekomen als tolk, stelde hen aan elkaar voor.

Al-Afrit had een gerimpeld en bijna pikzwart gezicht, maar zijn legendarische wreedheid was te zien aan zijn mond. Gareth Evans zou kapitein Eklund hebben gewaarschuwd, maar hij kon niet weten wie er naast hem stond. Abdi had ook niets gezegd en dus wist de kapitein niet zeker wiens gevangene hij was.

Met de tolkende Abdi achter hen aan liepen ze naar de brug en naar de officiersmess. Daar gaf Al-Afrit het bevel dat alle buitenlanders in een rij op het dek moesten gaan staan. Hij liep langzaam langs de rij mannen, negeerde de tien Filipijnen, maar keek aandachtig naar de vijf Europeanen. Zijn blik bleef even rusten op de negentienjarige aspirant-officier Ove Carlsson, keurig gekleed in een wit tropenuniform. Via Abdi gaf hij de jongen opdracht zijn pet af te zetten. Hij keek naar de lichtblauwe ogen, stak zijn hand uit en streek over het korenblonde haar. Carlsson verbleekte en deinsde achteruit. De Somaliër keek boos, maar trok zijn hand terug.

Toen de mannen over het dek naar de ladder liepen, zei Al-Afrit ten slotte iets in het Somali. Vier van de bewakers die hij had meegenomen, sprongen naar voren, grepen de cadet vast en vloerden hem.

Kapitein Eklund stapte uit de rij om te protesteren.

Abdi greep zijn arm. 'Doe niets,' siste hij. 'Het is goed, ik weet zeker dat het goed komt. Ik ken deze man. Maak hem niet kwaad.'

De aspirant-officier werd gedwongen via de ladder naar beneden te klimmen en in de wachtende dhow te stappen waar hij door andere mannen werd vastgegrepen.

'Kapitein, help me!' riep hij.

Kapitein Eklund liep naar Abdi, de laatste man die zijn schip verliet. Hij was witheet van woede. 'Ik stel u verantwoordelijk voor de veiligheid van deze jongen,' snauwde hij. 'Dit is niet beschaafd.'

Abdi, met zijn voeten al op de ladder, was bleek van bezorgdheid. 'Ik zal overleggen met de Sjeik,' zei hij.

'Ik zal Londen op de hoogte brengen,' zei de kapitein.

'Dat kan ik niet toestaan, kapitein Eklund. Dit gaat over onze onderhandelingen en het ligt bijzonder gevoelig. Laat mij dit afhandelen.' Toen was hij verdwenen.

Terwijl de dhow terugvoer naar het strand vervloekte hij in gedachten de oude duivel die naast hem zat. Wanneer hij dacht dat de ontvoering van deze aspirant-officier de druk op Londen zou opvoeren zodat hij meer losgeld kon vragen, zou hij alles verpesten. Hij was de onderhandelaar; hij wist wat hij deed. En bovendien maakte hij zich zorgen over de jongen. Al-Afrit had een bepaalde reputatie met zijn gevangenen.

Die avond belde Tracker Ariel op zijn zolderkamer in Centreville. 'Herinner je je die korte film die ik bij je heb achtergelaten?'

'Ja, overste Jackson.'

'Ik wil dat je die uitzendt op het jihadistische internetkanaal dat de Prediker altijd gebruikt.'

Een uur later stond het filmpje online. De Prediker zat in zijn gebruikelijke stoel, praatte rechtstreeks in de camcorder tegen de islamitische wereld. Nadat deze uitzending een uur lang was aangekondigd, zou de hele fanwebsite luisteren, plus miljoenen die niet op het extremisme waren overgestapt maar er wel belangstelling voor hadden, plus elke antiterrorisme-organisatie ter wereld.

Eerst waren ze allemaal verbaasd, daarna geboeid. De man die ze zagen was een stoer uitziende man van midden dertig, maar deze keer verborg hij de onderste helft van zijn gezicht niet met een slip van zijn hoofdbedekking. Hij had een dikke zwarte baard en zijn ogen hadden een vreemde amberachtige kleur.

Slechts één man die naar de uitzending keek, wist dat de spreker Tony Suarez was die contactlenzen droeg, in een kraakpand in Malibu woonde en geen woord begreep van de Koranspreuken op het laken dat achter hem hing. De stem had een perfect accent en de klanken van de Britse imitator – die maar twee uur naar eerdere preken had geluisterd – waren een perfecte imitatie van de stem. En de opname was in kleur, niet in zwart-wit. Maar voor de gelovigen was dit zonder enige twijfel de Prediker.

'Mijn vrienden, broeders en zusters in Allah, ik heb al een tijdje niets van me laten horen. Maar ik heb mijn tijd niet verspild. Ik heb ons prachtige geloof, de islam, bestudeerd en over veel dingen nagedacht. En ik ben veranderd, insjallah.

Ik vraag me af hoevelen van jullie hebben gehoord over de *Muraajaäat*, de Herzieningen van de salafistisch-jihadistische zaak. Die heb ik bestudeerd.

Vele malen in het verleden heb ik er bij jullie op aangedrongen jezelf niet alleen te wijden aan het eren van Allah, moge Zijn naam worden geprezen, maar ook aan het haten van anderen. Maar de Herzieningen leren ons dat dit verkeerd is, dat onze prachtige islam niet echt een geloof is van verbittering en haat, zelfs niet ten opzichte van diegenen die anders denken dan wij.

De bekendste Herzieningen zijn die van de Series voor de Correcties van Concepten. Net zoals diegenen die ons hebben geleerd te haten uit Egypte kwamen, geldt dit ook voor de Al-Gama Al-Islamiyas die de Correcties hebben geschreven. En inmiddels begrijp ik dat zij, en niet de predikers van onverdraagzaamheid en walging, gelijk hadden.'

De telefoon van Tracker in de ambassadekamer rinkelde. Het was Gray Fox uit Virginia. 'Hoor ik het goed of is er zojuist iets heel erg vreemds gebeurd?' vroeg hij.

'Blijf nog even luisteren,' zei Tracker en hij verbrak de verbinding.

Op het scherm praatte Tony Suarez, die niets begreep van wat hij zei, door. 'Ik heb de Herzieningen nu een aantal keren in de Engelse vertaling gelezen – en die beveel ik iedereen aan die geen Arabisch kan spreken of lezen, en aan iedereen die dat wel kan adviseer ik deze in de oorspronkelijke taal te lezen.

Want inmiddels begrijp ik dat wat onze broeders, Al-Gama, zeggen waar is. Het politieke systeem dat democratie wordt genoemd, is perfect verenigbaar met de Ware Islam, en de Profeet Mohammed – moge Hij rusten in vrede – heeft nooit haat en bloeddorst gepredikt.

Diegenen die nu beweren dat zij de Ware Gelovigen zijn en die oproepen tot massamoord, wreedheid, marteling en de dood van duizenden zijn in werkelijkheid als de kharidjietische rebellen die tegen de volgelingen van de Profeet vochten.

We moeten nu alle jihadisten en salafisten beschouwen als die kharidjieten en wij, die de enige ware Allah aanbidden en Zijn gezegende profeet Mohammed aanbidden, moeten de afvalligen die zijn mensen al jaren op een dwaalspoor brengen, vernietigen.

En wij echte Gelovigen moeten zeker degenen vernietigen die haat en geweld prediken, net zoals de volgelingen lang geleden de kharidjieten hebben vernietigd.

Maar nu is het tijd om te verklaren wie ik echt ben. Ik ben geboren als Zulfiqar Ali Shah in Islamabad en opgevoed als een goede moslim. Maar ik ben gevallen en werd Abu Azzam, een moordenaar van mannen, vrouwen en kinderen.'

De telefoon ging weer. 'Wie ís dit, verdomme?' schreeuwde Gray Fox.

'Luister nog even naar hem,' zei Tracker. 'Hij is bijna klaar.'

'Dus, voor de hele wereld maar vooral voor jullie, mijn broeders en zusters in Allah, betuig ik mijn *tawba*, mijn diepe berouw over alles wat ik voor een verkeerde zaak heb gedaan en gezegd. En ik verklaar mijn complete *baraa'a*, mijn verwerping van alles wat ik heb gezegd en gepredikt tegen de ware leer van Allah de Genadige, de Meelevende.

Want ik heb geen medelijden en geen compassie getoond en nu moet ik u smeken mij dat medelijden, die compassie te tonen die zich volgens de Heilige Koran mag uitstrekken tot de zondaar die oprecht spijt heeft van zijn vroegere zonden. Moge Allah u zegenen.'

Het scherm werd zwart. De telefoon ging weer. Eigenlijk ging de telefoon in de hele *umma*, de islamitische wereld, en velen schreeuwden van woede.

'Tracker, wat heb je verdomme gedaan?' vroeg Gray Fox.

'Ik hoop dat ik hem zojuist heb vernietigd,' zei Tracker.

Hij dacht aan wat de wijze oude professor van de Al-Azhar Universiteit hem jaren geleden had verteld, toen hij nog in Caïro studeerde: 'De haatzaaiers hebben vier niveaus van afkeer. Je denkt misschien dat christenen bovenaan staan. Fout, want ook jullie geloven in de enige Ware God en dus zijn jullie, net als de joden, Mensen van het Boek.

Boven jullie staan de atheïsten en dwepers die geen god hebben, maar alleen gebeeldhouwde idolen. Daarom haatten de moedjahedien van Afghanistan de communisten meer dan jullie. Zij zijn atheïsten.

En boven hen, volgens de fanatici, staan de gewone moslims die hen niet volgen en daarom proberen ze elke prowesterse islamitische regering omver te werpen door bommen op hun markten te laten ontploffen en medemoslims te doden die niemand kwaad hebben gedaan.

Maar helemaal bovenaan staat volgens hen de afvallige, iemand die het jihadisme afkeurt en terugkeert naar het geloof van zijn voorouders. Hem kan onmogelijk vergiffenis worden geschonken en hem wacht alleen de dood.'

Daarna schonk hij de thee in en begon te bidden.

Ali Abdi zat alleen in zijn suite – zijn slaapkamer annex kantoor – in het fort achter Garacad. De zestig centimeter dikke aarden muren waren wel geluiddicht, maar de ruwhouten deuren niet. Hij hoorde dat er in de gang iemand werd geslagen en vroeg zich af welke beklagenswaardige bediende het ongenoegen van zijn gastheer had opgeroepen.

Hij kon niet bepalen waarmee de bediende werd geslagen, waarschijnlijk met een zweep van gelooide kamelenhuid, maar hij kon wel de slagen horen en ook de schrille kreten na elke zweepslag.

Ali Abdi was geen wrede man en – hoewel hij zich bewust was van de ellendige situatie van de zeelieden die in de brandende zon op hun voor anker liggende schip gevangenzaten en hij zich toch niet zou laten opjutten als door de vertraging extra geld kon worden buitgemaakt – zag hij geen enkele reden voor mishandeling, zelfs niet van Somalische bedienden. Hij begon spijt te krijgen dat hij ooit had toegezegd dat hij wel voor deze piratenbaas wilde onderhandelen. De man was een bruut.

Hij werd lijkbleek toen hij het slachtoffer, tijdens een pauze in de geseling, om genade hoorde smeken. Hij sprak Zweeds.

De Prediker reageerde bijna hysterisch op de wereldwijde uitzending van de gruwelijke woorden van Tony Suarez. Omdat hij al drie weken geen online preek had gehouden, zat hij niet naar de jihadistische zender te kijken toen deze preek werd uitgezonden. Hij werd erop geattendeerd door een van zijn Pakistaanse bodyguards die een beetje Engels sprak. Hij luisterde met verbijsterd ongeloof naar het einde van de preek en drukte vervolgens op replay.

Hij zat achter zijn pc en keek vol afschuw naar het beeldscherm. Het was nep, natuurlijk was het nep, maar het was overtuigend. De gelijkenis was gewoon griezelig: de baard, het gezicht, het gewaad, het laken op de achtergrond, zelfs de ogen – hij keek naar zijn eigen dubbelganger. En zijn stem.

Maar dat was niets vergeleken met de woorden: de officiële herroeping van zijn mening was een doodvonnis. Het zou weken kosten om de gelovigen ervan te overtuigen dat ze waren bedrogen door een slimme bedrieger. Zijn bedienden hoorden hem in zijn studeerkamer schreeuwen tegen de man op het scherm, dat de tawba een leugen was en de herroeping van zijn overtuigingen een gemene onwaarheid.

Nadat het gezicht van de Amerikaanse acteur van het scherm was verdwenen, bleef hij uitgeput nog een uur zitten. Toen maakte hij een cruciale fout. Hij wilde wanhopig graag door íémand worden geloofd en hij nam contact op met zijn enige echte vriend, zijn bondgenoot in Londen. Per e-mail.

Cheltenham luisterde. Net als Fort Meade. En een zwijgende overste in een kantoor in de Amerikaanse ambassade in Londen. En Gray Fox in Virginia, die naar het verzoek van Tracker keek dat voor hem op zijn bureau lag. De Prediker was nu misschien wel vernietigd, had Tracker tegen hem gezegd, maar dat was niet genoeg. Hij had veel te veel bloed aan zijn handen en nu moest hij worden vermoord. Tracker had verschillende mogelijkheden beschreven. Gray Fox zou het persoonlijk bespreken met de baas van JSOC, admiraal McRaven, en hij had er alle vertrouwen in dat het verzoek vervolgens naar het Oval Office zou gaan om te worden besproken en een besluit erover te nemen.

Een paar minuten nadat de Prediker de e-mail vanuit Marka had verzonden, bleek dat de exacte tekst en de precieze locatie van beide computers en de eigenaren van elke computer klopten. Er was geen enkele twijfel over de locatie van de Prediker, en dat gold ook voor de medeplichtigheid van Mustafa Dardari.

Gray Fox kon binnen vierentwintig uur weer contact opnemen met Tracker, op de veilige lijn van TOSA naar de ambassade. 'Ik heb het geprobeerd, Tracker, maar het antwoord is nee. De president heeft een veto uitgesproken over raketten op die compound. Dat komt deels doordat er zoveel burgers omheen wonen en deels door de aanwezigheid van Opaal daarbinnen.'

'En het andere voorstel?'

'Nee op beide opties. Er komt geen landing vanaf de zee. Nu de Shabaab Marka hebben heroverd, weten we niet hoeveel er zijn en hoe goed bewapend ze zijn. De hoge omes denken dat hij zou kunnen ontsnappen in die doolhof van steegjes en dat we hem dan voor altijd kwijt zijn.

En datzelfde geldt voor een dropping vanuit een heli op het dak in Bin Laden-stijl. Niet de Rangers, niet de SEAL's, zelfs niet de Night Stalkers. Het is te ver bij Djibouti en Kenia vandaan en te openbaar in Mogadishu. En er is het gevaar van een schietpartij. De woorden Blackhawk Down veroorzaken nog steeds nachtmerries.

Sorry, Tracker. Geweldig werk. Je hebt hem geïdentificeerd, gelokaliseerd, hem in diskrediet gebracht. Maar ik ben bang dat het voorbij is. De klojo zit in Marka en gaat daar waarschijnlijk niet weg, tenzij je een fantastisch goed lokaas kunt bedenken. En dan hebben we nog het probleem van Opaal. Ik denk dat je maar beter je spullen kunt inpakken en naar huis kunt komen.'

'Hij is nog niet dood, Gray Fox. Hij heeft een heel grote plas bloed aan zijn handen. Hij houdt dan misschien geen preken meer, maar hij is nog altijd een gevaarlijke hufter. Hij zou naar het westen van Mali kunnen verhuizen. Laat me deze klus afmaken.'

Even was het stil op de lijn. Toen zei Gray Fox: 'Oké, Tracker. Nog één week. Dan moet je je spullen pakken.'

Toen hij de telefoon op de haak legde, drong het tot Tracker door dat hij zich had vergist. Door de geloofwaardigheid van de Prediker in de hele fundamentalistische moslimwereld onderuit te halen, had hij gehoopt dat de man gedwongen zou zijn uit zijn schuilplaats te komen. Hij wilde dat hij op de vlucht sloeg voor zijn eigen mensen, zonder dekking, weer een vluchteling. Het was nooit zijn bedoeling geweest dat zijn eigen bazen hem van de zaak zouden halen.

Hij kwam in gewetensstrijd. Ongeacht zijn politieke voorkeur als burger was hij, als officier en bovendien als US Marine, volledig loyaal aan zijn commandant. En dat betekende dat hij hem gehoorzaamde.

Toch kon hij nu niet gehoorzamen. Hij had een opdracht gekregen, maar die had hij nog niet volledig uitgevoerd. Ze hadden hem een taak toegewezen, maar die had hij nog niet helemaal afgerond. En die was veranderd; inmiddels was het een persoonlijke vendetta geworden. Hij was iets verschuldigd aan een innig geliefde man in een bed op de intensive care in Virginia Beach, en hij was van plan die schuld te vereffenen.

Voor het eerst sinds de officiersopleiding overwoog hij ontslag te nemen uit het US Marine Corps. Maar zijn carrière werd een paar dagen later gered door een tandtechnicus van wie hij nog nooit had gehoord.

Al-Afrit bewaarde zijn gruwelijke foto twee dagen, maar toen die opeens op het scherm in de operations room van Chauncey Reynolds opdoemde, veroorzaakte dat een verbijsterde schok.

Gareth Evans had met meneer Abdi gesproken. De gespreksonderwerpen waren natuurlijk het losgeld en de tijdsplanning.

Abdi was gezakt van vijfentwintig naar twintig miljoen dollar, maar de tijd sleepte zich voort – voor de Europeanen. Er was een week verstreken, voor de Somaliërs een kleinigheid. Al-Afrit eiste al het geld en hij wilde het nu. Abdi had al uitgelegd dat de Zweedse eigenaar niet eens over twintig miljoen zou willen nadenken. Evans bleef stiekem van mening dat ze uiteindelijk zouden uitkomen op ongeveer vijf miljoen.

Toen nam Al-Afrit de zaak in eigen hand en stuurde zijn foto. Toevallig was Reynolds ook in het kantoor, en Harry Andersson, die het advies had gekregen het vliegtuig naar huis te nemen en in Stockholm af te wachten. De drie mannen werden beroerd en zwegen toen ze de foto hadden gezien.

De aspirant-officier werd met zijn gezicht tegen een ruwhouten tafel gedrukt door een grote Somaliër die hem bij zijn polsen vasthield. Zijn enkels waren uit elkaar getrokken en aan twee tafelpoten vastgebonden. Zijn broek en onderbroek waren uitgetrokken.

Zijn billen waren één bloederige massa. Aan zijn gezicht, dat opzij op het hout werd gedrukt, was te zien dat hij schreeuwde.

Evans en Reynolds realiseerden zich hierdoor dat ze te maken hadden met een sadistische gek. Zoiets was nog nooit eerder gebeurd. Harry Andersson reageerde extremer: hij slaakte een soort schreeuw en rende naar de aangrenzende badkamer. De anderen hoorden hem kokhalzen toen hij met zijn hoofd boven de toiletpot hing. Even later kwam hij lijkbleek terug, op twee rode vlekken op zijn wangen na. 'Die jongen is mijn zoon!' schreeuwde hij. 'Mijn zoon, die meevoer onder de meisjesnaam van zijn moeder.' Hij greep Gareth Evans bij zijn revers en trok hem uit zijn stoel tot hun neuzen elkaar bijna raakten. 'Jij haalt mijn zoon terug, Gareth Evans, jij haalt hem terug. Betaal dat zwijn wat hij wil. Alles, hoor je! Zeg maar tegen hem dat ik vijftig miljoen dollar voor mijn zoon betaal. Vertel hem dat!' Hij stormde het vertrek uit met achterlating van de twee lijkbleke en geschrokken Britten, en de afschuwelijke foto op het beeldscherm.

11

De ochtend waarop hij als martelaar zou sterven, stond Tariq 'Terry' Hoessein al ver voordat de zon opkwam op. Met de gordijnen gesloten, zuiverde hij zijn lichaam op de rituele manier, nam plaats voor het laken dat hij voor de slaapkamermuur had gehangen met de juiste teksten uit de Koran erop, zette zijn camcorder aan en maakte een opname van zijn laatste woorden tegen de wereld. Daarna logde hij in op de jihadistische website en stuurde zijn boodschap de wereld in. Voordat de autoriteiten dit zagen, zou het al veel te laat zijn.

Het was een heerlijke zomerochtend en er waren al heel veel forensen onderweg. Sommigen reden vanuit Maryland naar Virginia, anderen in tegenovergestelde richting, en velen naar het District of Colombia. Hij had geen haast, maar hij wilde op tijd zijn.

Hij kon zijn auto niet lang op de linkerrijstrook van een belangrijke verkeersader parkeren. Als hij te vroeg was, betekende dit dat de geblokkeerde forensen achter hem zouden claxonneren of anderszins de aandacht zouden trekken. Of dat een auto van de staatspolitie er door een van de rondcirkelende helikopters naartoe zou worden gestuurd. Deze zou er wel moeite mee hebben om tussen het stilstaande verkeer door te rijden, maar uiteindelijk zou hij wel arriveren met twee gewapende agenten erin. Hoessein wilde ook dat dit zou gebeuren, maar niet te vroeg.

Als hij te laat was, betekende dit dat de doelwitten die hij op het oog had al gepasseerd waren en hij kon niet lang wachten op de volgende.

Rond tien over zeven was hij bij de Key Bridge. Deze opvallende brug in Washington heeft acht bogen. Vijf overspannen de Potomac River tussen Virginia en Georgetown in D.C. Twee andere bogen, in Washington, overbruggen het Chesapeake and Ohio Canal en K Street. De achtste, in Virginia, overbrugt de George Washington Memorial Parkway, een andere altijd drukke forensenroute.

Hoessein reed op US Route 29 en was bijna bij de brug. Hij reed op de meest rechterrijstrook van de zesbaanssnelweg. Midden op de brug, boven de GW Memorial Parkway, trapte hij op de rem. Zijn auto kwam langzaam tot stilstand. Meteen reden er woedende automobilisten om zijn auto heen. Hij stapte uit, liep naar de kofferbak en maakte hem open. Hij haalde er twee rode gevarendriehoeken uit en zette ze op het asfalt.

Hij opende de beide portieren aan de passagierskant zodat er een kleine open ruimte ontstond tussen de auto en de brugleuning. Hij bukte zich en haalde het geweer tevoorschijn, volledig geladen met in totaal veertig patronen in de twee magazijnen, leunde over de brugleuning en tuurde door het vizier naar de rijen auto's onder zich. Wanneer de automobilisten die achterop kwamen al zagen wat de man tussen die twee geopende portieren aan het doen was, geloofden ze hun ogen waarschijnlijk niet of hadden ze het te druk met sturen en over hun schouder kijken of ze konden invoegen.

Op dat tijdstip, om kwart over zeven, is bijna elk tiende voertuig onder de brug een bus met forensen. De DC Metro heeft verschillende bussen, blauwe en oranje. De oranje bussen zijn lijn 23C en rijden vanaf metrostation Rosslyn helemaal door naar Langley, Virginia, waar ze stoppen bij de hekken van een enorm complex dat gewoon de CIA wordt genoemd, oftewel de Agency.

Het verkeer onder de brug stond niet stil, maar reed rustig door, dicht op elkaar. Tariq Hoesseins zoektocht op internet had hem geleerd naar welke bus hij moest uitkijken en hij had de hoop al bijna opgegeven toen hij in de verte een oranje dak zag verschijnen. In de verte veranderde een helikopter van richting en keerde; ze konden de stilstaande auto midden op de brug elk moment zien. Hij wilde dat de oranje bus snel dichterbij kwam.

De eerste vier kogels, dwars door de voorruit, doodden de chauffeur. De bus begon te slingeren, schampte een auto, reed langzamer en stond stil. Er hing iemand over het stuur gebogen in het uniform van Metro, en hij was heel erg dood.

Daarna kwamen de reacties. De auto die was geschampt, stopte ook. De chauffeur stapte uit en begon te schelden op de bus die hem had geraakt. Daarna zag hij de in elkaar gezakte chauffeur, dacht dat hij een hartaanval had gekregen en haalde zijn mobieltje tevoorschijn.

Automobilisten achter de twee stilstaande voertuigen begonnen te toeteren, en een paar stapten uit. Eén keek omhoog, zag de figuur die over de brugleuning hing en schreeuwde een waarschuwing. De helikopter keerde boven Arlington en vloog naar de Key Bridge. Hoessein bleef maar schieten op het dak van de stilstaande bus. Na twintig patronen raakte de slagpin een lege kamer. Hij maakte het magazijn los, draaide hem om en duwde het reservemagazijn erin. Daarna ging hij door met schieten.

Onder hem was een enorme chaos ontstaan. Ze wisten waar hij was. Chauffeurs sprongen uit hun auto en verscholen zich erachter. Zeker twee schreeuwden in hun mobieltje.

Op de brug waren twee vrouwen in een van de auto's aan het gillen. Het dak van bus 23C was opengescheurd. De binnenkant van de bus werd een slachthuis vol bloed, lichamen en hysterische mensen.

Toen was het tweede magazijn leeg en werd er een einde aan gemaakt. Niet door de man met het geweer in de helikopter, maar door een agent die geen dienst had en in de tiende auto achter de geparkeerde auto zat. Hij reed met zijn raampje open, zodat de sigarettenrook eruit kon waaien om te voorkomen dat zijn vrouw later zou ruiken dat hij in de auto had gerookt. Hij hoorde de schoten en herkende het geluid van een zwaar vuurwapen. Hij stapte uit, trok zijn dienstpistool uit de holster en begon te rennen, niet bij de schoten vandaan maar juist ernaartoe.

Het eerste wat Tariq Hoessein van hem merkte, was dat het raampje van het geopende portier naast hem werd verbrijzeld. Hij draaide zich om, zag de rennende man en hief zijn geweer. Het was leeg. Maar de rennende agent kon dat niet weten. Op een afstand van zes meter bleef hij staan, hurkte, nam zijn pistool in beide handen en leegde zijn magazijn op de deur en de man erachter.

Later werd vastgesteld dat drie kogels de gewapende man hadden geraakt, en dat was genoeg. Toen de agent de auto had bereikt, lag de gewapende man op de grond en ademde moeizaam. Hij stierf dertig seconden later.

Het grootste deel van die dag was het een chaos op Route 29. De weg werd afgesloten terwijl forensische teams het lijk, het wapen en ten slotte de auto weghaalden. Maar dat was niets vergeleken met wat er gebeurde op de GW Memorial Parkway daaronder.

In de forensenbus leek het wel een slagerij. Later werd bekendgemaakt dat er zeven doden waren, negen mensen levensgevaarlijk gewond, vijf mensen met afgeschoten ledematen en twintig mensen met vleeswonden. De mensen die in de bus hadden gezeten, hadden boven hun hoofd geen enkele dekking gehad.

Toen het nieuws de duizenden personeelsleden in Langley bereikte, was de vijand al dood.

De Virginia State Police en de FBI verspilden geen tijd. De auto van de moordenaar kon eenvoudig worden opgespoord via het Bureau Kentekenbewijzen. Een SWAT (Special Weapons and Tactics) antiterrorismeteam viel de woning buiten Fairfax binnen. Er was niemand, maar de technische recherche stripte het huis tot op het pleisterwerk en daarna tot op het fundament.

Binnen vierentwintig uur had het netwerk van ondervragers zich verspreid. Antiterrorisme-experts bogen zich over de laptop en het dagboek. De doodsverklaring werd verzonden naar kantoren vol zwijgende mannen en vrouwen in het Hoover Building van de FBI, met kopieën naar de CIA.

Niet iedereen in de beschoten bus werkte voor de Agency, want de bus stopte ook bij andere haltes. Maar de meeste passagiers bleven zitten tot het eindpunt, Langley/McLean.

Voor zonsondergang maakte de directeur van de CIA gebruik van zijn voorrecht en regelde een gesprek onder vier ogen met de president in het Oval Office. Stafleden die hem hadden gezien, zeiden dat hij nog steeds witheet was van woede.

Het gebeurt maar zelden dat een *spymaster* in een land respect heeft voor zijn tegenhanger bij de vijand, maar het komt voor. Tijdens de Koude Oorlog hadden veel mensen in het Westen een onwillig respect voor de man die de leiding had over de Oost-Duitse geheime dienst.

Markus 'Mischa' Wolf had een klein budget en een grote vijand: West-Duitsland en de NAVO. Hij nam niet eens de moeite de ministers in dienst van Bonn op de korrel te nemen. Nee, hij richtte zich op de armzalige, laffe, onzichtbare grijze muizen in de kantoren van de hoogste bazen zonder wie geen kantoor kan functioneren: de betrouwbare privésecretaresses van de ministers.

Hij bestudeerde hun kleurloze, vaak eenzame oudevrijstersleven en stuurde jonge, knappe *lovers* op hen af. Deze Romeo's zouden hen langzaam en geduldig inpalmen, warme omhelzingen in hun koude levens brengen, hun beloven dat ze hen na hun pensioen zouden vergezellen naar warme oorden en dat alles alleen maar voor een blik op die onnozele papieren die elke dag maar weer op het bureau van de minister verschenen. En ze trapten erin, de Ingrids en de Waltrauds. Ze overhandigden kopieën van alle vertrouwelijke en geheime documenten die tijdens de viergangenlunch van de minister op zijn bureau bleven liggen. Het kwam zelfs zover dat de regering in Bonn zo geïnfiltreerd was geraakt dat de NAVO niet eens meer aan bondgenoot Bonn durfde te vertellen welke dag het was, omdat die informatie binnen een dag Oost-Berlijn en vervolgens Moskou zou bereiken. Uiteindelijk zou de politie komen, de Romeo verdwijnen en het grijze kantoormuisje, helemaal in tranen, tussen twee enorme agenten worden weggevoerd. Ten slotte zou ze een eenzaam klein appartement verruilen voor een eenzame kleine gevangeniscel.

Hij was een gewetenloze hufter, die Mischa Wolf, maar na de ineenstorting van Oost-Europa ging hij met pensioen, verhuisde naar het westen en stierf in zijn slaap.

Veertig jaar later zou de Britse SIS dolgraag hebben willen weten wat er werd gezegd en gedaan in de kantoren van Chauncey Reynolds, maar Julian Reynolds liet zijn hele suite altijd volledig screenen door een goed opgeleid team van elektronische genieën, sommigen voormalige medewerkers van de geheime dienst.

De CIA had die zomer dus geen uiterst moderne technologie in het privékantoor van Gareth Evans aangebracht, maar ze hadden wel Emily Bulstrode. Zij zag alles, las alles en hoorde alles, en niemand merkte haar op met haar dienblad vol kopjes.

De dag waarop Harry Andersson tegen Gareth Evans begon te schreeuwen, ging mevrouw Bulstrode zoals elke dag een broodje kopen bij de delicatessenwinkel op de hoek en liep naar haar favoriete telefooncel. Ze had niets op met die moderne dingen die de mensen altijd op zak hadden en waar ze altijd in praatten. Zij gaf de voorkeur aan een van de weinige nog overgebleven roodgeverfde gietijzeren telefooncellen waar je muntjes in de meter moest stoppen. Zodra ze verbinding had met Vauxhall Cross, vroeg ze om een verbinding, zei een paar woorden en liep terug naar haar werk.

Na werktijd liep ze naar St. James's Park, ging op het afgesproken bankje zitten en voerde de eendjes een paar broodkorsten die ze had bewaard. Nu moest ze wachten op haar contactpersoon. Vroeger, dacht ze, was haar geliefde Charlie 'de man in Moskou' geweest die elke dag naar Gorky Park ging om de supergeheime microfilms in ontvangst te nemen van de Russische landverrader Oleg Penkovsky. Dankzij deze staatsgeheimen was president Kennedy Nikita Chroesjtsjov te slim af en slaagde hij erin die verdomde raketten in het najaar van 1962 van Cuba te krijgen.

Er kwam een jonge man aan. Hij ging naast haar zitten. De gebruikelijke uitwisseling van oppervlakkige woorden bevestigde hun echte identiteit. Ze keek hem glimlachend aan. Een jonkie, dacht ze, waarschijnlijk nog in zijn proeftijd, nog niet eens geboren toen zij regelmatig voor de CIA door het IJzeren Gordijn Oost-Duitsland binnenglipte.

De jongeman deed net alsof hij de *Evening Standard* las. Hij maakte geen aantekeningen, want hij had een recorder in de zak van zijn colbert waarmee alles werd opgenomen. Emily Bulstrode had ook geen aantekeningen bij zich, want zij had twee sterke punten: een volkomen onschuldig uiterlijk en een fantastisch geheugen.

Dus vertelde ze de nieuweling alles wat er die ochtend op het advocatenkantoor was gebeurd, alle details, woord voor woord. Daarna stond ze op en liep naar het station waar ze in de forensentrein zou stappen en naar haar huisje in Coulsdon zou gaan. Ze zat alleen en keek naar de buitenwijken van het zuiden van de stad die voorbijflitsten. Ooit was ze geïnfiltreerd in de gruwelijke Stasi; nu was ze vijfenzeventig en zette ze koffie voor advocaten.

De jongeman van Vauxhall Cross liep terug in de avondschemering en leverde zijn verslag in. Hij zag dat er een 'vlaggetje' bij stond, wat inhield dat de Chief had afgesproken dat al het nieuws met betrekking tot Somalië moest worden doorgegeven aan de collega's op de Amerikaanse ambassade. Hij snapte niet wat een wrede warlord in Garacad te maken kon hebben met de jacht op de Prediker, maar een bevel is een bevel en dus stuurde hij een kopie naar de CIA.

In zijn safehouse, een paar honderd meter bij de ambassade vandaan, was Tracker bijna klaar met het inpakken van zijn spullen toen zijn BlackBerry zachtjes trilde. Hij keek naar het bericht, scrolde naar beneden tot het einde, zette hem uit en dacht even na. Daarna pakte hij alles weer uit. Een welwillende god had hem zojuist zijn lokaas geschonken.

De volgende ochtend had Gareth Evans een afspraak voor een telefonische vergadering met meneer Ali Abdi. De Somaliër was, toen hij aan de lijn kwam, heel beheerst. 'Meneer Abdi, mijn vriend, ik heb u altijd als een beschaafde man beschouwd,' begon hij.

'Dat ben ik ook, meneer Gareth, dat ben ik ook,' zei de onderhandelaar in Garacad. Evans hoorde aan zijn stem dat hij ongerust was. Hij dacht dat dit weleens echt zo kon zijn, maar je wist het natuurlijk nooit helemaal zeker. Abdi en Al-Afrit waren immers afkomstig uit dezelfde stam, de Habar Gidir, anders zou Abdi nooit als onderhandelaar zijn aangesteld.

Evans dacht terug aan het advies dat hij jaren eerder had gekregen, toen hij bij Customs and Excise, tot 2005 de Britse belastingdienst, werkte en in de Hoorn van Afrika was gestationeerd. Zijn mentor was een oude, koloniale *wallah* met een perkamenten huid en zijn oogwit was vergeeld door de malaria. De Somaliërs, had hij gezegd, hadden zes prioriteiten die nooit veranderden.

Bovenaan stond het ik. Daarna volgden familie, dan clan en daaronder stam. Helemaal onderaan stonden land, en ten slotte geloof. De laatste twee werden alleen ingeroepen om tegen de vreemdeling te vechten. Wanneer ze onder elkaar waren, zouden ze gewoon tegen elkaar vechten, continu andere bondgenootschappen aangaan – trouw zijn op basis van vermeende voordelen en wraak nemen op basis van vermeende grieven.

Het laatste wat hij tegen de jonge Gareth Evans zei, voordat hij zichzelf een kogel door het hoofd joeg toen de Colonial Service had gedreigd hem terug te sturen naar het regenachtige Engeland, was: 'Het is onmogelijk de trouw van een Somaliër te kopen, maar die kun je meestal wel huren.'

Het plan dat Gareth Evans die zomerochtend in Mayfair bedacht, was kijken of Ali Abdi's trouw aan zijn medestamleden sterker was dan zijn trouw aan zichzelf.

'Wat er is gebeurd met een van de gevangenen van uw opdrachtgever was schandelijk, onacceptabel. Dat zou onze hele onderhandeling kunnen verstoren. En ik moet u zeggen dat ik daarvoor nog zo blij was dat u en ik de zaak konden regelen, omdat ik dacht dat we allebei respectabele mensen zijn.'

'Dat denk ik ook, meneer Gareth.'

Evans wist niet hoe veilig de verbinding was. Hij dacht niet aan Fort Meade en Cheltenham – dat die meeluisterden was een uitgemaakte zaak – maar hij vroeg zich af of een van de bedienden van de warlord die vloeiend Engels sprak misschien meeluisterde. Toch moest hij erop gokken dat Abdi één bepaald woord begreep. 'Want, weet u, mijn vriend, ik denk dat we nu het punt van Thuraya hebben bereikt.'

Het bleef heel lang stil. Evans gokte erop dat wanneer een iets minder goed opgeleide Somaliër meeluisterde, hij niet zou weten waar hij het over had, maar Abdi wel.

Ten slotte zei Abdi: 'Ik denk dat ik begrijp wat u bedoelt, meneer Gareth.'

De Thuraya-telefoon is een satellietcommunicatienetwerk. Vier mobiele telefoonmaatschappijen beheersen het gebruik van het mobiele telefoonverkeer in Somalië: Nation Link, Hormud, Semafone en France Telecom, en zij hebben allemaal masten. De Thuraya heeft alleen de Amerikaanse satellieten nodig die langzaam ronddraaien in de ruimte.

Wat Evans eigenlijk tegen Ali Abdi zei was dat, wanneer hij een Thuraya-telefoon had of kon krijgen, hij in zijn eentje naar de woestijn moest rijden, zich achter een rots moest verschuilen en Evans moest bellen zodat ze echt privé met elkaar konden praten. Het antwoord betekende dat Abdi dit had begrepen en het zou proberen.

De twee onderhandelaars praatten nog een halfuur door en verlaagden het losgeld tot achttien miljoen dollar. Daarna beloofden ze dat ze weer contact met elkaar zouden opnemen na overleg met hun respectieve opdrachtgevers.

Ze lunchten op kosten van de Amerikaanse regering, daar had Tracker op gestaan. Maar zijn SIS-contact Adrian Herbert had de reservering geregeld, zijn keus laten vallen op Shepherd's in Marsham Street en gevraagd om een zitje zodat ze enige privacy hadden. De sfeer was welwillend, vriendelijk, maar ze wisten allebei dat ze pas bij de koffie zaken zouden bespreken.

Nadat de Amerikaan zijn voorstel had gedaan, zette Herbert verbaasd zijn kopje neer. 'Wát zeg je? "Oppikken?"'

'Ja, als in isoleren, oppakken, verwijderen.'

'Je bedoelt ontvoeren? Gewoon op straat in Londen? Zonder arrestatiebevel of zo?'

'Hij helpt een bekende terrorist die in jouw land mensen heeft aangezet tot vier moorden, Adrian.'

'Ja, maar een gewelddadige ontvoering zou als dat ooit bekend wordt een ontzettende ophef veroorzaken. We zouden daar toestemming voor moeten hebben, en dat betekent de handtekening van de minister van Binnenlandse Zaken. Ze zouden het met advocaten bespreken en die zouden een formele tenlastelegging eisen.'

'Jij hebt ons al eerder met bijzondere uitleveringen geholpen, Adrian.'

'Ja, maar die mensen werden opgepakt op plaatsen die toch al volledig wetteloos waren. Knightsbridge is Karachi niet, weet je. Dardari is op het oog een respectabele zakenman.'

'Jij en ik weten wel beter.'

'Dat is zo. Maar alleen doordat we zijn woning zijn binnengedrongen, microfoons en camera's in zijn huis hebben aangebracht en zijn computer hebben gehackt. Dat zou er prachtig uitzien als het ooit tot een openbare rechtszitting komt. Het spijt me, Tracker, we proberen je te helpen, maar meer kunnen we niet doen.'

Hij dacht een tijdje na en staarde naar het plafond.

'Nee, het gaat gewoon niet lukken, ouwe jongen. We zouden een Trojaans paard nodig hebben om toestemming voor zoiets te krijgen.'

Ze vertrokken en gingen buiten ieder een andere kant op. Adrian Herbert zou teruglopen naar het Office in Vauxhall. Tracker hield een taxi aan en dacht na over die laatste zin.

Wat had een zinspeling op een klassiek verhaal hier in vredesnaam mee te maken? Weer thuis ging hij op zoek op internet. Het duurde even, maar hij vond wat hij zocht: Trojan Horse Outcomes, een klein beveiligingsbedrijf iets buiten Hamworthy in Dorset.

Dat, wist hij, was een terrein van de Royal Marines. Hun grote basis stond in het nabijgelegen Poole en veel mannen die daar hadden gewerkt, gingen na hun pensionering in de buurt van hun oude basis wonen. Vaak zetten ze samen met een paar oud-collega's een particulier beveiligingsbedrijf op en deden het gebruikelijke werk: bodyguards leveren, beveiliging van panden, persoonsbeveiliging. Als ze weinig geld hadden, zouden ze vanuit huis werken en inderdaad, na enig speurwerk wist hij dat Trojan Horse Outcomes in een woonwijk was gevestigd.

Tracker belde het opgegeven nummer en maakte een afspraak voor de volgende ochtend. Vervolgens belde hij een autoverhuurbedrijf in Mayfair en reserveerde een Volkswagen Golf voor drie uur eerder. Hij vertelde dat hij een Amerikaanse toerist was, Jackson heette, een geldig Amerikaans rijbewijs had en de auto één dag nodig had omdat hij een vriend wilde opzoeken aan de Zuidkust.

Toen hij de verbinding verbrak, trilde zijn BlackBerry. Het was een sms van TOSA, beveiligd tegen onderschepping, en afkomstig van Gray Fox die niet kon vertellen dat de baas van JSOC zojuist het Oval Office had verlaten met nieuwe orders.

Gray Fox verspilde geen tijd en had maar vier woorden nodig: 'De Prediker. Geen gevangenen.'

Deel 3
Afrekening

12

Gareth Evans woonde letterlijk in het advocatenkantoor. Er was een bed op wielen naar het vertrek gebracht dat nu was ingericht als een operations room. Ernaast was een badkamer met een douche, toilet en wastafel. Hij leefde op de kant-en-klaarmaaltijden en salades van de delicatessenwinkel op de hoek. Hij was afgeweken van de gebruikelijke procedure van besprekingen op vaste tijdstippen met zijn tegenhanger in Somalië. Hij wilde in de operations room zijn wanneer Abdi zijn raad opvolgde en hem vanuit de woestijn zou bellen. Hij zou misschien niet lang onopgemerkt blijven.

En iets voor twaalven ging de telefoon. Het was Abdi. 'Meneer Gareth? Met mij. Ik heb een satelliettelefoon gevonden. Maar ik heb niet veel tijd.'

'Dan moeten we het kort houden, mijn vriend. Wat uw baas met die jongen heeft gedaan, bewijst één ding: hij wil ons onder druk zetten om snel tot overeenstemming te komen. Dat is niet gebruikelijk. Normaal zijn het de Somaliërs die alle tijd van de wereld hebben. Deze keer hebben beide partijen belang bij een snelle afwikkeling. Klopt dat?'

'Ja, dat denk ik wel,' zei de stem vanuit de woestijn.

'Mijn opdrachtgever wil dat ook. Maar niet vanwege die aspirant-officier. Dat was chantage, maar te wreed om effect te hebben. Mijn opdrachtgever wil zijn schip weer in de vaart krijgen. Waar het om gaat is de hoogte van het losgeld en wat dat betreft is uw advies aan uw opdrachtgever van cruciaal belang.'

Evans wist dat het fataal zou zijn als hij liet merken dat de jongen tien keer zoveel waard was als het schip en de lading samen.

'Wat stelt u voor, meneer Gareth?'

'Een definitieve losgeldsom van vijf miljoen dollar. We weten allebei dat dit een reële prijs is. Over drie maanden zouden we waarschijnlijk ook op dat bedrag zijn uitgekomen. Ik denk dat u dat wel weet.'

Abdi, die met de telefoon tegen zijn oor gedrukt in de woestijn zat, anderhalve kilometer van het aarden fort, was het met hem eens maar zei niets. Hij voelde dat er nog iets gezegd zou worden en dat dit met hemzelf te maken had.

'Dit is mijn voorstel. Als we uitkomen op vijf miljoen, zou uw aandeel ongeveer één miljoen zijn. Mijn aanbod is dat we nu meteen één miljoen op uw privérekening storten. Een tweede miljoen als het schip kan doorvaren. Behalve u en ik hoeft niemand hiervan te weten. Wij willen een snelle oplossing. En die hoop ik hiermee te kopen.'

Abdi dacht na. Het derde miljoen zou nog steeds afkomstig zijn van Al-Afrit. Drie keer zijn gebruikelijke verdienste. En hij dacht nog iets anders. Dit was een situatie waar hij zo snel mogelijk uit wilde, hoe dan ook. De tijd van gemakkelijk geld en snelle afkoopsommen was voorbij. Het had lang geduurd voordat het Westen en de zeemachten zover waren, maar ze werden steeds agressiever.

Westerse commando's hadden al twee keer een aanval vanaf zee uitgevoerd. Een voor anker liggend schip was bevrijd door mariniers die zich met touwen uit een helikopter hadden laten zakken. De Somalische bewakers hadden gevochten en twee zeelieden waren gedood, maar ook enkele Somaliërs – de rest zat nu gevangen op de Seychellen.

Ali Abdi was geen held en was ook niet van plan dat te worden. Hij rilde van afschuw als hij er alleen maar aan dácht dat die monsters met hun zwart gemaakte gezichten, nachtkijkers en machinepistolen het fort zouden bestormen waar hij op dit moment logeerde. En bovendien wilde hij stoppen met zijn werk en met heel veel geld op zak naar een plaats heel ver bij Somalië vandaan. Ergens waar beschaving heerste en vooral ergens waar het veilig was.

In de satelliettelefoon zei hij: 'U hebt een deal, meneer Gareth.' En hij gaf een bankrekeningnummer op. 'Nu werk ik voor u, meneer Gareth. Maar begrijp me goed, ik zal aandringen op een snelle overeenkomst voor vijf miljoen dollar, maar zelfs dan zal het nog minstens vier weken duren.'

Dit duurt al twee weken, dacht Evans, maar slechts zes weken tussen kaping en vrijlating was een record. 'Dank u wel, mijn vriend. Laten we deze afschuwelijke kwestie zo snel mogelijk afhandelen, zodat we weer kunnen terugkeren naar de beschaving...' Hij verbrak de verbinding.

Ver bij hem vandaan deed Abdi hetzelfde en ging terug naar het fort. De twee mannen hadden weliswaar geen gebruik gemaakt van het Somalische telefoonnetwerk, maar dat maakte niets uit voor Fort Meade of Cheltenham, die elk woord hadden opgevangen.

Volgens de opdracht stuurde Fort Meade de tekst via de regeringslijn door naar TOSA, die een kopie naar Tracker in Londen stuurde. Een maand, dacht hij. De tijd staat niet stil. Hij stopte zijn BlackBerry weer in zijn zak. Even later kwamen de noordelijke buitenwijken van Poole in zicht en ging hij op zoek naar een wegwijzer naar Hamworthy.

'Dat is heel veel geld, Boss.'

Trojan Horse Outcomes was duidelijk een bijzonder klein bedrijfje. Tracker nam aan dat het was genoemd naar een van de grootste listen in de geschiedenis, maar wat de man die tegenover hem zat kon ophoesten, was veel minder groot dan het Griekse leger.

Het bedrijf werd geleid vanuit een eenvoudig rijtjeshuis en Tracker schatte dat de mankracht uit twee of drie personen bestond. De man die tegenover hem aan de eettafel zat, was duidelijk de drijvende kracht achter het bedrijf. Tracker dacht dat hij bij de Royal Marines had gediend, mogelijk als een hogere onderofficier. Hij bleek op beide punten gelijk te hebben. De man heette Brian Weller.

Weller had het over het pak met vijftigdollarbiljetten van het formaat van een baksteen. 'Dus wat wilt u precies gedaan hebben?'

'Ik wil dat een man zonder ophef in Londen van de straat wordt gehaald, naar een rustige en afgelegen plaats wordt gebracht, daar maximaal een maand opgesloten wordt gehouden en daarna wordt teruggebracht naar waar hij vandaan kwam. Geen ruwe behandeling – gewoon een leuke vakantie ver bij Londen en welke telefoon dan ook vandaan.'

Weller dacht erover na. Hij twijfelde er niet aan dat deze kidnapping illegaal was, maar zijn filosofie was eenvoudig en militair: er waren goede en slechte mensen en die laatste groep kwam er veel te gemakkelijk van af.

De doodstraf was illegaal, maar hij had twee dochtertjes en wanneer de een of andere smerige 'kinderlokker' iets met hen uithaalde, zou hij hen zonder een moment te aarzelen naar een andere en misschien betere wereld sturen.

'Hoe slecht is die vent?'

'Hij helpt terroristen. Onopvallend, met geld. De man die hij nu helpt, heeft vier Britten en vijftien Amerikanen gedood. Een terrorist.'

Weller gromde. Hij was drie keer naar Helmand in Afghanistan geweest en had goede vrienden van hem zien sterven. 'Bodyguards?'

'Nee. Soms een gehuurde limousine met chauffeur. Meestal een zwarte taxi die hij gewoon op straat aanhoudt.'

'Hebt u een plaats in gedachten waar we hem kunnen pakken?'

'Nog niet. Maar daar zorg ik voor.'

'Ik zou een grondig onderzoek willen uitvoeren voordat ik een besluit neem.'

'Ik zou meteen vertrekken als u dat niet zou doen,' zei Tracker.

Weller keek op van het pak bankbiljetten en keek de Amerikaan die tegenover hem zat onderzoekend aan. Er werd niets gezegd. Dat was niet nodig. Hij was ervan overtuigd dat deze Amerikaan ook de oorlog had meegemaakt, door de vijand was beschoten, maten had zien sterven. Hij knikte. 'Ik kom wel naar Londen. Komt morgen uit, Boss?'

Tracker onderdrukte een glimlach. Hij herkende deze aanspreektitel, zo noemden de soldaten van de Britse Royal Marines een officier – in zijn gezicht. Achter zijn rug om werd hij heel anders genoemd, meestal 'Rupert', soms iets ergers. 'Morgen is prima. Dit is duizend dollar voor uw moeite. Hou het maar wanneer u ja zegt en geef het maar terug wanneer u besluit het niet te doen.'

'En hoe weet u dat ik dat zal doen? Het teruggeven?'

Tracker stond op om te vertrekken. 'Meneer Weller, volgens mij kennen we allebei de regels. We hebben dit allebei al vaker bij de hand gehad.'

Nadat Tracker was vertrokken en een tijd en verzamelplaats ver bij de ambassade vandaan had afgesproken, telde Brian Weller het geld. Vijfentwintigduizend dollar. Vijf voor onkosten; de Amerikaan zou voor de schuilplaats zorgen. Hij moest de opleiding van zijn twee dochtertjes betalen, zijn vrouw onderhouden, eten op tafel zetten en hij bezat vaardigheden die niet bepaald veel marktwaarde hadden tijdens de theevisite bij de dominee.

Hij ging naar de afspraak, nam een maat van zijn voormalige eenheid mee en spendeerde een week aan een grondig vooronderzoek. Toen zei hij ja.

Ali Abdi vatte moed en ging op bezoek bij Al-Afrit. 'Het gaat goed,' zei hij. 'We zullen een prima losgeldsom voor de *Malmö* kunnen krijgen.'

Daarna sneed hij een ander onderwerp aan. 'Die blonde jongen. Als hij sterft, zal dat de zaak compliceren, vertraging veroorzaken, de hoogte van het losgeld verlagen.' Hij zei niet dat de kans groot was dat Europese commando's de kust zouden bestormen tijdens een reddingsoperatie, zijn eigen nachtmerrie. Dat zou de man tegenover hem misschien alleen maar uitdagen.

'Waarom zou hij sterven?' gromde de warlord.

Abdi haalde zijn schouders op. 'Wie weet? Aan een infectie, bloedvergiftiging.'

Hij kreeg zijn zin. Er was een arts in Garacad die in elk geval de basisbeginselen van eerste hulp kende. De wonden van de aspirant-officier werden gedesinfecteerd en verbonden. Hij werd nog altijd gevangengehouden in de kelder en daar kon of durfde Abdi niets aan te doen.

'In dat gebied wordt op herten gejaagd,' zei de makelaar. 'Maar de hertenbokken worden al bronstig, dus is het jachtseizoen bijna afgelopen.'

Tracker glimlachte. Hij speelde weer de onschuldige Amerikaanse toerist. 'Nou, die bokken hoeven niet bang voor me te zijn, hoor. Nee, ik wil gewoon mijn boek schrijven en daarvoor heb ik strikte rust en stilte nodig. Geen telefoons, geen wegen, niemand die me belt of stoort. Een leuke hut buiten de gebaande paden waar ik mijn meesterwerk kan schrijven.'

De makelaar kende wel een paar auteurs. Maffe lui. Hij sloeg weer een paar toetsen aan en keek naar het beeldscherm van zijn computer. 'We hebben een kleine jachtschuilhut,' zei hij. 'Vrij tot het jachtseizoen weer begint.'

Hij stond op en liep naar een landkaart aan de muur. Hij zocht even naar de precieze locatie en tikte toen op een leeg gedeelte van de kaart zonder steden, zonder dorpen en zelfs zonder wegen. Er liepen alleen een paar kronkelende paden naartoe. In het noorden van Caithness, het meest noordelijke graafschap van Schotland voor de woeste Pentland Firth. 'Ik heb wel een paar foto's.' Hij liep terug naar het computerscherm en liet enkele foto's zien.

De hut, inderdaad van hout, stond te midden van een eindeloze zee van golvende heide in een groot dal omringd door hoge heuvels. Precies een plaats waar een geboren stedeling die probeerde te vluchten en twee mariniers achter zich aan had hoogstens vijfhonderd meter kon afleggen voordat hij in elkaar zakte.

Er waren twee slaapkamers, een grote woonkamer, een keuken en douche, en een enorme open haard met een heleboel openhaardhout.

'Ik denk echt dat ik mijn Shangri-La heb gevonden,' zei de toerist/schrijver. 'Ik heb nog geen tijd gehad een bankrekening te openen. Accepteert u ook contanten?'

Contanten waren prima. Binnen een paar dagen zouden de routebeschrijving en de sleutels worden verzonden, maar dan naar Hamworthy.

Mustafa Dardari had besloten dat hij in Londen niet zelf een auto wilde hebben of besturen. Parkeren bijvoorbeeld was een constante gruwel waar hij absoluut geen behoefte aan had. En in zijn deel van Knightsbridge reden altijd wel taxi's die comfortabel maar duur waren; dat was geen probleem. Voor een chic avondje uit of een officieel diner maakte hij gebruik van een limousinebedrijf; altijd dezelfde firma en meestal dezelfde chauffeur.

Hij had anderhalve kilometer bij zijn huis vandaan bij vrienden gedineerd en terwijl hij afscheid nam, pakte hij zijn mobiele telefoon om de chauffeur te laten weten dat hij hem op de bekende plaats op kon pikken, een plaats waar dubbele gele lijnen aangaven dat er een parkeerverbod gold. In verband met die dubbele gele lijnen had de chauffeur om de hoek gewacht.

Hij startte de motor en gaf gas. De auto had één meter gereden toen een van de achterbanden lek raakte. Hij stapte uit, liep ernaartoe en zag dat de een of andere onverlaat een stukje multiplex met een vlijmscherpe spijker erin voor de band had gelegd, terwijl hij achter het stuur had zitten suffen. De chauffeur belde zijn klant en vertelde wat het probleem was. Hij zou de band verwisselen, maar het was een zware, grote limo zodat het wel even zou duren.

Terwijl meneer Dardari stond te wachten en de andere gasten vertrokken, kwam er een lege taxi de hoek om rijden. Dardari stak zijn hand op en de taxi stopte. Gelukkig. Hij stapte in en gaf zijn adres op. De taxi reed inderdaad de juiste kant op.

Taxichauffeurs in Londen activeren het slot van de achterportieren zodra hun klant is ingestapt en heeft plaatsgenomen. Dit voorkomt dat de passagier ervandoor gaat zonder te betalen, maar ook dat ze worden gemolesteerd door herrieschoppers die willen instappen en naast hen willen gaan zitten. Maar deze stomkop leek dat te zijn vergeten.

Ze waren nog niet uit het zicht van de chauffeur van de limo die over zijn auto gebogen stond, of de taxi stopte bij de stoeprand. Meteen trok een potige man het portier open en stapte in. Dardari protesteerde en zei dat deze taxi al bezet was.

Maar de potige man trok het portier achter zich dicht en zei: 'Dat klopt, meneer. Door mij.'

De man greep de Pakistaanse magnaat met één arm stevig vast, terwijl hij met zijn andere hand een grote in chloroform gedoopte doek op zijn neus en mond drukte.

Twintig seconden later verzette Dardari zich niet meer. Anderhalve kilometer verderop werd hij in een minibusje getild die door een derde oud-commando werd bestuurd. De taxi, geleend van een makker die tegenwoordig de kost verdiende als taxichauffeur, werd volgens afspraak ergens achtergelaten met de sleutels onder de stoel.

Twee mannen zaten op de bank achter de chauffeur met hun verdoofde gast tussen hen in gepropt, tot ze Londen ver achter zich hadden gelaten. Daarna werd hij in een eenpersoonsbed tussen de banken gelegd. Twee keer probeerde hij wakker te worden, maar elke keer werd hij opnieuw verdoofd.

Het was een lange rit naar het noorden, maar ze deden het binnen veertien uur met behulp van gps en satelliet-navigatie. Het kostte wat geduw en getrek om het minibusje over het laatste stuk van het pad te krijgen, maar bij zonsondergang waren ze er en voerde Brian Weller een telefoongesprek. Er stonden geen masten in de buurt, maar dat was geen enkel probleem, want hij had een satelliettelefoon meegenomen.

Tracker belde Ariel, maar via zijn vertrouwde en veilige lijn, zodat zelfs Fort Meade of Cheltenham niet konden meeluisteren. Het was halverwege de middag in Centreville, Virginia. 'Ariel, herinner je je die computer in Londen die je een tijdje terug hebt gehackt? Kun je nu e-mails versturen terwijl het net lijkt alsof die door die computer zijn verstuurd?'

'Natuurlijk, overste. Ik kan er zo in.'

'En daarvoor hoef je Virginia niet te verlaten, toch?'

Ariel snapte er niets van dat iemand zo weinig verstand van internet had. Hij was immers in staat om Mustafa Dardari te 'worden' die een mailtje verstuurde vanuit Pelham Crescent, Londen.

'En weet je nog dat de afzender voor deze mails een code gebruikte die gebaseerd was op de groente- en fruitprijzen? Zou je de tekst met diezelfde code kunnen versleutelen?'

'Natuurlijk, overste. Ik heb die code gekraakt, dus kan ik hem ook gebruiken.'

'Precies zoals hij was? Alsof de oude gebruiker weer achter die computer zat?'

'Identiek.'

'Geweldig. Ik wil dat je een bericht verstuurt van het Protocol in Londen aan de ontvanger in Kismayo. Heb je pen en papier?'

'Heb ik wát?'

'Ik weet dat het ouderwets is, maar ik wil het je doorgeven via deze veilige telefoon en niet via de mail, gewoon voor de zekerheid.'

Het was even stil terwijl Ariel naar beneden klom en terugkwam met objecten waarvan hij amper wist hoe hij die moest gebruiken.

Tracker dicteerde zijn bericht. Dit werd versleuteld met precies dezelfde code die Dardari zou hebben gebruikt en vervolgens verzonden. Omdat alles van Dardari naar Somalië nu werd afgetapt, werd deze opgevangen door Fort Meade en Cheltenham, en weer ontcijferd.

Er werden een paar wenkbrauwen opgetrokken in de beide afluistercentrales, maar de opdracht luidde: wel afluisteren maar niet mee bemoeien. Volgens de dienstopdracht stuurde Fort Meade een kopie naar TOSA, die het weer doorgaf aan Tracker, die het met een uitgestreken gezicht in ontvangst nam.

De ontvanger van de e-mail in Kismayo was niet de Trol, die was nu dood, maar zijn vervanger, Jamma de voormalige secretaris. Hij decodeerde de e-mail woord voor woord met gebruikmaking van de sleutel die de Trol had achtergelaten. Maar hij was geen expert, zelfs als de vervalsing ontdekt had kunnen worden. Wat niet zo was. Zelfs de vereiste typefouten stonden erin.

Omdat het onhandig is om e-mails in het Urdu of Arabisch te versturen, hadden de Trol en de Prediker altijd Engels gebruikt. De nieuwe tekst was in het Engels, wat Jamma, een Somaliër, wel kende, maar niet even vloeiend. Maar hij kende de taal voldoende om te weten dat dit belangrijk was en onmiddellijk naar de Prediker moest worden gebracht.

Hij was een van de weinigen die wisten dat de zogenaamde verschijning van de Prediker op internet nep was, omdat zijn meester al ruim drie weken geen uitzendingen meer had verzorgd. Maar hij wist ook dat de meeste bezoekers van de fanwebsite in de uitgestrekte islamitische wereld in het Westen vol afschuw waren. Hij had de geposte commentaren gezien die elk uur binnenkwamen. Zelf was hij de Prediker echter nog altijd volkomen trouw. Hij zou de lange en vermoeiende reis terug naar Marka maken met het bericht uit Londen.

Net zoals Jamma ervan overtuigd was dat hij naar Dardari had geluisterd, waren Fort Meade en Cheltenham ervan overtuigd dat de voedselmagnaat achter zijn bureau in Londen zat en zijn vriend in Somalië hielp.

Maar de echte Dardari zat ellendig naar de druilerige septemberregen te kijken, terwijl achter hem de drie voormalige mariniers van de 3rd Commando Brigade bij een laaiend vuur lacherig herinneringen ophaalden aan alle gevechten die ze hadden meegemaakt. Dikke grijze wolken dreven over het Schotse dal en geselden het dak met dikke regendruppels.

In de zinderende hitte van Kismayo vulde de trouwe Jamma de benzinetank van de pick-up voor de lange rit van die nacht naar Marka.

In Londen maakte Gareth Evans het eerste miljoen van Harry Anderssons dollars over op Abdi's geheime bankrekening op Grand Cayman en ging ervan uit dat hij over drie weken de *Malmö*, zijn lading en bemanning weer in de vaart zou hebben onder escorte van een torpedobootjager van de NAVO.

In een safehouse van de ambassade in Londen vroeg Tracker zich af of zijn vis zou bijten. Zodra het donker werd in Virginia belde hij het hoofdkwartier van TOSA. 'Gray Fox, misschien heb ik de Gulfstream nodig. Kun je die voor mij terugsturen naar Northolt?' vroeg hij.

13

De Prediker zat in zijn studeerkamer in zijn compound in Marka en dacht aan zijn vijand. Hij was niet dom, hij wist dat hij een vijand had. Dat bleek wel uit die neppreek op zijn website die zijn reputatie feitelijk had vernietigd.

Tien jaar lang had hij ervoor gezorgd dat hij van alle Al Qaida-terroristen de meest ongrijpbare was. Hij was van het ene safehouse in de bergen van Noord- en Zuid-Waziristan naar het andere verhuisd. Hij had zijn naam en zijn uiterlijk veranderd. Hij had verboden dat er zelfs maar een camera bij hem in de buurt kwam. In tegenstelling tot minstens twaalf anderen, die nu allemaal dood waren, had hij nooit gebruikgemaakt van een mobiele telefoon, omdat hij uitstekend wist dat de Amerikanen zelfs de zachtste fluistering in cyberspace konden opvangen, en de bron traceren tot één bepaald huis, waarna ze dat huis zouden bombarderen en de gebouwen en iedereen die binnen was, weg zouden vagen.

Op één uitzondering na, waar hij nu bitter spijt van had, had hij nooit een e-mail verzonden vanuit het huis waar hij woonde. Hij had zijn haatpreken altijd kilometers bij zijn woning vandaan verzonden.

Toch had iemand zich naar binnen gedrongen. De acteur van die neppreek leek te sprekend op hem. De man die eruitzag zoals hij en die sprak zoals hij had de wereld zijn echte naam verteld én het pseudoniem dat hij had gebruikt als beul in de Khorasan.

Hij wist niet waarom hij was verraden of wie hem had verraden, maar hij moest zich erbij neerleggen dat zijn achtervolger het echte IP-adres van zijn computer in Kismayo was binnengedrongen. Hij wist niet hoe dat mogelijk was, want de Trol had hem ervan verzekerd dat dit niet kon. Maar de Trol was dood.

Hij kende het fenomeen UAV. Hij had in de westerse pers artikelen gelezen over UAV's en over wat ze konden. Toch waren er vast en zeker details die zelfs niet in de technische publicaties waren verschenen. Hij moest ervan uitgaan dat hij was opgespoord en dat er – hoog boven zijn hoofd, onzichtbaar, onhoorbaar – een machine rondcirkelde die zijn stad en zelfs zijn compound in de gaten hield.

Hieruit concludeerde hij dat hij elke band met zijn huidige leven moest doorsnijden en weer moest verdwijnen. Op dat moment kwam Jamma uit Kismayo met een bericht van zijn vriend Mustafa in Londen dat alles veranderde. Het ging om vijftig miljoen dollar.

De Prediker ontbood zijn vroegere secretaris, nu de vervanger van de Trol. 'Jamma, mijn broeder, je bent moe. Het was een lange reis. Rust uit, ga slapen, eet. Je gaat niet terug naar Kismayo. Dat is opgegeven. Maar je gaat een andere reis maken. Morgen, misschien de dag daarna.'

Gray Fox had via de veilige verbinding vanuit het hoofdkwartier van TOSA contact met de operations room van Tracker bij de Amerikaanse ambassade aan Grosvenor Square. Hij begreep er niets van en dat liet hij merken ook. 'Tracker, ben jij echt van plan de communicatie tussen de helper in Londen en zijn vriend in Marka op te voeren?'

'Zeker weten. Waarom?'

'De informatie die hij aan de Prediker heeft doorgegeven. Iets wat hij heeft gehoord van de een of andere stompzinnige advocaat tijdens een etentje in Belgravia.'

Tracker dacht na over zijn antwoord. Er is een subtiel verschil tussen liegen en wat een voormalige Britse minister ooit 'zuinig zijn met de waarheid' heeft genoemd. 'Dat schijnt Dardari te zeggen.'

'Wat denken de Britten?'

'Ze denken,' zei Tracker heel eerlijk, 'dat die klootzak in zijn Londense herenhuis onzin zit te verkopen aan zijn vriend in het zuiden. Trouwens, worden mijn verzoeken nog steeds geweigerd door de hoge heren?'

Hij wilde het over iets anders hebben dan over Mustafa Dardari die vanuit Londen berichten verstuurde, terwijl hij in werkelijkheid in Caithness in gezelschap van drie ex-commando's naar de regen zat te staren.

'Zeker weten, Tracker. Geen raketten in verband met agent Opaal, geen strandaanvallen en geen helikopteraanvallen vanuit onze compound in Mogadishu. Eén met een granaatwerper afgeschoten raket in een helikopter vol Delta Boys en we hebben een nieuwe Somalische

ramp. Je moet een andere manier zien te vinden.'
'Ja, Boss,' zei Tracker en hij verbrak de verbinding.

De Prediker had gelijk met te denken dat hij zijn computer in Kismayo niet meer kon gebruiken voor geheime informatie-uitwisseling, maar hij realiseerde zich niet dat zijn bondgenoot in Londen, zijn jeugdvriend en geheime medestander, ook was ontmaskerd en dat de code van zijn berichten, die verstopt zat in de groente- en fruitprijslijst, ook was gebroken. Dus stuurde hij Dardari een verzoek vanuit Marka. Dat werd onderschept en ontcijferd.

'Overste Jackson?'
'Ja, Ariel.'
'Er worden bijzonder vreemde berichten verstuurd tussen Marka en Londen.'
'Ja, dat zou jij moeten weten, Ariel. Die verstuur jij zelf uit naam van Dardari.'
'Ja, maar Marka heeft net geantwoord. Hij vraagt of zijn vriend hem een miljoen dollar wil lenen.'
Dit had hij moeten voorzien. Daarvoor was het budget ruim voldoende; dat bedrag was maar een fractie van de kosten van één enkele raket. Maar waarom zou hij belastinggeld verspillen?
'Zegt hij hoe dat geld moet worden verstuurd?'
'Hij heeft het over iets wat Dahabshiil heet.'
Tracker knikte, alleen in zijn Londense kantoor. Dat kende hij wel, het was een Somalisch geldtransferbedrijf. Een slimme en veilige en bijna ontraceerbare manier om geld over te maken, gebaseerd op de eeuwenoude figuur van de *hundi-man*.
Terrorisme kost geld, heel veel geld. Achter de onnozele halzen die de bommen plaatsen, vaak niet meer dan kinderen, staan de controleurs, meestal volwassen mannen die niet van plan zijn zelf te sterven. Ergens achter hen staan de *ring-chieftains*, en achter hen de financiers die vaak een op het oog eerzaam leven leiden.
Voor antiterrorisme-organisaties zijn de financiers van terrorisme vaak het ideale beginpunt voor het volgen van het papieren spoor van de operationele bankrekening naar de bron, omdat het verplaatsen van geld een papieren spoor achterlaat.
Maar dat geldt niet voor de hundi-man. In het Midden-Oosten wordt

dit systeem al eeuwenlang gebruikt. Het is begonnen omdat het indertijd veel te gevaarlijk was om zonder een klein leger met veel geld door een landschap te reizen waar het wemelde van de bandieten. Daarom neemt de hundi-man in Land A het geld aan en geeft zijn neef opdracht datzelfde bedrag, minus een commissie, uit te betalen aan de begunstigde in Land B. Er gaat geen cent een grens over; er is alleen sprake van een gecodeerd telefoongesprek en e-mailbericht.

Dahabshiil is in 1970 opgericht in Burco, Somalië, en het hoofdkantoor staat tegenwoordig in Dubai. 'Dahabshiil' is het Somalische woord voor goudsmelter en het bedrijf maakt hoofdzakelijk geld over van de honderdduizenden Somaliërs die in het buitenland werken, naar hun gezinnen in hun eigen land. Veel Somaliërs werken en wonen in Groot-Brittannië, en zijn verantwoordelijk voor een bijzonder florerend kantoor in Londen.

'Kun je inbreken in het banksysteem van Dardari?' vroeg Tracker.

'Ik zou niet weten waarom niet, overste. Als u me een dag geeft?'

Ariel ging terug naar zijn beeldscherm en zijn zevende hemel. Hij verdiepte zich in de investeringen van de Pakistaanse magnaat en de manieren waarop hij dit deed. Dat leidde hem naar diens buitenlandse bankrekeningen, waarvan de belangrijkste zijn rekening op Grand Cayman was. Deze was beschermd door ingewikkelde en geperfectioneerde firewalls. De tiener met het syndroom van Asperger op een zolderkamer in Virginia was binnen een paar uur binnen, stortte een miljoen dollar op Dardari's privérekening in Londen en vertrok weer zonder een spoor achter te laten, op de bevestiging na dat Dardari deze handeling zelf had verricht.

De transfer van een Londense bank naar het Londense kantoor van Dahabshiil was een formaliteit, net als de gegevens van de begunstigde; die stonden in de e-mail van de Prediker die Ariel had onderschept en ontcijferd. Het Somalische geldtransferbedrijf liet weten dat het in Somalië maximaal drie dagen zou kosten om een dergelijk bedrag in Amerikaanse dollars te verzamelen. En ja, ze hadden een kantoor in Marka.

Fort Meade en Cheltenham onderschepten en leidden de berichten naar en van de Londense computer, maar ze wisten alleen dat het zogenaamd Dardari was die verzond en ontving. En zij hadden de instructie om alle berichten te onderscheppen, maar zich er niet mee te bemoeien.

'Jamma, ik heb een bijzonder delicate opdracht voor je. En die kan alleen worden uitgevoerd door een Somaliër, omdat de mensen die erbij betrokken zijn geen andere talen spreken.'

Ondanks alle vernuft is de westerse technologie niet in staat de persoonlijke afgezant te onderscheppen. Tien jaar lang had Osama bin Laden, die niet in een grot woonde maar in verschillende safehouses, gecommuniceerd met medestanders over de hele wereld zonder een mobiele telefoon te gebruiken en zonder te worden afgeluisterd. Hij gebruikte persoonlijke boodschappers. De laatste persoonlijke boodschapper, Al-Koeweiti, werd ontmaskerd en over de hele wereld gevolgd, tot hij zijn achtervolgers ten slotte naar een compound in de stad Abbottabad leidde.

De Prediker stond voor Jamma en sprak het bericht uit in het Arabisch. Jamma vertaalde het in gedachten in het Somalisch en bleef het herhalen tot hij het uit zijn hoofd kende. Hij nam één Pakistaanse bodyguard mee en vertrok.

Hij nam dezelfde pick-up als waarmee hij twee dagen daarvoor met het bericht uit Londen vanuit Kismayo was gekomen. Heel ver boven hem zagen buitenlandse ogen dat er plastic jerrycans met extra benzine in de laadbak werden gezet. De mensen in een bunker bij Tampa zagen dat de jerrycans werden afgedekt met een zeildoek, maar dat was een normale voorzorgsmaatregel. Ze zagen dat er twee mannen in de cabine stapten, maar het waren niet de in een wijd gewaad gehulde Prediker of de slanke jongeman met zijn rode honkbalpetje. De pick-up vertrok; hij reed in de richting van Kismayo en het zuiden. Toen hij niet meer door de Global Hawk gezien kon worden, kreeg deze opdracht de compound weer te monitoren. Even later stopte de pick-up; de mannen die erin zaten haalden het zeildoek eraf en verfden het dak van de cabine zwart. Daarna keerden ze, namen de westelijke route langs Marka en reden naar het noorden. Bij zonsondergang passeerden ze de Mogadishu-enclave en reden verder naar Puntland en zijn ontelbare piratenholen. De rit – over wegen vol kuilen en bulten, vaak door woestijnen met vlijmscherpe stenen – naar Garacad duurde na vele malen bijtanken en banden verwisselen twee dagen.

'Meneer Gareth, met mij.' Ali Abdi belde hem op vanuit Garacad. Hij klonk opgewonden.

Gareth Evans was zowel moe als gespannen. De eindeloze opgave om te proberen te onderhandelen met mensen die geen enkel benul hadden van haast of zelfs van het verstrijken van de tijd was altijd uiterst vermoeiend voor een Europeaan. Daarom waren de beste gijzelingsonderhandelaars klein in aantal en werden ze heel goed betaald.

Bovendien werd Evans constant onder druk gezet door Harry Andersson die hem elke dag, en soms zelfs een paar keer per dag, belde met de vraag of er nieuws was van zijn zoon. Evans had geprobeerd hem uit te leggen dat wanneer Londen liet merken dat ze ook maar een heel klein beetje haast hadden, laat staan wanhopig waren, dit de zaak tien keer erger zou maken dan die al was. De Zweedse multimiljonair was een zakenman en die kant van hem accepteerde die logica. Maar hij was ook een vader en dus hield hij niet op met bellen.

'Goedemorgen, mijn vriend,' zei Evans rustig. 'Wat heeft uw opdrachtgever op deze heerlijke zonnige dag te zeggen?'

'Ik denk dat we bijna een deal hebben, meneer Gareth. We zouden nu akkoord willen gaan met zeven miljoen dollar.' Toen voegde hij eraan toe: 'Ik doe mijn best.'

Dat was een opmerking die, zelfs als hij werd afgeluisterd door een Somalische medewerker van Al-Afrit die Engels sprak, niet verkeerd kon worden opgevat. Evans realiseerde zich dat dit betekende dat de onderhandelaar in Garacad bezig was te proberen zijn tweede omkoopsom van een miljoen te verdienen. Maar zowel ten noorden als ten zuiden van de Middellandse Zee heeft het woord 'haast' twee verschillende betekenissen.

'Dat is heel goed, meneer Abdi, maar nog niet goed genoeg,' zei Evans. Het vorige minimumbedrag dat Al-Afrit twee dagen eerder acceptabel vond, was tien miljoen dollar geweest. Evans had drie geboden. Hij wist dat Harry Andersson onmiddellijk akkoord zou zijn gegaan met tien. Hij wist ook dat hierdoor in Somalië een woud van rode waarschuwingsvlaggen uit de grond zou schieten, omdat ze daar heel goed wisten dat vier of vijf miljoen dollar ongeveer het juiste bedrag was. Wanneer de Europeanen opeens zouden toegeven, zou dit op paniek wijzen en de prijs weer omhoog doen schieten tot vijftien miljoen.

'Luister, meneer Abdi, ik heb het grootste deel van de avond met Stockholm getelefoneerd en mijn opdrachtgevers hebben er met grote tegenzin in toegestemd om binnen een uur een losgeldsom van vier miljoen dollar op de internationale bankrekening van uw opdrachtgever te storten, zodat de *Malmö* een uur later zijn ankers kan lichten.

Dat is een bijzonder goed aanbod, meneer Abdi. Volgens mij weten wij dat allebei en uw opdrachtgever zal dat ook heus wel inzien.'

'Ik zal het nieuwe aanbod meteen aan hem doorgeven, meneer Gareth.'

Toen de verbinding was verbroken, dacht Gareth Evans na over de geslaagde deals met Somalische piraten in het verleden. De niet-ingewijden verbaasden zich er altijd over dat er geld werd betaald vóórdat het schip was vrijgelaten. Waarom zouden de piraten het geld niet aannemen en hun gevangenen toch niet vrijlaten?

Maar dit was het vreemde: van de honderdtachtig overeenkomsten die de onderhandelaars hadden opgeschreven en per fax of e-mail hadden uitgewisseld, allemaal keurig door beide partijen ondertekend, hadden de Somaliërs zich in slechts drie gevallen niet aan de afspraak gehouden. Want in heel Puntland realiseerden de piraten zich maar al te goed dat ze zich met piraterij bezighielden om het geld. Ze hadden geen behoefte aan schepen, ladingen of gevangenen. Wanneer ze zich deal na deal niet aan de afspraken zouden hebben gehouden, zouden ze hun 'handel' hebben bedorven. Dat deden ze uit eigenbelang, ook al waren ze gewiekst en wreed.

Normaal gesproken. Maar dit was niet normaal. Bij twee van die drie gevallen was Al-Afrit betrokken geweest. Hij was berucht, net als zijn clan. Hij was van de Sacad, een onderclan van de Habar Gidir-stam. Farrah Aidid was ook een Sacad, de wrede warlord die de hulppakketten had onderschept die door de Amerikanen in 1993 naar Somalië waren gebracht en die de Blackhawk had neergehaald en de US Rangers had afgeslacht, waarna hij hun lijken door de straten had gesleept.

Tijdens een geheim gesprek via hun satelliettelefoons hadden Ali Abdi en Gareth Evans afgesproken dat ze alleen vijf miljoen dollar zouden afspreken wanneer het oude monster in het aarden fort het ermee eens was en niet vermoedde dat zijn eigen onderhandelaar was omgekocht. Vijf miljoen was in elk geval een volkomen acceptabel bedrag, voor beide partijen. Harry Anderssons omkoopsom voor Abdi van nog eens twee miljoen dollar zou de vertraging hoogstens met tien procent verminderen, als dat mogelijk was.

Op de *Malmö* begon het onder de brandende zon vreselijk te stinken. Het Europese eten was verdwenen, opgegeten of verrot doordat de vriezers waren uitgeschakeld om brandstof te besparen. De Somalische bewakers brachten levende geiten aan boord en slachtten ze op de verschillende dekken.

Kapitein Eklund zou opdracht hebben gegeven om de dekken schoon te spuiten, maar de elektrische pompen draaiden net als de airco op brandstof, zodat hij zijn bemanning opdracht gaf met emmers zeewater op te hijsen en bezems te gebruiken.

Gelukkig wemelde het in de zee om hen heen van de vis, aangetrokken doordat het slachtafval van de geiten overboord werd gekieperd. Zowel de Europeanen als de Filipijnen vonden verse vis lekker, maar het begon eentonig te worden.

Iedereen moest zich wassen met zout water toen de elektrische douches het niet meer deden, en zoet water was vloeibaar goud, dat alleen bestemd was als drinkwater en zelfs dan afschuwelijk smaakte dankzij de zuiveringstabletten. Kapitein Eklund was blij dat er tot nu toe geen ernstig zieken waren, alleen af en toe iemand met diarree. Maar hij wist niet zeker hoe lang dat zo zou blijven. De Somaliërs namen vaak niet eens de moeite om met hun achterwerk over de reling te gaan hangen als ze zich moesten ontlasten. De Filipijnen moesten, rood van woede, het in de zinderende hitte door de spuigaten overboord vegen.

Kapitein Eklund kon niet eens meer met Stockholm praten. Zijn satelliettelefoon was afgesloten in opdracht van de man die hij 'die kleine rotzak in dat pak' noemde. Ali Abdi wilde tijdens zijn delicate onderhandelingen met het kantoor Chauncey Reynolds niet voor de voeten worden gelopen door amateurs.

De Zweedse kapitein zat aan al dit soort zaken te denken. Opeens riep zijn Oekraïense eerste stuurman dat er een motorsloep aankwam. Door zijn verrekijker kon hij de dhow onderscheiden en het keurige figuurtje in de boeg in zijn safaripak. Hij was blij met dat bezoek, want nu kon hij hem vragen hoe het ging met aspirant-officier Carlsson. Van alle aanwezigen was hij de enige die wist wie deze jongen echt was.

Maar wat hij niet wist, was dat de tiener was mishandeld. Abdi zou hem alleen vertellen dat het goed ging met Ove Carlsson en dat hij gevangenzat in het fort als een soort garantie dat de bemanning die nog aan boord was zich goed zou gedragen. Kapitein Eklund had tevergeefs gesmeekt of hij teruggebracht kon worden.

Terwijl Ali Abdi op de *Malmö* was, reed een stoffige pick-up met twee mannen erin de binnenplaats op van het fort achter het dorp. Een van de twee inzittenden was een grote, potige Pakistaan die geen Engels of Somalisch sprak. Hij bleef achter bij de truck.

De andere man werd naar Al-Afrit gebracht, die zag dat de man afkomstig was van de Harti Darod-clan, oftewel Kismayo. De Sacad-warlord had de pest aan de Harti, of eigenlijk aan iedereen uit het zuiden.

Hoewel Al-Afrit in theorie een moslim was, ging hij vrijwel nooit naar de moskee en bad hij zelden. Volgens hem waren alle zuiderlingen Al-Shabaab en getikt. Zij martelden voor Allah, hij voor zijn plezier.

De bezoeker stelde zich voor als Jamma en maakte de buigingen die gepast waren voor een sjeik. Hij zei dat hij was gekomen als persoonlijk afgezant van een sjeik uit Marka met een voorstel dat alleen bestemd was voor de oren van de warlord van Garacad.

Al-Afrit had nog nooit gehoord van een jihadistische prediker die Abu Azzam heette. Hij had een computer waarmee alleen de jongste leden van zijn mensen konden omgaan, maar zelfs als hij wel had geweten wat hij ermee moest doen, zou hij nooit van zijn leven de jihadistische website hebben bezocht. Maar hij luisterde met toenemende belangstelling.

Jamma stond voor hem en reciteerde de boodschap die hij uit zijn hoofd had geleerd. Het begon met de gebruikelijke overvloedige begroetingswoorden en ging vervolgens over naar de essentie van de boodschap. Nadat hij was uitgepraat, bleef de oude Sacad nog een paar minuten naar hem kijken.

'Hij wil hem vermoorden? Zijn keel doorsnijden? Voor de camera? En die beelden dan aan de hele wereld laten zien?'

'Ja, sjeik.'

'En mij één miljoen dollar betalen? Cash?'

'Ja, sjeik.'

Al-Afrit dacht hierover na. De blanke ongelovige doden, dat begreep hij. Maar om de westerse wereld te laten zien wat hij had gedaan, was gekkenwerk. Zij, de ongelovigen, de kuffar, zouden komen om wraak te nemen en zij bezaten heel veel vuurwapens. Hij, Al-Afrit, pikte hun schepen en hun geld, maar hij was niet zo gek om een bloedvete te ontketenen tussen zichzelf en de hele kuffar-wereld.

Ten slotte nam hij een besluit – en dat was dat hij nog geen besluit zou nemen. Hij gaf opdracht zijn gasten naar twee kamers te brengen waar ze konden uitrusten, en hun eten en drinken aan te bieden. Zodra Jamma weg was, gaf hij zijn mannen opdracht de contactsleuteltjes van hun pick-up, eventuele wapens en telefoons in beslag te nemen. Zelf droeg hij een kromme *jambiya*-dolk in een houder aan zijn riem, maar hij vond het niet goed dat iemand in zijn omgeving gewapend was.

Een uur later kwam Ali Abdi terug van zijn bezoek aan de *Malmö*, maar omdat hij weg was geweest, had hij de truck die vanuit het zuiden kwam niet zien aankomen, noch de beide bezoekers van wie er één met een bizar voorstel was gekomen.

Hij had vaste tijden afgesproken voor zijn telefoongesprekken met Gareth Evans, maar omdat Londen drie tijdzones ten westen van de Hoorn van Afrika lag, vonden die gesprekken in Garacad halverwege de ochtend plaats. De volgende dag was er dus geen enkele reden om zijn kamer vroeg te verlaten.

Hij was niet aanwezig toen Al-Afrit een van zijn meest toegewijde clanleden, een eenogige wilde die Yusuf heette, langdurig instrueerde en ook zag hij niet dat de pick-up met het zwarte dak een uur later de binnenplaats af reed.

Hij had vaag iets gehoord over een jihadistische fanaticus die via internet haat en dood predikte, maar hij had niet meegekregen dat de man volkomen in diskrediet was geraakt en ook niet dat de man online had beweerd dat hij het slachtoffer was van een samenzwering van de kuffars. Maar net als Al-Afrit had hij, hoewel om andere redenen, een afkeer van salafisten en jihadisten en alle andere extremistische maniakken, en leefde zo weinig mogelijk volgens de islamitische regels.

Hij was verbaasd en opgetogen toen hij ontdekte dat zijn opdrachtgever in een vrij goede stemming voor hun ochtendbespreking verscheen. De man was zelfs in zo'n goede bui dat hij voorstelde om hun eis te verlagen van zeven naar zes miljoen dollar, zodat ze waarschijnlijk een deal zouden sluiten. En het stamhoofd ging hiermee akkoord.

Tijdens zijn gesprek met Gareth Evans liet hij merken dat hij bijzonder tevreden was met zichzelf. Hij had de neiging om te zeggen: 'We zijn er bijna,' maar hij realiseerde zich dat die zin alleen kon betekenen dat zij samen al een bedrag hadden afgesproken. Stiekem dacht hij: Nog één week, misschien nog maar vijf dagen, en dan zal dat monster de *Malmö* laten gaan.

Zodra mijn spaarsaldo met mijn tweede miljoen dollar is aangevuld, dacht hij, kan ik heel binnenkort in een geciviliseerde omgeving van mijn pensioen gaan genieten.

Tracker begon zich zorgen te maken. In visserijtermen had hij een haak met een flink stuk aas eraan uitgezet en wachtte hij tot een grote vis zou bijten. Maar de dobber dreef roerloos op het wateroppervlak.

In zijn kantoor op de ambassade had hij de beschikking over de livebeelden die via de bunker buiten Tampa werden uitgezonden. Daar 'bestuurde' een ervaren kapitein van de luchtmacht een Global Hawk die hoog boven een compound in Marka cirkelde. Hij kon zien wat kapitein Orde kon zien: drie ommuurde huizen aan een smalle straat met aan een van de uiteinden een fruitmarkt. Maar de compound vertoonde geen tekenen van leven. Niemand kwam, niemand ging.

De Hawk zou niet alleen kijken, maar ook luisteren. Hij zou de zachtste elektronische fluistering uit die compound horen; hij zou een paar lettergrepen uit cyberspace oppikken als die via een computer of mobiele telefoon werden uitgesproken. De National Security Agency in Fort Meade, met zijn satellieten in de ruimte, zouden hetzelfde doen.

Maar al die technologie werd verslagen. Hij had niet gezien dat het dak van de pick-up met Jamma achter het stuur zwart was geschilderd, daarna was gekeerd en naar het noorden in plaats van naar het zuiden was gereden. Hij wist niet dat Jamma al op de terugweg was. Hij kon niet weten dat hij al beet had, dat er in zijn aas was gebeten en dat er een deal was gesloten tussen een sadistische Sacad in Garacad en een wanhopige Pakistaan in Marka. Volgens Donald Rumsfelds vreemde filosofie werd hij geconfronteerd met een onbekende onbekende.

Hij kon alleen maar vermoeden dat hij werd afgetroefd door barbaren die slimmer waren dan hij.

De veilige telefoon ging.

Het was kapitein Orde uit Tampa. 'Overste, er staat een *technical* bij het doelwit.'

Tracker keek weer naar het beeldscherm. De compound nam het middelste deel in beslag, ongeveer een kwart van de ruimte. Er stond een pick-up bij de poort met een zwart cabinedak. Hij herkende hem niet.

Iemand in een witte dishdasha kwam uit het huis aan de zijkant van de binnenplaats, liep over het zand en maakte het hek open. De pickup reed naar binnen. Het hek ging dicht. Drie minuscule figuurtjes stapten uit de truck en liepen het hoofdhuis in. De Prediker had bezoek.

De Prediker ontving de drie mannen in zijn kantoor. De bodyguard werd weggestuurd. Opaal stelde de afgezant uit het noorden voor. De Sacad, Yusuf, keek met zijn ene goede oog; ook hij had zijn boodschap uit het hoofd geleerd. Met een gebaar gaf de Prediker aan dat hij mocht beginnen.

De voorwaarden van Al-Afrit waren beknopt en duidelijk. Hij was bereid zijn Zweedse gevangene te ruilen voor één miljoen dollar, in cash. Zijn bediende Yusuf moest toekijken, het geld tellen en zijn meester laten weten dat hij het echt had gezien. Maar Al-Afrit zou geen voet op Al-Shabaab-land zetten. De uitwisseling zou plaatsvinden op de grens. Yusuf kende de locatie van de uitwisseling en zou de voertuigen met geld en bewakers ernaartoe brengen. De delegatie uit het noorden zou de gevangene meenemen.

'En waar is die ontmoetingsplaats?' vroeg de Prediker.

Yusuf keek hem alleen maar aan en schudde zijn hoofd.

De Prediker had al eens Pathanen ontmoet, in de Pakistaanse grensgebieden. Hij kon alle vingernagels, vingers en tenen van de man uittrekken, maar deze zou sterven voordat hij zijn mond zou opendoen. Hij knikte en glimlachte.

Hij wist dat er op geen enkele kaart een echte grens was aangegeven tussen het noorden en het zuiden. Maar kaarten waren voor de kuffar. De stamleden hadden hun eigen kaart, in hun hoofd. Zij wisten precies waar bepaalde clans, één generatie eerder, elkaar hadden bevochten om het bezit van een kameel en welke mannen waren gedood. Die plaats markeerde de plek waar de vendetta was begonnen. Zij wisten dat een man van de verkeerde clan, wanneer hij de lijn zou oversteken, zou sterven. Daar hadden zij geen kaarten van de blanken voor nodig.

Hij wist ook dat ze hem konden overvallen om hem van het geld te beroven. Maar waarvoor? Het stamhoofd uit Garacad kreeg zijn geld toch wel en hij had immers niets aan die Zweedse jongen? Alleen hij, de Prediker, was op de hoogte van de echte onthutsende waarde van de aspirant-officier uit Stockholm. Dat had zijn goede vriend in Londen hem verteld. En dankzij dat enorme bedrag zou hij weer worden gerehabiliteerd, zelfs bij de zogenaamd godvruchtige Al-Shabaab. In het noorden en in het zuiden gold: geld regeert de wereld, hoe dan ook.

Even later werd er op de deur geklopt.

Er arriveerde een nieuw voertuig bij de compound, een kleine personenauto deze keer. Op een hoogte van vijftienduizend meter was de Hawk aan het draaien en keren, aan het kijken en luisteren. Dezelfde in een wit gewaad geklede figuur liep over de ongeplaveide binnenplaats en praatte even met de chauffeur. In Tampa en Londen keken de Amerikanen toe.

De auto reed de binnenplaats niet op. Er werd een grote attachékoffer overhandigd en er werd voor ontvangst getekend. De man in het wit liep naar het hoofdgebouw.

'Volg die auto,' zei Tracker. De omtrek van de compound verdween uit beeld toen de camera hoog in de atmosfeer de auto volgde. Hij reed niet ver, iets meer dan een kilometer. Daarna stopte hij voor een klein kantoorgebouw.

'Close-up. Laat me dat gebouw even goed bekijken.'

Het kantoorgebouw kwam steeds dichterbij. De zon in Marka stond hoog, zodat er geen schaduwen te zien waren. Die zouden wel komen, lang en donker, zodra de zon in het westen boven de woestijn zou ondergaan. Lichtgroen en donkergroen; een logo en een woord dat begon met de letter D in Romeins schrift. DAHABSHIIL. Het geld was gearriveerd en afgeleverd. De camera richtte zijn blik weer op de compound van de Prediker.

De ene stapel honderddollarbiljetten na de andere werd uit de koffer gehaald en op de lange, glimmend gepoetste tafel gelegd. De Prediker was misschien wel mijlenver bij zijn roots in Rawalpindi vandaan, maar hij had een voorkeur voor traditioneel meubilair.

Yusuf had al gezegd dat hij het losgeld moest tellen. Jamma was nog steeds aan het tolken, hij vertaalde het Arabisch in het Somalisch, de enige taal die Yusuf kende. Opaal, de jongste van de twee privésecretarissen, had de attachékoffer gebracht en bleef wachten voor het geval hij nog nodig was.

Toen hij Yusuf onhandig met de stapels bankbiljetten bezig zag, vroeg Opaal hem in het Somalisch: 'Zal ik je helpen?'

'Ethiopische vuile hond!' snauwde de Sacad. 'Ik doe dit alleen.'

Hij was er twee uur mee bezig. Daarna gromde hij. 'Ik moet even bellen,' zei hij. Jamma vertaalde, de Prediker knikte. Yusuf haalde een mobiele telefoon onder zijn mantel vandaan en probeerde iemand te bellen. Maar hij had geen bereik binnen de dikke muren van het gebouw. Hij werd naar de binnenplaats gebracht.

'Er staat een vent op de binnenplaats met een mobieltje,' zei kapitein Orde in Tampa.

'Afluisteren, ik moet weten wat ze zeggen,' snauwde Tracker.

In een aarden fort in Garacad ging de telefoon over en werd er opgenomen. Het gesprek was uiterst kort. Vier woorden uit Marka en een antwoord van één woord. Daarna werd de verbinding verbroken.

'En?' vroeg Tracker.

'Het was in het Somalisch.'

'Vraag NSA.'

Ongeveer vijftienhonderd kilometer noordelijker in Maryland zette een Amerikaanse Somaliër zijn koptelefoon af. 'De ene man zei: "De dollars zijn gearriveerd." De andere antwoordde: "Morgenavond."'

Tampa belde Tracker in Londen. 'We hebben het gesprek opgevangen,' vertelden de afluisteraars hem. 'Maar ze maakten gebruik van een lokaal mobiel netwerk, Hormud. We weten waar de eerste spreker was – in Marka. We weten niet wie antwoord gaf, of waar vandaan.'

Maak je maar geen zorgen, dacht Tracker. Ik wel.

14

'Overste, ze zijn in beweging.'

Tracker had zitten suffen voor zijn beeldscherm in de Londense ambassade waarop hij kon zien wat de UAV boven Marka zag. De stem kwam uit de speaker die was verbonden met de control room in de bunker buiten Tampa. De stem was van kapitein Orde die weer dienst had.

Hij schrok wakker en keek op zijn horloge. Drie uur 's nachts in Londen en zes uur in Marka waar het nog donker was.

De Global Hawk was vervangen door eentje met volle tanks, zodat hij nog uren kon rondcirkelen voordat de brandstof op was. Aan de Somalische kust was in het oosten een minuscuul roze streepje boven de horizon te zien. De Indische Oceaan was nog steeds zwart, net als de lucht boven de stegen van Marka.

Maar in de compound van de Prediker was het licht al aan en er bewogen kleine rode vlekjes – warme lichamen, opgevangen door de warmtesensoren van de UAV. De camera's stonden nog steeds op de infraroodstand, zodat zichtbaar werd gemaakt wat er bijna tien kilometer lager in het donker gebeurde.

Terwijl Tracker zat te kijken werd het, naarmate de zon hoger aan de hemel kwam te staan, lichter; de rode vlekjes werden donkere vormen die over de binnenplaats liepen. Dertig minuten later ging een garagedeur open en reed een voertuig naar buiten. Het was geen stoffige, gedeukte pick-uptruck, het gebruikelijke vervoermiddel in Somalië voor mensen en vracht. Dit was een fraaie Toyota Landcruiser met getinte ramen, het favoriete voertuig van Al Qaida sinds Bin Ladens eerste verblijf in Afghanistan. Tracker wist dat er tien mensen in konden.

De kijkers, ruim zesduizend kilometer bij elkaar vandaan in Londen en Florida, zagen dat er maar acht donkere vormen in de SUV stapten. Ze waren niet dicht genoeg bij om te kunnen zien dat voorin al twee van de Pakistaanse bodyguards zaten: de ene zat achter het stuur en de andere zat zwaarbewapend naast hem.

Achter hen zaten de Prediker, vormeloos in een Somalisch wijd gewaad en zijn hoofd bedekt, Jamma, zijn Somalische secretaris, en Opaal. Helemaal achterin zaten de andere twee Pakistaanse bewakers. De Prediker was dus in gezelschap van de enige vier bodyguards die hij echt vertrouwde. Hij had hen alle vier meegenomen uit zijn tijd bij het Khorasan-moordcommando. Ook achterin zat Yusuf, de Sacad uit het noorden.

Om zeven uur plaatselijke tijd in Marka deden bedienden de poort open, waarop de Landcruiser wegreed. Tracker zat in een lastig parket. Was dit een afleidingsmanoeuvre? Zat het doelwit nog steeds in het huis, zou hij zich klaarmaken om weg te glippen terwijl de UAV, waarvan hij moest weten dat die boven hem rondcirkelde, zich ergens anders op richtte?

'Overste?' De man met de stuurknuppel in de bunker in Tampa moest het weten.

'Volg de truck,' zei Tracker.

Deze reed door de doolhof van straten en stegen naar de buitenwijken van de stad en vervolgens een groot pakhuis binnen met een dak van asbest. Waarna hij dus niet meer te zien was.

Tracker moest zijn best doen om niet in paniek te raken en gaf de UAV opdracht terug te gaan naar de compound, maar daar was geen enkele beweging te zien. De UAV keerde terug naar het pakhuis. Twintig minuten later verscheen de grote zwarte SUV weer en reed langzaam terug naar de compound.

Kennelijk had hij getoeterd, want een bediende kwam het huis uit en opende de poort. De Toyota reed naar binnen en stopte. Niemand stapte uit. Waarom niet? vroeg Tracker zich af. Toen snapte hij het. Er stapte niemand uit, omdat de chauffeur de enige inzittende was.

'Ga terug naar het pakhuis, snel,' beval hij kapitein Orde. De controller in Florida reageerde door gewoon van close-up uit te zoomen, zodat de hele stad in beeld kwam, maar dan minder gedetailleerd. Ze waren nog maar net op tijd.

Achter elkaar reden niet één maar vier pick-ups met een open laadbak het pakhuis uit, de zogenaamde *technicals*. Tracker was bijna in deze eenvoudige wisseltruc getrapt.

'Volg dat konvooi,' zei hij tegen Tampa. 'Waar ze ook naartoe gaan. Ik moet zelf misschien weg, maar ik hou contact met mijn smartphone.'

In Garacad werd Ali Abdi wakker door het gedreun van motoren onder zijn raam. Hij keek op zijn horloge. Zeven uur 's ochtends. Over vier uur was het tijd voor zijn gebruikelijke ochtendbespreking met Londen. Hij keek tussen de kieren in de luiken door en zag dat twee technicals de binnenplaats van het fort verlieten.

Het gaf niet. Hij was een bijzonder tevreden man. De vorige avond was Al-Afrit definitief akkoord gegaan met zijn onderhandelingsvoorstel. De piraat was bereid een schikking te treffen met Chauncey Reynolds en de verzekeraars, en accepteerde een losgeldsom van vijf miljoen Amerikaanse dollar in ruil voor de *Malmö*, inclusief lading en bemanning.

Ondanks dat ene kleine minpuntje was Abdi ervan overtuigd dat meneer Gareth ook blij zou zijn te horen dat de *Malmö*, twee uur nadat de bank van de piraten in Dubai de ontvangst van het geld had bevestigd, zou worden vrijgelaten. Op dat moment zou er vast en zeker een westerse torpedobootjager op zee zijn om het schip naar veilige wateren te escorteren. Verschillende rivaliserende clans voeren al met skiffs om het Zweedse koopvaardijschip heen voor het geval hij slecht bewaakt was en weer kon worden gekaapt.

Abdi dacht aan zijn toekomst. Het tweede miljoen van zijn omkoopsom zou verzekerd zijn. Gareth Evans zou hem niet bedriegen, voor het geval ze ooit weer met elkaar te maken kregen. Maar hij, Abdi, was de enige die kon weten dat hij ermee op zou houden en zou verhuizen naar een prachtige villa in Tunesië waar hij rustig, vredig en veilig kon wonen, kilometers bij de chaos en de moorden in zijn eigen land vandaan. Hij keek nog eens op zijn horloge, draaide zich weer om en viel in slaap.

Tracker zat nog steeds in zijn kantoor en dacht na over het beperkte aantal opties. Hij wist veel, maar hij kon niet alles weten.

Hij had een agent binnen het vijandelijke kamp. Deze zat waarschijnlijk nog geen meter bij de Prediker vandaan in een van de vier technicals die door de woestijn reden, vijftienduizend meter onder de Global Hawk. Maar hij kon geen contact opnemen met de man, en de man ook niet met hem. Opaals zender/ontvanger lag nog steeds begraven onder de vloer van zijn hut op het strand buiten Kismayo. Het zou zelfmoord hebben betekend als hij had geprobeerd ook maar iets mee te nemen naar Marka, behalve die ene onschuldig ogende pet die hij bij de casuarinabomen had gekregen.

Tracker ging ervan uit dat er ergens een ontmoeting zou zijn waar het geld voor de Zweedse gevangene zou worden overhandigd. Hij had geen spijt van wat hij had gedaan, omdat de aspirant-officier uit Stockholm meer gevaar liep bij de man die zelfs door zijn eigen clanleden 'Duivel' werd genoemd dan bij de Prediker die ervoor zou zorgen dat hij gezond en in leven bleef zodat hij geld voor hem kon krijgen.

Na de ruil zou de Prediker waarschijnlijk teruggaan naar Marka, waar hij ongrijpbaar was. Ze hadden hem alleen kunnen doden als ze hem naar de Somalische woestijn hadden kunnen lokken, naar die grote, lege weidsheid waar geen enkele burger gewond zou kunnen raken.

Maar raketten waren sowieso verboden. Dat had Gray Fox hem de vorige avond nog een keer heel duidelijk gemaakt. Terwijl de zon die nu boven Somalië scheen het eerste licht in Londen bracht, dacht Tracker na over zijn opties. Ondanks al zijn pleidooien, waren dat er niet veel.

Team Six van de SEAL's bevond zich op de basis in Little Neck, Virginia, en er was geen tijd om hen de halve aardbol te laten overvliegen. De Night Stalkers met hun helikopters voor inzet diep in vijandelijk gebied zaten in Fort Campbell, Kentucky. Bovendien dacht hij dat heli's te veel lawaai maakten. Hij was in oerwouden en woestijnen geweest. 's Nachts maken kikkers en insecten in het oerwoud een oorverdovend kabaal, terwijl het dan in de woestijn doodstil is en de wezens die daar wonen een even scherp gehoor hebben als de zwerfhonden met wie ze het woestijnzand delen. Het gedreun van helikopters kan 's nachts kilometers verderop worden gehoord.

Er was één eenheid waar hij wel van had gehoord, maar die hij nooit in actie had gezien en zelfs nooit had ontmoet. Maar hij kende hun reputatie en hun specialisme. Het waren zelfs geen Amerikanen. Er waren twee Amerikaanse units waarvan werd gezegd dat ze gelijkwaardig waren, maar de SEAL's en de Delta Boys bevonden zich aan de andere kant van de Atlantische Oceaan.

Hij werd uit zijn gedachten opgeschrikt door kapitein Orde.

'Overste, zo te zien gaan ze uit elkaar.'

Hij keek weer naar het scherm en had het gevoel dat hij een stomp in zijn maag kreeg. De vier technicals reden in colonne, maar ver uit elkaar. Er zat minstens vierhonderd meter tussen de vier voertuigen.

Dit was een voorzorgsmaatregel van de Prediker, want nu zouden de Amerikanen geen raket durven afschieten uit angst dat ze de truck waar hij in zat zouden missen. Hij kon niet weten dat hij niets te vrezen had dankzij de jonge Ethiopiër die achter hem zat. Inmiddels reden ze niet meer in een rechte lijn, maar allemaal een andere kant op.

Het konvooi bevond zich ten noorden van de door soldaten bewaakte enclave Mogadishu en reed in noordwestelijke richting het dal van de Shebele in. Er waren zes bruikbare bruggen over deze rivier tussen Ethiopië en de zee. Nu reden de vier technicals allemaal een andere kant op, alsof ze allemaal via een andere brug de rivier wilden oversteken. Zijn ene UAV kon hen niet allemaal volgen. Zelfs wanneer er maximaal was uitgezoomd, konden ze er maar twee observeren, maar dan zouden ze al te klein zijn om nog zichtbaar te zijn. De controller in Tampa vroeg met een dringende ondertoon: 'Welke, overste?'

Gareth Evans kwam iets na achten het kantoor binnen. Advocaten staan zelden vroeg op en hij was altijd als eerste op kantoor. De nachtwaker was er inmiddels aan gewend dat hij zijn kamertje achter de receptiebalie moest verlaten om de glazen deuren open te maken en de onderhandelaar binnen te laten – tenminste, als deze de nacht niet op zijn veldbed in het kantoor boven had doorgebracht.

Hij had zijn thermosfles met koffie bij zich van het nabijgelegen hotel waar Chauncey Reynolds een kamer voor hem had geregeld. Later zou die aardige mevrouw Bulstrode binnenkomen, naar de delicatessenwinkel gaan waar ze een echt ontbijt voor hem ophaalde en terugkomen voordat het koud was geworden. Hij had er geen idee van dat elke fase van zijn onderhandelingen keurig aan de Secret Intelligence Service werd doorverteld.

Om halfnegen waarschuwde een knipperend rood lichtje hem dat Ali Abdi aan de telefoon was. Gareth Evans stond zichzelf nooit toe optimistisch te zijn; daarvoor was hij al veel te vaak teleurgesteld. Maar hij dacht dat hij en de Somaliër op het punt stonden een losgeldsom overeen te komen van vijf miljoen dollar, waarvoor hij al toestemming had gekregen. De geldtransfer was niet zijn probleem, dat zouden anderen regelen. En hij wist dat er niet ver buiten de kust een Brits fregat klaarlag om de *Malmö*, zodra het zover was naar veilige wateren te escorteren.

'Ja, meneer Abdi, met Gareth Evans. Hebt u nieuws voor me? U belt vroeger dan gebruikelijk.'

'Ik heb inderdaad nieuws, meneer Gareth. Heel goed nieuws zelfs.

Het beste nieuws. Mijn opdrachtgever is akkoord gegaan met een losgeldsom van vijf miljoen dollar.'

'Dat is geweldig, mijn vriend.' Hij probeerde niet te opgetogen te klinken. Dit was de snelste vrijlating die hij ooit had geregeld. 'Ik denk dat ik het geld vandaag nog kan laten overmaken. Gaat het goed met de bemanning?'

'Ja, heel goed. Er is wel... hoe zeg je dat in het Engels... een kleine klank in de kabel, maar geen belangrijke.'

'Volgens mij bedoelt u een kink, een probleem. Maar oké, een klank is ook goed. Hoe groot is die klank, meneer Abdi?'

'Die Zweedse jongen, die aspirant-officier...'

Evans verstijfde. Hij stak zijn hand op om mevrouw Bulstrode tegen te houden die zijn ontbijt kwam brengen. 'U bedoelt Ove Carlsson. Wat is het probleem, meneer Abdi?'

'Hij kan niet komen, meneer Gareth. Mijn opdrachtgever... Ik ben bang... Ik had er niets mee te maken... Maar hij kreeg een aanbod...'

'Wat is er gebeurd met meneer Carlsson?' Evans' stem klonk helemaal niet meer opgewekt.

'Ik ben bang dat hij is verkocht aan de Al-Shabaab in het zuiden. Maar u hoeft zich geen zorgen te maken, hoor. Hij was maar een aspirant-officier.'

Gareth Evans legde de telefoon neer en begroef zijn hoofd in zijn handen. Mevrouw Bulstrode zette zijn ontbijt neer en verliet de kamer.

Agent Opaal zat klem tussen Jamma en het portier. De Prediker zat aan de andere kant. De technical, die niet dezelfde vering had als de Landcruiser, bokte, schokte en trilde bij elke steen en elk gat in de weg. Ze waren al vijf uur onderweg; het was bijna twaalf uur en het was afschuwelijk heet. De airconditioning had het al heel lang geleden opgegeven.

De Prediker en Jamma zaten te doezelen. Als het voertuig niet zo had gehost, zou Opaal ook in slaap zijn gevallen en het niet eens hebben gemerkt.

De Prediker werd wakker, boog naar voren, tikte de chauffeur op de schouder en zei iets. Hij sprak Urdu, maar de betekenis van zijn woorden bleek even later. Ze hadden keurig achter elkaar aan gereden sinds ze Marka hadden verlaten, en hun voertuig was de tweede in de rij. Vlak nadat de chauffeur op zijn schouder was getikt, draaide hij aan het stuur en nam hij een andere route.

Opaal keek achterom: de nummers drie en vier deden hetzelfde. Voor in hun auto zat alleen de chauffeur en op de achterbank zaten de Prediker, Jamma en hij. De drie bodyguards en Yusuf de Sacad zaten in de open laadbak.

Van bovenaf gezien leken de vier technicals sprekend op elkaar en op tachtig procent van de andere pick-ups in Somalië. De andere drie technicals in het konvooi waren gehuurd in Marka. Opaal wist van de UAV's; zij hadden een belangrijke rol gespeeld tijdens zijn spionage-opleiding bij de Mossad. Hij begon te kokhalzen.

Jamma keek hem geschrokken aan. 'Gaat het wel goed met je?'

'Het komt door het geschud,' zei hij.

De Prediker keek naar hem. 'Als je misselijk wordt, moet je maar in de laadbak gaan zitten,' zei hij.

Opaal opende zijn portier en ging met zijn bovenlichaam naar buiten hangen. De woestijnwind blies zijn haar voor zijn gezicht. Hij stak zijn hand uit naar de open laadbak van de truck, waarop een potige Pakistaan hem vastpakte. Nadat hij een angstig moment boven een ronddraaiend wiel had gehangen, werd hij in de laadbak getrokken. Jamma leunde opzij en trok het portier van binnenuit dicht.

Opaal glimlachte zwakjes naar de drie Pakistaanse bodyguards en de eenogige Yusuf. Ze negeerden hem. Uit zijn dishdasha haalde hij dat wat hij onder de casuarinabomen had gekregen en al een keer had gebruikt. En zette hem op zijn hoofd.

'Welke gaan we volgen, overste?' Die vraag begon echt dringend te worden. Nu de Global Hawk uitzoomde, werd de woestijn minder duidelijk zichtbaar en reden de vier trucks bijna buiten beeld.

Opeens zag Tracker iets bewegen bij een van de technicals. 'Wat is die vent aan het doen?' vroeg hij. 'Truck Twee.'

'Het lijkt alsof hij naar buiten is geklommen,' zei kapitein Orde. 'Hij zet iets op zijn hoofd. Een honkbalpetje, overste. Felrood.'

'Zoom in op Truck Twee,' snauwde Tracker. 'Vergeet die andere maar, die zijn niet belangrijk. Volg Truck Twee.'

De camera richtte zich op Truck Twee en zoomde in. De vijf mannen achter in de open laadbak werden steeds groter. Een van hen droeg een rood petje. Heel vaag konden de toeschouwers het logo van New York zien.

'God zegene je, Opaal,' zei Tracker zacht.

Tracker stond de defensie-attaché op te wachten, nadat de man net als elke ochtend acht kilometer had hardgelopen over de rustige wegen rondom Ickenham waar hij woonde. Het was acht uur. De attaché was een kolonel van de 101st Airborne Division, de Screaming Eagles.

De vraag van Tracker was kort en eenvoudig.

'Natuurlijk ken ik hem. Hij is een goeie vent.'

'Hebt u zijn privénummer?'

De attaché scrolde op zijn BlackBerry en gaf hem een nummer.

Een paar seconden later had Tracker de man aan de lijn die hij zocht, een Britse generaal-majoor, en vroeg om een gesprek.

'Mijn kantoor. Negen uur.'

'Ik zal er zijn,' zei Tracker.

Het kantoor van de DSF, de directeur van de Special Forces van het Britse leger, bevindt zich in Albany Barracks, Albany Street, in de chique woonwijk Regent's Park. Een drie meter hoge muur scheidt de groep gebouwen van de straat, en het dubbele hek wordt bewaakt door schildwachten en wordt zelden geopend voor onbekenden.

Tracker droeg burgerkleding en arriveerde per taxi, die hij wegstuurde. De bewaker bestudeerde zijn ambassadepas waarop zijn legerrang stond, voerde een telefoongesprek en liet hem door. Een andere soldaat liep met hem mee naar het hoofdgebouw, twee trappen op en naar het kantoor van de DSF achter in het gebouw.

De twee mannen waren ongeveer even oud en behalve dat waren er nog meer overeenkomsten. Ze zagen er allebei gespierd en fit uit. De Brit was drie rangen hoger dan een luitenant-kolonel en op een colbertje dat aan een haak in de hoek hing, zaten de rode revers-insignes van de generale staf. Beide mannen straalden uit dat ze harde gevechten hadden meegemaakt, en niet weinig ook.

Will Chamney was begonnen bij een garderegiment en vervolgens overgestapt naar de Special Air Service. Hij had als officier de loodzware opleiding, de selectie, overleefd en was drie jaar pelotonscommandant geweest bij D Squadron, 16de peloton, de Freefallers.

In het Regiment, zoals het wordt genoemd, kan een officier of een 'Rupert' niet zelf besluiten dat hij nog een tweede termijn wil volmaken, hij moet worden uitgenodigd. Chamney ging net op tijd terug om als commandant van een *squadron* mee te kunnen doen aan de bevrijding van Kosovo en daarna aan de Sierra Leone-affaire.

Hij zat ook in het SAS-team dat, samen met de para's, een groep Ierse soldaten bevrijdde die in hun basis diep in het oerwoud levend gevangen was genomen door een groep ledematen afhakkende rebellen. De West Side Boyz, zoals de gedrogeerde opstandelingen zichzelf noemden, verloren in nog geen uur meer dan honderd man voordat ze in het oerwoud verdwenen. Tijdens zijn derde termijn op de SAS-basis Hereford was hij kolonel en commandant van het Regiment.

Op het moment van hun ontmoeting had hij de leiding over de vier bekende units van de Special Forces: de SAS, de Special Boat Service, de Special Forces Support Group en het Surveillance and Reconnaissance Regiment.

Dankzij de bijzondere flexibiliteit van de plaatsingsofficier bij de Special Forces had hij, tussen drie opdrachten in Hereford door, leidinggegeven aan *air assault* en para-eenheden in Groot-Brittannië en Helmand, Afghanistan.

Hij had van Tracker gehoord, wist dat hij in de stad was en waarom. Hoewel TOSA de leiding had, was het doden van de Prediker al enige tijd een gezamenlijke operatie. De man had aangezet tot vier moorden op Brits grondgebied.

'Wat kan ik voor u doen?' vroeg hij nadat ze elkaar een hand hadden gegeven.

Dat vertelde Tracker min of meer uitgebreid. Hij wilde een gunst en geheimhouding was niet noodzakelijk.

De DSF luisterde zwijgend. Toen hij begon te praten, kwam hij meteen ter zake: 'Hoeveel tijd hebt u?'

'Ik vermoed tot zonsopgang morgen, en er zitten drie tijdzones tussen hier en Somalië. Daar is het net twaalf uur geweest. We moeten hem vannacht uitschakelen, anders missen we hem weer en dan waarschijnlijk voor altijd.'

'Jullie volgen hem per UAV?'

'Op dit moment hangt er een Global Hawk boven zijn hoofd. Als hij stopt, denk ik dat ze gaan overnachten. Het is daar twaalf uur donker. Van zes tot zes.'

'En een raket is uitgesloten?'

'Absoluut. Bij hem in de auto zit een Israëlische agent en die moet er levend worden uitgehaald. Wanneer hij doodgaat, zal de Mossad niet blij zijn. Om het maar zacht uit te drukken.'

'Verbaast me niets. Die lui wil je niet tegen de haren in strijken. Goed, wat wilt u van ons?'

'Pathfinders.'

Langzaam trok generaal Chamney een wenkbrauw op. 'HALO?'

'Ik denk dat dat het enige is wat succes kan hebben. Hebt u op dit moment Pathfinders in dat gebied zitten?'

De Pathfinders is misschien wel de minst bekende eenheid van het Britse leger en het is, met slechts zesendertig leden, in elk geval de kleinste eenheid. Ze zijn voornamelijk afkomstig uit het Parachute Regiment, hebben al een loodzware training achter de rug en krijgen vervolgens een nog zwaardere training. Ze opereren in zes teams van zes man. Zelfs inclusief hun support unit zijn er niet meer dan zestig, en niemand ziet hen ooit. Ze kunnen kilometers voor de gewone strijdkrachten uit worden gedropt – tijdens de invasie van Irak in 2003 waren ze bijna honderd kilometer voor de Amerikanen uit. Als ze op land opereren, maken ze gebruik van gestripte en verlengde Land Rovers in woestijnroze camouflagekleuren die *pinkies* worden genoemd. Een gevechtseenheid bestaat uit slechts twee pinkies, drie man per voertuig. Hun specialiteit is een gebied binnendringen met een HALO-sprong per parachute: *high altitude, low opening* – grote hoogte, lage opening. Dit betekent dat ze op grote hoogte uit het vliegtuig springen en hun parachute pas op het laatste moment, op lage hoogte, openen.

Soms dringen ze een oorlogsgebied binnen met een HAHO-sprong: *high altitude, high opening*. In dat geval openen ze hun parachute vrijwel meteen nadat ze uit het vliegtuig zijn gesprongen en leggen ze al 'vliegend' kilometer na kilometer af naar vijandelijk gebied, geluidloos, onzichtbaar, en landen vervolgens als een neerstrijkende spreeuw.

Generaal Chamney draaide een computerscherm naar zich toe en typte iets in. Daarna keek hij naar het beeldscherm. 'Toevallig hebben we een eenheid op Thumrait. Woestijntraining.'

Tracker wist van het bestaan van Thumrait, een luchtmachtbasis in de woestijn van Oman; het had gefungeerd als vaste basis tijdens de eerste invasie in 1990/1991 van Irak ten tijde van Saddam Hoessein.

Hij dacht even na. Met een C-130 Hercules was het ongeveer vier uur naar Djibouti, een enorme Amerikaanse luchtmachtbasis. 'Wat voor soort toestemming hebt u nodig om die aan Uncle Sam uit te lenen?'

'Hoog,' zei de DSF, 'heel erg hoog. Van onze minister-president, denk ik. Als hij ja zegt, is het ja. Maar ieder ander zou dit verzoek gewoon naar boven doorgeven.'

'En wie is de beste persoon om jullie minister-president over te halen?'

'Jullie president,' zei de generaal.

'En als hij de MP kan overhalen?'

'Dan zou de opdracht via de hiërarchie naar beneden komen: naar de minister van Defensie, naar de commandant van de defensiestaf, naar de commandant van de generale staf, naar de directeur Militaire Operaties en naar mij. En dan zou ik doen wat nodig is.'

'Dat kan de hele dag in beslag nemen. Die tijd heb ik niet.'

De DSF dacht even na. 'Luister, de jongens gaan toch naar huis. Via Bahrain en Cyprus. Ik zou hen via Djibouti naar Cyprus kunnen sturen.' Hij keek op zijn horloge. 'In Somalië is het ongeveer één uur 's middags. Als zij over twee uur opstijgen, kunnen ze rond zonsondergang in Djibouti landen. Kunt u regelen dat ze worden opgevangen en bijgetankt?'

'Zeker weten.'

'Op jullie kosten?'

'Op onze kosten.'

'Kunt u daar dan zijn om hen te briefen? Met foto's en doelwitten?'

'Ik zal hen persoonlijk ontvangen. Op Northolt heb ik een vliegtuig klaarstaan, een Gulfstream.'

Generaal Chamney grijnsde. 'Dat is de enige manier om te vliegen.'

Beide mannen hadden vele uren op de keiharde stoelen achter in schokkende transportvliegtuigen gezeten.

Tracker stond op. 'Ik moet gaan. Ik moet heel veel telefoontjes plegen.'

'Ik zal de Hercules omleiden,' zei de DSF. 'En ik zal mijn kantoor niet verlaten. Succes.'

Dertig minuten later was Tracker weer op de ambassade. Hij liep snel naar zijn kantoor en keek naar het beeldscherm met daarop de beelden die in Tampa waren opgenomen. De technical van de Prediker reed nog steeds botsend en schokkend door de okergele woestijn. De vijf mannen zaten nog steeds achterin, eentje met een rode honkbalpet op. Hij keek op zijn horloge: elf uur 's ochtends in Londen, twee uur 's middags in Somalië en nog maar zes uur 's ochtends in Washington. Oké, het schoonheidsslaapje van Gray Fox had nu lang genoeg geduurd. Hij belde hem op.

Een slaperige stem reageerde nadat de telefoon zeven keer was overgegaan. 'Wát wil je?' schreeuwde hij, nadat hem was uitgelegd wat er die ochtend in Londen was gebeurd.

'Alstublieft, vraag gewoon even of de president de Britse premier deze kleine gunst wil vragen. En geef onze basis in Djibouti opdracht om volledig mee te werken.'

'Dan moet ik de admiraal wakker maken,' zei Gray Fox. Hij doelde op de commandant van JSOC.

'Hij is zeeman en is allang wakker. Bij jullie is het al bijna zeven uur. De Commander-in-Chief staat vroeg op om zijn fitnessoefeningen te doen. Hij neemt de telefoon wel op. Vraag hem gewoon of hij met zijn vriend in Londen wil praten. Daar zijn vrienden immers voor?'

Tracker moest nog meer mensen bellen. Hij zei tegen de piloot van de Gulfstream op Northolt dat hij een vluchtplan naar Djibouti moest maken. Uit het wagenpark in de kelder van de ambassade, onder Grosvenor Square, bestelde hij een auto die hem binnen dertig minuten naar Northolt moest brengen.

Als laatste belde hij Tampa, Florida. Hoewel hij niet veel verstand had van elektronica wist hij wat hij wilde en dat het mogelijk was. Vanuit de cabine van de Gulfstream wilde hij een verbinding met de bunker van waaruit de Global Hawk werd gecontroleerd die boven de Somalische woestijn vloog. Hij zou geen beelden kunnen ontvangen, maar hij wilde continu op de hoogte worden gehouden van de route van die pick-up door de woestijn en zijn uiteindelijke eindpunt.

In het communications centre op de basis in Djibouti wilde hij rechtstreekse communicatie, geluid en beeld, met de bunker in Tampa. En hij wilde de volledige medewerking van Djibouti met hemzelf en de Britse paratroopers die later zouden arriveren. Dankzij het feit dat JSOC ook de baas was over de Amerikaanse gewapende strijdkrachten kreeg hij zijn zin.

De president van de Verenigde Staten nam het telefoontje van de Commander JSOC aan vlak nadat hij zich na zijn gebruikelijke fitnesstraining had gedoucht. 'Waarom hebben we die nodig?' vroeg hij nadat hij het verzoek had gehoord.

'Het doelwit is de man die u in het voorjaar hebt aangewezen, meneer. De man die we de Prediker noemen. Hij heeft aangezet tot acht moordaanslagen op Amerikaans grondgebied, plus de slachting van het CIA-personeel in die bus. We weten nu wie hij is en waar hij is.

Maar morgenochtend is hij waarschijnlijk alweer ondergedoken.'

'Ik herinner me hem, admiraal. Maar het duurt nog bijna vierentwintig uur voor zonsopgang. Kunnen we onze eigen mensen daar niet op tijd krijgen?'

'In Somalië is het geen ochtend, meneer de president. Daar gaat de zon al bijna onder. De Britten zijn toevallig in dat gebied. Ze waren in de buurt op een trainingsmissie.'

'Kunnen we geen raket gebruiken?'

'Er is een agent van een bevriende dienst bij hem.'

'Het moet dus van dichtbij gebeuren?'

'De enige manier, meneer. Zegt onze man ter plaatse.'

De president aarzelde. Als politicus wist hij dat een gunst vragen een wederdienst betekende, en wederdiensten kunnen later worden opgevraagd. 'Goed dan,' zei hij, 'ik bel wel.'

De Britse minister-president was in zijn kantoor in Downing Street. Het was één uur. Het was zijn gewoonte om als lunch een lichte salade te nuttigen, voordat hij Parliament Square overstak naar het House of Commons. Daarna zou hij onbereikbaar zijn. Zijn privésecretaris nam het telefoongesprek aan van de telefonist van Downing Street, legde zijn hand op het mondstuk en zei: 'Dit is de Amerikaanse president.'

De twee mannen kenden elkaar goed en konden het privé goed met elkaar vinden. Dat was niet cruciaal, maar wel bijzonder nuttig. Ze hadden allebei een charmante echtgenote en jonge kinderen. Eerst begroetten ze elkaar en vroegen hoe het met de ander ging. Onzichtbare telefonisten in Londen en Washington namen elk woord op.

'David, ik moet je om een gunst vragen.'

'Laat maar horen.'

De Amerikaanse president had niet meer dan vijf zinnen nodig. Het was een vreemd verzoek dat de premier verbaasde. Het gesprek stond op de speaker.

De Cabinet Secretary, de hoogste ambtenaar van het land, keek vragend naar zijn baas. Bureaucraten hielden niet van verrassingen. Er waren mogelijke gevolgen die overdacht moesten worden. Het droppen van Pathfinders in een ander land kon worden beschouwd als een oorlogshandeling. Maar wie regeerde de Somalische wildernis? Niemand die die naam waardig was. Hij schudde waarschuwend met zijn vinger.

‘Ik moet dit bespreken met mijn mensen. Ik bel je over twintig minuten terug. Erewoord.’

‘Dit kon weleens heel gevaarlijk zijn, meneer de premier,’ zei de Cabinet Secretary. Hij bedoelde niet gevaarlijk voor de betrokken mannen, maar gevaarlijk in de zin van internationale repercussies.

‘Zorg dat ik de chef defensiestaf en de baas van MI6, in die volgorde, aan de lijn krijg.’

De beroepssoldaat kwam eerst. ‘Ja, ik weet wat het probleem is en ik weet wat het verzoek inhoudt,’ zei hij. ‘Will Chamney heeft me dat een uur geleden verteld.’ Hij ging er gewoon van uit dat de premier wist wie de directeur van Special Forces was.

‘Maar kunnen we dit doen?’

‘Natuurlijk kunnen we dit doen. Ervan uitgaande dat ze verdomd goed worden gebrieft voordat ze naar binnen gaan. Dat doen onze vrienden. Maar als er een UAV van hen boven hangt, kunnen ze het doelwit even goed zien als ware het dag.’

‘Waar zijn de Pathfinders nu?’

‘Boven Jemen. Twee uur tot de Amerikaanse basis in Djibouti. Daar zullen ze landen en bijtanken. Dan worden ze volledig gebrieft. Wanneer de kapitein, de commandant van deze Pathfinders, tevreden is, geeft hij dat door aan Will in Albany Barracks en vraagt groen licht. En dat kan alleen van u komen, meneer de premier.’

‘Dat kan ik je binnen een uur geven. Tenminste, ik kan je de politieke beslissing laten weten. De technische uitvoering ervan is aan jullie, de profs. Ik moet nog twee telefoongesprekken voeren, dan neem ik weer contact op.’

De man die hij belde van de SIS, of MI6 of alleen maar ‘Six’ was niet het hoofd, maar Adrian Herbert.

‘Het hoofd zit in het buitenland, meneer de premier. Maar ik behandel deze zaak met onze vrienden al enkele maanden. Wat kan ik voor u doen?’

‘Weet je wat de Amerikanen vragen? Ze willen een unit van onze Pathfinders lenen.’

‘Ja,’ zei Herbert. ‘Dat weet ik.’

‘Hoe?’

‘We luisteren heel wat af, meneer de premier.’

‘Wist je dat de Amerikanen geen raket kunnen gebruiken omdat er een westerse agent voor die klootzak werkt?’

'Ja.'

'Is hij een van ons?'

'Nee.'

'Moet ik verder nog iets weten?'

'Tegen zonsondergang zal zich waarschijnlijk ook een Zweed, een gijzelaar, een paar meter verderop bevinden.'

'Hoe weet je dat verdomme?'

'Dat is ons werk, meneer de premier,' zei Herbert. Hij nam zich stilzwijgend voor een bonus voor mevrouw Bulstrode aan te vragen.

'Is het mogelijk? Beide mannen bevrijden? Het doelwit uitschakelen?'

'Dat is een militaire vraag. Dat soort dingen laten we aan hen over.'

De Britse premier was een gewiekste politicus. Wanneer de Britse Pathfinders de Zweed konden bevrijden, zouden de Zweden behoorlijk dankbaar zijn. Die erkenning vanuit Zweden zou uiteindelijk ook zijn vruchten afwerpen. 'Ik geef groen licht, als het leger besluit dat dit haalbaar is,' zei hij tien minuten later tegen de commandant van de defensiestaf.

Daarna belde hij het Oval Office terug. 'Akkoord,' zei hij tegen de president. 'Als de militairen zeggen dat het mogelijk is, zijn de Pathfinders van jullie.'

'Bedankt, dit zal ik niet vergeten,' zei de man in het Witte Huis.

Toen de telefoons in Londen en Washington werden neergelegd, vloog de tweemotorige Gulfstream het Egyptische luchtruim binnen. Zodra ze Egypte en Soedan achter zich hadden gelaten, konden ze aan de daling op Djibouti beginnen.

Buiten, op een hoogte van 33.000 voet, elfduizend meter, was de lucht nog steeds blauw, maar de zon hing als een felrode bal boven de horizon in het westen. In Somalië en op de grond zou de zon zo dadelijk ondergaan.

Tracker hoorde via zijn koptelefoon een stem vanuit Tampa. 'Ze zijn gestopt, overste. De technical is gestopt in een klein gehucht overal kilometers vandaan, op een lijn tussen de kust en de Ethiopische grens. Het zijn maar een paar huizen, twaalf tot twintig bakstenen huizen met een paar miezerige boompjes en een geitenstal. We hebben er niet eens een naam voor.'

'Je weet zeker dat ze niet doorrijden?'

'Zo te zien niet, nee. Ze klimmen eruit en staan zich uit te rekken. Ik zoom nog even in. Ik zie dat een van de mannen met een paar dorpelingen praat. En ik zie die vent met die rode honkbalpet. Hij zet hem af. Wacht, er komen nog twee technicals vanuit het noorden. En de zon is al bijna onder.'

'Zet het gps op het dorp. Voordat je op infrarood overgaat, wil ik dat je in het laatste daglicht vanuit zo veel mogelijk hoeken foto's voor me maakt. Daarna stuur je die door naar het communications centre op de Djibouti-basis.'

'Begrepen, overste. Ik ga het meteen regelen.'

De copiloot meldde zich vanuit de cockpit. 'Overste, we werden net gebeld door Djibouti Control. Een C-130 Hercules van de RAF komende uit Oman is zojuist geland.'

'Zeg tegen Djibouti dat ze goed voor hen moeten zorgen en de Herc moeten bijtanken. Zeg tegen de Britten dat ik er zo aankom. Trouwens, wat is de geschatte aankomsttijd?'

'Ze zijn net voorbij Caïro, overste. Ongeveer anderhalf uur tot de landingsbaan.'

En buiten ging de zon onder. Een paar minuten later was het donker in Zuid-Soedan, Oost-Ethiopië en heel Somalië, het begin van de maanloze nacht.

15

Overdag kan het in een woestijn gloeiend heet zijn, terwijl het er 's nachts kan vriezen. Maar Djibouti ligt aan de warme Golf van Aden, zodat er 's nachts een milde temperatuur heerst.

Tracker werd onder aan de trap van de Gulfstream opgewacht door een kolonel van de Amerikaanse luchtmacht die van de commandant van de basis opdracht had gekregen hem te verwelkomen. Tracker droeg lichte woestijncamouflagekleding en terwijl hij achter de kolonel aan liep, verbaasde hij zich over de zachte nachttemperatuur. Ze liepen over het asfalt naar de twee vertrekken in het communications centre die voor hem waren gereserveerd.

De commandant van de basis had niet veel informatie gekregen van het Air Force-hoofdkwartier in de VS, behalve dat dit een geheime operatie was van JSOC en dat hij volledige medewerking moest verlenen aan de TOSA-officier die hij alleen zou kennen als overste Jamie Jackson. Dat was de naam die Tracker gebruikte, omdat hij alle noodzakelijke documenten op die naam in zijn bezit had.

Ze liepen langs de Britse C-130 Hercules met de standaard identificatiecode op de staartvin, maar geen andere kentekens. Tracker wist dat het toestel afkomstig was van 47 Squadron van de Joint Special Forces Aviation Wing. Hij zag licht branden in de cockpit; de bemanning had besloten aan boord te blijven om een kop echte thee te drinken in plaats van de Amerikaanse versie.

Ze liepen onder de vleugel door, langs een hangar waarin het wemelde van het grondpersoneel, naar het communications centre. Onderdeel van de 'volledige medewerking'-instructie was het verwelkomen van de zes slordig uitziende Britse parachutisten die naar binnen waren gebracht en nu naar een paar beeldschermen keken die aan de muur hingen.

Een nogal opgelucht kijkende Amerikaanse Master Sergeant, van wie de badge op zijn schouder aangaf dat hij een communicatiespecialist was, draaide zich om en salueerde. Tracker salueerde ook.

Het eerste wat Tracker aan de zes Britten opviel, was dat ze woestijncamouflagekleding droegen, maar dan zonder rang- of unit-insignes. Hun gezicht en handen waren zongebruind, ze hadden een stoppelbaard en een warrige bos haar, behalve een man die zo kaal was als een biljartbal.

Een van hen, wist Tracker, moest de leidinggevende officier zijn. Hij besloot dat hij maar beter meteen de leiding kon nemen. 'Heren, ik ben luitenant-kolonel Jamie Jackson van het US Marine Corps. Uw regering, in de persoon van uw premier, is zo vriendelijk geweest mij toe te staan jullie en jullie diensten deze nacht te lenen. Wie van jullie heeft de leiding?'

Als hij dacht dat de mannen na het noemen van de premier een knieval zouden doen, dan had hij de verkeerde eenheid voor zich.

Een van de zes mannen stapte naar voren. Zodra deze zijn mond opendeed, herkende Tracker de uitspraak die je krijgt na vele jaren op een particuliere kostschool die de Britten, met hun talent om het tegenovergestelde te zeggen, een *public school* noemen. 'Dat ben ik, overste. Ik ben een kapitein en ik heet David. In onze eenheid gebruiken we geen rangen of achternamen en we salueren ook niet. Behalve voor de koningin natuurlijk.'

Tracker realiseerde zich dat hij nooit zou kunnen tippen aan een grijsharige koningin en dus zei hij alleen maar: 'Oké, als jullie maar kunnen doen wat er vannacht gedaan moet worden. En ik heet Jamie. Wil jij me even voorstellen, David?'

De andere vijf waren twee sergeanten, twee korporaals en een *trooper* – een gewone soldaat – hoewel de rang van een Pathfinder nooit wordt genoemd. Iedere man had zijn eigen specialiteit. Pete was een sergeant en *medic*, die veel meer kon dan alleen eerste hulp verlenen. Barry was de andere sergeant, expert in allerlei soorten wapens; hij zag eruit als een kruising tussen een neushoorn en een gevechtstank: hij was kolossaal. Een van de korporaals was Dai, de Wizzard of Wales, die de leiding had over de communicatie en de magische apparatuur waarmee de Pathfinders, zodra ze op de grond waren, contact konden onderhouden met Djibouti en Tampa, en de videobeelden konden zien die de UAV boven hun hoofden maakte. De andere korporaal, de kale, werd natuurlijk Curly genoemd, een bijna geniale automonteur. De jongste, zowel wat leeftijd als rang betreft, was Tim die was begonnen in het Logistics Corps en verstand had van allerlei soorten explosieven, maar ook van het onschadelijk maken van bommen.

Tracker wendde zich tot de Amerikaanse Master Sergeant. 'Praat me even bij,' zei hij en hij wees naar de beeldschermen aan de muur.

Op een groot scherm was precies te zien wat de UAV-controller op de luchtmachtbasis McDill buiten Tampa zag.

David gaf Tracker een oortje met een microfoontje eraan.

'Dit is overste Jackson op de Djibouti-basis,' zei hij. 'Is dat Tampa?' Tijdens de vlucht hiernaartoe had hij constant contact gehad met Tampa en met kapitein Orde. Maar Tampa lag acht tijdzones ten westen van zijn huidige locatie en de man was afgelost.

Een vrouw, met een zwaar zuidelijk accent, zei: 'Tampa hier, overste. Luitenant Jane Allbright aan de controls.'

'Hoe staat het ermee, luitenant?'

'Vlak voor zonsondergang arriveerde het voertuig van het doelwit in een klein gehucht in de middle of nowhere. We hebben geteld hoeveel mensen zijn uitgestapt. Vijf uit de open laadklep, onder wie een man met een rood honkbalpetje op. En drie uit de cabine.

Hun leider werd begroet door een soort dorpshoofd, maar daarna werd het donker en veranderden de menselijke vormen in warme vlekjes op infrarood. Maar in het laatste daglicht arriveerden nog twee pick-ups met een open laadbak vanuit het noorden. Daarin zaten acht mensen, van wie er een door twee anderen min of meer werd gedragen. De gevangene lijkt blond haar te hebben.

Een paar seconden later was het donker en een van de mannen uit het zuiden liep naar de groep uit het noorden. De blonde gevangene bleef bij de noordelijke groep.

Aan de warmtebeelden te zien, zijn ze ondergebracht in twee van de huizen, aan weerszijden van het centrale plein waar de drie voertuigen zijn geparkeerd. De motoren zijn afgekoeld en de voertuigen staan nu in het donker. Zo te zien is niemand uit een van de huizen gekomen. De enige warmtebeelden zijn afkomstig uit een geitenhok aan één kant van de open ruimte en een paar kleinere, volgens ons rondlopende honden.'

Tracker bedankte de luitenant en liep naar de muur met beeldschermen. Op dat moment werd het dorp bekeken door een nieuwe Global Hawk. Deze RQ-4 zou vijfendertig uur actief kunnen blijven, meer dan genoeg, en met zijn SAR en elektro-optische infraroodcamera zou hij elke beweging daarbeneden zien.

Tracker bleef een paar minuten kijken naar de rode vlekjes van de straathonden die heen en weer liepen tussen de donkere rechthoeken van de huizen. 'Heb je iets voor waakhonden, David?'

'Die schieten we dood.'

'Maakt te veel lawaai.'

'We schieten niet mis.'

'Eén kefje en de rest slaat ook aan.'

Hij wendde zich tot de Master Sergeant. 'Wil je iemand naar de ziekenboeg sturen? Vraag naar het sterkste en snelst werkende eetbare verdovingsmiddel dat ze hebben. En haal bij de kantine een paar pakken rauwe biefstuk.'

De sergeant liep naar de telefoon. De Pathfinders keken elkaar aan. Tracker liep naar de foto's van de video-opnamen, de laatste die bij daglicht waren gemaakt.

Het gehucht zat onder een dikke laag woestijnzand en was bovendien gebouwd van de plaatselijke zandsteen in diezelfde kleur, zodat hij bijna onzichtbaar was. Er stonden een paar armetierige boompjes omheen en midden op het plein stond de levensbron, een waterbron.

De schaduwen waren lang en zwart en schoven in het licht van de ondergaande zon van west naar oost. De drie technicals stonden er nog steeds, naast elkaar en vlak bij de bron. Er liepen mensen omheen, maar geen zestien. Enkelen waren kennelijk meteen naar binnen gegaan. Er waren acht foto's, vanuit verschillende hoeken genomen en die vertelden allemaal hetzelfde verhaal. Het belangrijkste was bepalen vanuit welke hoek de aanval zou moeten komen. Vanuit het zuiden.

Het huis waar de mensen uit Marka naar binnen waren gegaan, stond aan die kant en er was een pad dat vanaf dat huis de woestijn in liep.

Tracker liep naar de wandkaart, met een grote schaal, die naast de foto's aan de muur hing. Iemand had heel handig met een rood kruisje het plekje in de woestijn aangegeven waar ze zouden worden gedropt. Hij riep de zes Pathfinders bij zich en vertelde een halfuur lang welke conclusies hij had getrokken. Het meeste hadden ze echter zelf al gezien voordat hij er was.

Hij realiseerde zich dat ze binnen drie uur elk detail in zich moesten opnemen, wat normaal gesproken dagen kostte en keek op zijn horloge. Het was negen uur 's avonds. Ze konden pas tegen middernacht opstijgen. 'Dit is mijn voorstel: we landen vijf *clicks* ten zuiden van het doelwit en we *tabben* de rest.' Dat was Brits leger-slang: *click* betekent kilometer en een *tab* is een geforceerde mars, dus met volle bepakking.

David trok zijn wenkbrauwen op. 'Je zei "we", Jamie.'

'Dat klopt. Ik ben hier niet alleen maar naartoe komen vliegen om jullie te briefen. Jij hebt de leiding, maar ik spring tegelijk met jullie.'

'We springen normaal niet met passagiers, alleen als het een tandemsprong is en de passagier is vastgehaakt aan Barry hier.'

Tracker keek naar de reus die boven hem uit torende. Hij had helemaal geen zin om acht kilometer door het ijskoude duister te vallen, vastgemaakt aan deze menselijke mastodont. 'David, ik ben geen passagier. Ik ben een langeafstandsverkenner van de US Marines. Ik heb meegevochten in Irak en Afghanistan. Ik heb ervaring met diepzeeduiken en freefalling. Je mag me overal in de groep plaatsen, maar ik spring met mijn eigen parachute. Begrepen?'

'Begrepen.'

'Op welke hoogte wil je het vliegtuig verlaten?'

'25.000 voet.'

Dat was verstandig. Op die hoogte zouden de vier brullende Allisonturboprops bijna onhoorbaar zijn en zou zelfs een aandachtige luisteraar denken dat er een passagiersvliegtuig overvloog. Op de helft van die hoogte zouden er alarmbellen gaan rinkelen.

Tracker had alleen nog maar vanaf 15.000 voet, vijfduizend meter gesprongen en dat was iets totaal anders. Op 15.000 voet had je geen thermische kleding of een zuurstoftank nodig, op 25.000 voet wel. 'Oké, goed dan,' zei hij.

David vroeg de jongste, Tim, om naar buiten te gaan en een extra kit uit de Hercules te halen. Ze hadden altijd reservebenodigdheden bij zich en omdat ze na twee weken Oman onderweg waren naar huis, zat de romp van de Hercules vol met dingen die normaal gesproken aan de grond bleven. Een paar minuten later kwam Tim terug met drie mannen die een militaire overall droegen. Een van hen had een reserve BT80 bij zich, een in Frankrijk gemaakte parachute, de enige die de Pathfinders wilden gebruiken. Net als alle andere Britse speciale legeronderdelen hadden zij het voorrecht dat ze hun eigen spullen mochten uitkiezen. Behalve deze Franse parachute hadden ze gekozen voor: een Amerikaans aanvalsgeweer, de semiautomatische M4; als pistool de bij het Belgische Herstal geproduceerde 13-schots Browning; en voor het Britse SAS-gevechtmes, de K-bar.

Dai, verantwoordelijk voor de communicatiesystemen, de *comms man*, zou de Amerikaanse PRC 152 tacsat (tactische satelliet) draagbare radio en de Britse British Firestorm video-downlink optical sensor meenemen.

Twee uur tot de start van het vliegtuig. In het communications centre trokken de zeven mannen hun uitrusting aan, waarna ze zich, net als middeleeuwse ridders in een harnas, bijna niet meer zonder hulp konden bewegen. Ze vonden zelfs een paar speciale laarzen voor Tracker. Gelukkig had hij een normaal postuur en de rest van de kleding paste hem uitstekend. Daarna kreeg hij de Bergen-rugzak die onder andere een nachtkijker, water, munitie en een pistool zou bevatten.

Ze werden hierbij geholpen, vooral Tracker, door drie mannen, Parachute Dispatchers, PD's. Zij zouden, net als schildknapen vroeger, hun Pathfinders tot op de ramp, de laadklep van de C-130, bij hun sprong begeleiden. Daarbij zouden ze met een veiligheidslijn het vliegtuig vastzetten voor het geval ze zouden uitglijden.

Als generale repetitie deden ze de BT80 en de rugzak om, de ene op de rug, de andere voor de borst, en trokken de banden strak aan tot het pijn deed. Daarna volgden M4, met de loop naar beneden gericht, handschoenen, zuurstoftank en helm. Het verbaasde Tracker te zien dat zijn motorhelm precies op deze Pathfinder-helm leek, behalve dan dat aan deze helm een zwart rubberen zuurstofmasker bungelde en de bril meer op een duikbril leek. Daarna trokken ze alles weer uit.

Het was halfelf. *Take-off* zou niet later dan middernacht mogen plaatsvinden, omdat de afstand tussen Djibouti en de plaats in de Somalische woestijn die ze wilden aanvallen, bijna achthonderd kilometer bedroeg. Twee uur vliegen, had Tracker uitgerekend en een *tab* van twee uur naar het doelwit. Ze wilden om vier uur 's ochtends binnenvallen, het tijdstip waarop hun vijanden het diepst zouden slapen en het traagst zouden reageren.

Hij gaf zijn zes metgezellen nog een laatste missiebriefing. 'Deze man is het doelwit,' zei hij en hij liet een foto rondgaan, formaat ansichtkaart. Ze bekeken het gezicht aandachtig, prentten het in hun geheugen; ze waren er goed van doordrongen dat ze dit gezicht over zes uur in het groene licht van hun nachtkijker in een stinkende Somalische hut zouden kunnen zien. Het gezicht op de foto was van Tony Suarez, die elf tijdzones westelijker van de Californische zon genoot. 'Hij is een bijzonder Al Qaida-doelwit, een ervaren moordenaar die onze beide landen fel haat.'

Hij liep naar de foto's van de videobeelden die op de muur hingen. 'Hij kwam uit Marka in het zuiden, Al-Shabaab-gebied, in een pick-uptruck, een technical. Deze. Hij had zeven mannen bij zich, onder wie een gids die weer naar zijn eigen groep is vertrokken, maar daarover later meer. Zodoende zijn er nog zeven mannen over. Maar een van hen zal niet vechten. Binnen de groep van deze hufter zit een buitenlandse agent die voor ons werkt. Hij ziet er zo uit.'

Hij liet een andere foto zien, groter, een vergroting van het gezicht van Opaal in de compound in Marka, omhoogkijkend, recht in de cameralens van de Hawk. Hij droeg de rode honkbalpet.

'Met een beetje geluk hoort hij het schieten en zal hij dekking zoeken en hopelijk denkt hij eraan zijn rode petje op te zetten. Hij zal zich niet verzetten. Je mag onder geen voorwaarde op hem schieten. We houden dus zes man over die wel zullen vechten.'

De Pathfinders keken naar het zwarte Ethiopische gezicht en prentten het in hun geheugen.

'Hoe zit het met die andere groep, Boss?' vroeg de gladgeschoren Curly, de monteur.

'Juist. De UAV heeft gezien dat ons doelwit en zijn team zijn ondergebracht in dit huis hier, aan de zuidkant van het dorpsplein. Aan de overkant logeert de groep die ze daar hebben ontmoet, piraten uit het noorden, allemaal van de Sacad-clan. Zij hebben een gijzelaar bij zich, een jonge Zweedse aspirant-officier van de koopvaardij. Dit is hem.' Tracker haalde zijn laatste foto tevoorschijn. Deze had hij gekregen van Adrian Herbert van de SIS, die hem weer van mevrouw Bulstrode had gekregen. De foto was afkomstig van het aanvraagformulier voor zijn koopvaardij-identiteitsbewijs, en aangeleverd door zijn vader Harry Andersson. Hierop was een knappe blonde jongen in bedrijfskleding te zien die onschuldig in de camera keek.

'Wat doet hij daar?' vroeg David.

'Hij is het aas dat het doelwit naar deze locatie heeft gelokt. Het doelwit wil de jongen kopen en heeft een miljoen dollar bij zich om de koop te bezegelen. Misschien heeft de ruil al plaatsgevonden en in dat geval is de jongen in het huis van het doelwit en de miljoen dollar aan de overkant. Of de ruil staat gepland voor de ochtend voor vertrek. Hoe dan ook, let goed op of je een blonde jongen ziet en schiet hem niet dood.'

'Waarom zou het doelwit een Zweedse aspirant-officier willen?' vroeg Barry, de Reus.

Tracker formuleerde zijn antwoord zorgvuldig. Er was geen enkele reden om te liegen, maar dit hoefden ze niet te weten: 'De Sacads uit het noorden, die hem een paar weken geleden op zee gevangen hebben genomen, hebben te horen gekregen dat het doelwit hem wil onthoofden, live op tv. Als cadeautje voor ons in het Westen.'

De mannen waren er stil van.

'En die piraten, gaan zij ook vechten?' David, de kapitein, weer.

'Absoluut. Maar ik ga ervan uit dat ze, als ze worden gewekt door het schieten, nog beneveld zullen zijn van de nawerking van een heleboel *qat*. We weten dat ze daardoor suf of juist extreem gewelddadig worden. Wanneer we een hele serie kogels door hun ramen kunnen schieten, zullen ze niet denken dat er een stelletje freefallers uit het Westen is gearriveerd, maar dat ze worden aangevallen door hun zakenpartners die proberen de jongen te bevrijden of hun geld terug willen. Ik zou hen vanaf het open plein willen aanvallen.'

'Hoeveel, Boss? Piraten?'

'We hebben er even voor zonsondergang acht uit twee van die technicals zien stappen.'

'Dus veertien vijanden in totaal?'

'Ja, en ik zou graag zien dat de helft al dood is voordat ze uit bed zijn gestapt. En geen gevangenen.'

De zes Britten stonden voor de afbeeldingen, de foto's en de kaarten. Ze overlegden zacht met elkaar. Tracker hoorde kreten als '*shaped charge*' en '*frag*'. Hij wist dat de eerste kreet verwees naar een explosieve lading waarmee bijvoorbeeld een stevig deurslot kon worden opgeblazen en de tweede naar een scherfhandgranaat. Ze tikten op verschillende punten op de vergrote foto van het dorp die in het laatste daglicht was gemaakt. Tien minuten later waren ze klaar.

De jonge kapitein liep grijnzend naar Tracker. 'We gaan ervoor,' zei hij. 'Laten we ons klaarmaken.'

Tracker realiseerde zich dat ze akkoord waren gegaan met een operatie die was aangevraagd door de president van de VS en geautoriseerd door hun eigen premier.

'Geweldig.' Hij wist niet wat hij anders moest zeggen.

Ze verlieten het communications centre en gingen naar buiten, waar het nog steeds vrij warm was. Terwijl zij hun missie hadden besproken, hadden de drie PD's het druk gehad. In het licht van de geopende deur van de hangar lagen zeven stapels 'kit' op een rij. In deze volgorde zouden ze de buik van de Hercules binnengaan en in deze volgorde (maar dan andersom) zouden ze op een hoogte van 25.000 voet in het donker uit het vliegtuig springen.

Met behulp van de PD's trokken ze hun uitrusting aan. De leidinggevende PD, een ervaren sergeant die Jonah werd genoemd, hield zich vooral met Tracker bezig.

Tracker, in het tropenuniform van een overste van het US Marine Corps dat hij in de Gulfstream had aangetrokken, kreeg opdracht de reservewoestijncamouflagekleding die de andere zes al droegen aan te trekken.

Daarna kwam het extra gewicht, stuk voor stuk. Jonah hing de parachute op zijn rug en gespte de verschillende brede canvas banden vast die de parachute op zijn plaats hielden. Vervolgens trok hij de banden strak tot Tracker het gevoel had dat hij werd platgedrukt. Twee banden liepen vlak langs zijn beide liezen.

'Zorg dat uw ballen vrij blijven, overste,' mompelde Jonah. 'Een parachutist die zijn edele delen tussen deze banden krijgt, voelt zich niet echt prettig wanneer de parachute opengaat.'

'Daar zal ik voor zorgen,' zei hij en hij voelde even of er niets klem zat tussen de lendenbanden.

Daarna kwam de rugzak, die voor de borst werd gehangen. Hij woog veertig kilo en trok zijn bovenlichaam naar voren. De banden hiervan werden ook superstrak aangetrokken. Maar van zijn eigen militaire parachutistenopleiding wist hij dat dit allemaal met opzet gebeurde.

Met de rugzak voor de borst zou de parachutist met zijn borst naar beneden vallen en als de parachute openging, zou deze zich boven hem bevinden. Als een parachutist tijdens de vrije val op zijn rug lag en zijn parachute zich openvouwde, viel hij ermiddenin, zodat de parachute hem als een lijkwade zou omhullen als hij uiteindelijk een doodsmak maakte.

De rugzak was vooral zo zwaar door het voedsel, het water en de munitie, zoals granaten en extra patroonhouders voor zijn karabijn. Verder zaten zijn pistool en nachtkijker erin. Het was onmogelijk deze tijdens de sprong te dragen, want ze zouden worden weggerukt door de slipstream.

Jonah maakte zijn zuurstoftank vast, plus de verschillende slangen die de zuurstof naar het masker op zijn gezicht zouden leiden. Ten slotte gaf hij hem zijn helm en de strakke bril die zouden voorkomen dat zijn ogen uit de kassen werden gerukt door de luchtstroom van 240 kilometer per uur die hij tijdens de vrije val zou ervaren. Even later werd hij bevrijd van de rugzak die hij pas weer om zou krijgen vlak voordat hij ging springen.

De zeven mannen leken nu op buitenaardse wezens gecreëerd door een special effects-afdeling. Ze liepen niet, maar waggelden, langzaam en voorzichtig. Na een knikje van David liepen ze over het beton naar de geopende achterkant van de Hercules die stond te wachten, deuren open en laadklep naar beneden.

David had de volgorde bepaald waarin ze zouden springen. Als eerste zou Barry de Reus springen, omdat hij de meeste ervaring had van allemaal. Daarna kwam Tracker en meteen daarna hijzelf. De allerlaatste was de andere sergeant, Curly, ook een ervaren rot, omdat er niemand was die op hem kon letten.

Een voor een strompelden de zeven parachutisten, met behulp van de drie PD's, de helling op en de romp van de C-130 in. Het was twintig minuten voor middernacht.

Ze zaten op een rij rode canvasstoelen langs de ene kant van de romp, terwijl de PD's de verschillende tests uitvoerden. Jonah nam de persoonlijke verzorging van David en Tracker op zich.

Tracker zag dat het in het vliegtuig veel donkerder was; de enige verlichting was afkomstig van de lampen boven de deuren van de hangars. Zodra de laadklep dichtging, zouden ze dus in het pikkedonker zitten. Hij zag ook de vastgesnoerde kratten met de andere uitrustingsstukken van de unit voor de reis terug naar Engeland, en twee schimmige figuren naast de wand tussen de vrachtruimte en de cockpit. Dit waren de twee parachutepakkers, *packers,* die de eenheid altijd vergezelden; zij vouwden elke keer de parachutes op en pakten ze in. Tracker hoopte dat de man die de parachute op zijn rug had opgevouwen precies wist wat hij deed. Freefallers zeggen vaak: maak nooit ruzie met je packer.

Jonah stak zijn hand naar hem uit en tilde de bovenkant van zijn para-rugzak op om te kijken of de twee rood katoenen draden aanwezig en correct waren. Verzegeling intact. De ervaren RAF-sergeant klikte zijn zuurstofmasker aan het zuurstofsysteem van het vliegtuig en knikte. Tracker keek of zijn masker goed aansloot en luchtdicht was, en ademde in.

Een stoot bijna zuivere zuurstof. Dit zouden ze inademen tot ze op de juiste hoogte waren, om het laatste restje stikstof uit hun bloed te krijgen. Dit voorkomt decompressieziekte (stikstofbelletjes in het bloed) wanneer de para naar beneden valt. Jonah schakelde de zuurstof uit en liep naar David om hetzelfde voor hem te doen.

Van buiten kwam een hoog gierend geluid toen de startmotoren van de vier Allisons aansprongen. Jonah liep naar voren en gespte de veiligheidsriem om de knieën van Tracker vast. Het laatste wat hij voor hem deed, was het zuurstofmasker aansluiten op het zuurstofsysteem van de C-130.

Het motorlawaai veranderde in gebrul toen de laadklep de laatste lichten van luchtmachtbasis Djibouti buitensloot, met een doffe dreun dichtklapte en luchtdicht werd afgesloten.

Het was nu pikkedonker binnen. Jonah brak twee *break lights* om hem en zijn collega-PD's te helpen naar hun eigen stoelen te gaan toen de C-130 begon te taxiën.

De zittende mannen, achterovergeleund tegen hun parachutezak en met hun veertig kilo zware rugzak op schoot, werden ondergedompeld in een nachtmerrie van lawaai: het gedreun van de motoren, het gejammer van de hydraulica toen de bemanning de vleugelkleppen testten en het gegil van brandstofinjectoren.

Ze konden niet zien, alleen maar voelen, dat het viermotorige vliegtuig de startbaan op draaide, even bleef staan, in elkaar dook en naar voren schoot. Ondanks zijn bedrieglijke omvang accelereerde de Hercules snel, hief zijn neus in de lucht en verliet de startbaan al na vijfhonderd meter. Daarna klom hij steil omhoog.

Het meest gestripte vliegtuig kan niet wedijveren met de laadruimte van een C-130. Geen geluiddemping, geen verwarming, geen drukregeling en al helemaal geen catering. Tracker wist dat het nooit minder lawaaiig zou worden, maar dat het wel, naarmate de lucht ijler werd, steeds kouder zou worden. Ook is de achterkant niet luchtdicht. Ondanks zijn zuurstofmasker rook hij nu de stank van kerosine en olie.

Naast hem maakte David zijn helm los en zette hem af, waarna hij een koptelefoon opdeed. Aan dezelfde houder hing er nog een en die bood hij Tracker aan.

Jonah, die voorin tegen de wand zat, had zijn koptelefoon al opgezet. Hij moest naar de cockpit luisteren om te weten wanneer hij zich moest klaarmaken voor *P-hour* – P voor parachute. Tracker en David konden de woorden vanuit de cockpit horen, de stem van de Britse *Squadron Leader*, een oudgediende van 47 Squadron die al op enkele van de meest woeste en gevaarlijkste airstrips ter wereld met zijn 'vogel' was opgestegen en geland.

'We klimmen tot 10.000 voet,' zei hij. En toen: '*P-hour minus one hundred*.' Nog één uur en veertig minuten tot de sprong. Later zei hij: 'We blijven op 25.000 voet.' Er verstreken tachtig minuten.

De koptelefoon hielp het motorlawaai te dempen, maar de temperatuur had bijna het vriespunt bereikt. Jonah maakte zijn gordels los en liep naar hen toe, terwijl hij zich vasthield aan een stang langs de zijkant van de romp. Een gesprek was onmogelijk, alle communicatie verliep met handgebaren.

Voor het gezicht van ieder van de zeven mannen voerde hij zijn pantomime op: rechterhand omhoogsteken, met duim en wijsvinger een O vormen zoals duikers doen: Gaat het? De Pathfinders antwoordden op dezelfde manier. Daarna hand omhoogsteken, vuist ballen, de vingers openblazen, daarna vijf opgestoken vingers: windsnelheid op *touchdown point*, ongeveer vijf knopen. Ten slotte, vuist omhoogsteken met vijf gespreide vingers, vier keer: twintig minuten tot *P-hour*.

Voordat hij klaar was, pakte David hem bij de arm en drukte hem een plat pakje in de hand. Jonah knikte en grijnsde. Hij nam het pakje aan en verdween naar de cockpit. Toen hij terugkwam, grijnsde hij nog steeds en ging weer zitten.

Tien minuten later kwam hij terug. Deze keer hield hij tien vingers omhoog voor het gezicht van de zeven mannen. Zeven knikjes. De zeven mannen stonden op met hun rugzak in de hand, draaiden zich om en zetten de tas op hun stoel. Daarna tilden ze de veertig kilo zware last op hun borst en maakte de banden vast.

Jonah kwam eraan om Tracker te helpen en trok de banden strak, tot de Amerikaan dacht dat zijn borstkas werd fijn gedrukt, maar omdat ze met een snelheid van meer dan 240 kilometer per uur zouden vallen, mocht niets zelfs maar een centimeter verschuiven. Daarna de omschakeling van het zuurstofsysteem van het vliegtuig naar de eigen zuurstoftank.

Op dat moment hoorde Tracker een nieuw geluid. Boven het gebrul van de motoren uit kwam er muziek uit de luidspreker, keiharde muziek. Nu wist Tracker wat David aan Jonah had gegeven voor de cockpit: een cd. De grotachtige laadruimte van de C-130 werd ondergedompeld in de dreunende aanklacht van Wagners *Walküre*. De start van zijn persoonlijke kreet was het signaal: drie minuten tot *P-hour*.

De zeven mannen stonden langs de stuurboordzijde van de romp toen de laadklep met veel gedreun openging. Jonah en zijn twee assistent-PD's hadden hun veiligheidslijnen vastgemaakt zodat ze niet naar buiten konden glijden.

De laadklep, zo groot als een schuurdeur, ging omhoog en nu waaide er een ijskoude wind naar binnen, evenals de stank van kerosine en verbrande olie.

Tracker, die achter Barry de Reus als tweede in de rij stond, keek langs de voorste parachutist naar de leegte. Daar was niets, alleen inktzwarte duisternis, ijzige kou en dreunende herrie. In het vliegtuig klonken de woedende koperen muziekinstrumenten van de *Walküre* tijdens hun rit naar het Walhalla.

Nog een laatste controle. Tracker zag Jonahs mond opengaan, maar hoorde geen woord. Helemaal achteraan stond Curly, de laatste die zou springen, die de uitrusting controleerde van Tim, de trooper, die voor hem stond omdat hij zeker wilde weten dat de parachute en de zuurstofslangen goed zaten. Daarna schreeuwde hij: 'Zeven oké!'

Jonah hoorde dat waarschijnlijk, want hij knikte naar Tim die hetzelfde deed voor Pete, de medic, die voor hem stond. De wederzijdse controle golfde naar voren. Tracker voelde de klap op zijn schouder en deed hetzelfde voor Barry die voor hem stond.

Jonah stond voor de Reus, met zijn gezicht naar hem toe. Hij knikte toen Tracker de laatste controle deed, en stapte opzij. Er was niets meer te doen. Na al het geduw, getrek en gegrom konden de zeven freefallers zichzelf alleen nog maar in de nacht storten, acht kilometer boven de Somalische woestijn.

Barry zette een stap naar voren, boog zijn bovenlichaam voorover en was weg. De reden dat de rij zo dicht op elkaar stond, was dat een grote onderlinge afstand in de lucht desastreus kon zijn. Met een interval van drie seconden in het donker konden twee vallers zo ver bij elkaar vandaan raken dat ze elkaar nooit meer zouden terugvinden en zien. Volgens de instructies sprong Tracker één seconde nadat Barry's hielen uit het zicht waren.

Meteen was alles anders. Een halve seconde later was het lawaai verdwenen: het gebrul van de vier Allisons van de C-130, Wagner – alles was verdwenen en vervangen door de nachtelijke stilte, die alleen werd verbroken door een zacht en steeds luider wordend gesuis van de wind naarmate zijn snelheid boven de 160 kilometer per uur kwam.

Hij voelde dat de slipstream van de zich verwijderende Hercules probeerde hem om te gooien, met zijn voeten boven zijn hoofd en daarna op zijn rug en deed zijn best dit te voorkomen. Hoewel de maan niet scheen, verlichtten de sterren – hard en fel, koud en constant, niet vertroebeld door enige vervuiling – de hemel een beetje.

Tracker keek naar beneden en zag ver onder zich een donkere vorm. Vlak bij zijn schouder, wist hij, bevond zich David en, nog hoger, de vier anderen.

David verscheen naast hem, met zijn armen langs zijn zij; hij nam de pijlvorm aan om zijn snelheid te verhogen en Barry in te halen. Tracker deed hetzelfde. Langzaam kwam de donkere vorm voor hen dichterbij. Barry had de zeestervorm aangenomen: zijn gehandschoende vuisten gebald, armen en benen gespreid om zijn val te vertragen tot 190 kilometer per uur. Toen ze op dezelfde hoogte waren als hij, deden Tracker en David hetzelfde.

Ze vielen in een soort waaierformatie en kregen een voor een gezelschap van de andere vier. Hij zag dat David op zijn hoogtemeter keek die was ingesteld op de luchtdruk boven de woestijn.

Hoewel hij het niet kon zien, gaf de hoogtemeter aan dat het peloton de 15.000 voet gepasseerd was. Ze zouden hun parachutes op 5.000 voet openen. Als voorste springer was het Barry's taak om vooruit te gaan en te proberen om, met zijn ervaring en met gebruikmaking van het vage licht van de sterren, een zo zachte en steenvrij mogelijke landingsplaats te zoeken. Tracker deed zijn best om dicht bij de parakapitein te blijven en hetzelfde te doen wat hij deed.

Zelfs vanaf 25.000 voet duurde de vrije val slechts negentig seconden. Barry bevond zich inmiddels iets onder de andere zes en scande de grond die naar hem toe vloog. De anderen namen langzaam een lijnformatie aan, maar bleven constant oogcontact met elkaar houden.

Tracker stak zijn hand in de zak van zijn parachutezak zodat hij alvast contact had met het openingsmechanisme van de parachute. Pathfinders openen de parachute niet met de D-ring. Zij kunnen kiezen voor de *aneroid pressure-triggered release*, maar alles wat mechanisch is kan misgaan en gaat dus ook weleens mis. Als je met een snelheid van 190 kilometer per uur naar beneden valt, wil je niet ontdekken dat het ding niet heeft gefunctioneerd. David en de rest gaven de voorkeur aan de handmatige opening met de remparachute.

Die probeerde Tracker dus te pakken, een parachutevormig stukje stof aan een draad en opgeborgen in een gemakkelijk bereikbaar zakje bovenop. Wanneer dit in de slipstream wordt gegooid, zal het de hele BT80 uit zijn pak halen en openen.

Onder zich zag Tracker dat Barry de 5.000 voet-grens had bereikt en de flits van het doekje, grijs in de omringende duisternis. Uit zijn ooghoeken zag hij dat David zijn parachute ontplooide en uit het zicht verdween.

Tracker deed hetzelfde en voelde bijna onmiddellijk dat de enorme parachute hem achteruit en omhoogtrok, zo voelde het tenminste. In feite was het alleen maar een vertraging. Hij had het gevoel dat hij keihard met een auto tegen een muur reed en de airbag zich ontvouwde. Maar dat duurde slechts drie seconden, daarna zweefde hij.

De BT80 lijkt niet op de bolvormige parachutes die paratroopers tijdens een militaire oefening gebruiken. Het is een kolossale rechthoek, matrasvormig, een vliegende vleugel die de para, na een opening op grote hoogte, kilometers achter de vijandelijke linies kan brengen, ongezien door radar of het menselijk oog.

De Pathfinders vonden dat prettig en niet alleen om die reden. Hij gaat bijna geluidloos open, in tegenstelling tot het zweepslagachtige geluid van de bolparachutes dat een wachtpost op de grond kan alarmeren.

Op 800 voet maakte David zijn rugzak los, die viel en vervolgens aan een koord bijna veertig meter onder hem bleef hangen. Tracker deed hetzelfde. Ruim een meter boven hem deden de andere vier dat ook.

Tracker zag dat de grond, nu duidelijk te zien in het licht van de sterren, op hem af vloog, hoorde de plof toen de rugzak op het zand viel en voerde de laatste afremhandeling uit. Hij reikte omhoog, greep de twee stuurklosjes en trok eraan. De parachute begon te dwarrelen en vertraagde, waardoor Tracker rennend de aarde raakte. Daarna verloor de parachute zijn vorm, vouwde dubbel en viel als een verwarde massa zijde en nylontouwen op de grond. Hij gespte zijn borst- en beenharnassen los, waarna het overgebleven gedeelte van de para-zak op het zand viel. Het had zijn doel gediend. Om hem heen deden de zes Pathfinders hetzelfde.

Hij keek op zijn horloge. Vier minuten over twee. Goede timing. Maar het kostte tijd om op te ruimen en gereed te zijn voor de verplaatsing te voet.

De zeven parachutes moesten worden verzameld, net als de nu nutteloze helmen, zuurstofmaskers en zuurstoftanks. Ze werden allemaal op elkaar gestapeld, waarna drie Pathfinders ze met stenen bedekten.

Ze haalden hun pistool en nachtkijker uit hun rugzak. De sterren gaven voldoende licht, zodat de nachtkijker tijdens de mars niet nodig was, maar ze zouden hen zeker een niet te evenaren voordeel geven als ze het dorp aanvielen, omdat ze de pikdonkere nacht veranderderden in een groene en waterige dag.

Dai, het technische genie uit Wales, stond over zijn apparatuur gebogen. Dankzij de moderne technologie was hun taak eenvoudiger dan enige jaren geleden.

Ergens hoog boven hen bevond zich een Global Hawk RQ-4, die door JSOC werd bediend vanaf de luchtmachtbasis McDill, Tampa. Hij keek op hen neer en ook op het dorp. Hij kon ook elk levend wezen zien dankzij diens lichaamswarmte dat als een vaag lichtvlekje op het beeldscherm verscheen.

Het hoofdkwartier van JSOC had beeld en geluid van alles wat Tampa zag en had doorgestuurd naar het communications centre in Djibouti. Dai was bezig met het opzetten en testen van zijn directe radioverbinding met Djibouti, die hem precies kon vertellen waar hij was, de locatie van het dorp, de lijn van de mars tussen die beide locaties en of er enige activiteit was in de omgeving van het doelwit.

Na een gemompelde conversatie met Djibouti bracht Dai verslag uit aan de rest. Beide controllers konden hen zien als zeven lichte vlekjes in de woestijn. In het dorp bewoog niets, kennelijk was iedereen diep in slaap. Er waren geen mensen buiten de huizen; ze waren allemaal binnen waar ze niet konden worden gezien. Het enige bezit van het dorp, een kudde geiten, vier ezels en twee kamelen, stonden echter in een weiland of vastgebonden in het open veld, en waren duidelijk te zien.

Er waren wel een paar kleinere bewegende vlekjes zichtbaar, de zwerfhonden. De afstand was ruim zevenenhalve kilometer.

David had zijn eigen Silva-kompas en zijn Sophie-thermische infraroodkijker bij zich. Ondanks de beloftes van Tampa zette hij die nu aan en scheen in een cirkel om hen heen. Ze schrokken toen er een vlekje zichtbaar werd aan de rand van de zandvlakte die Barry als landingsplaats had uitgekozen.

Te klein voor een mens, maar groot genoeg voor het hoofd van een mens. Even later jankte hij en verdween. Een woestijnjakhals. Om 02.22 uur vertrokken ze en liepen ze achter elkaar aan naar het noorden.

16

Ze liepen min of meer in een rechte lijn achter Curly aan, die als verkenner fungeerde en alarm zou slaan bij het eerste teken van verzet. Dat was er niet. David, de kapitein, liep achter hem. Hij zwaaide met zijn kijker heen en weer, maar geen enkel warmbloedig wezen liet zich zien.

Dai droeg zijn communicatieset in een rugzakje boven op zijn rugzak achter zijn hoofd, en hij had een oortje in elk oor zodat hij elk woord uit Tampa via Djibouti kon horen, die hen vanuit de stratosfeer in de gaten hielden. Om tien minuten voor vier ging hij naast David lopen en fluisterde: 'Nog achthonderd meter, Boss.'

Deze afstand legden ze gebukt af, iedere man voorovergebogen door de veertig kilo op zijn rug. Ondertussen werd het bewolkt, zodat het zicht verminderde.

David bleef staan en maakte een golvend gebaar met zijn ene arm, waarop de mannen zich op het zand lieten zakken. David haalde een nachtkijker tevoorschijn, keek naar voren en zag het eerste van de lage, rechthoekige huizen van het dorp. Het Silva-kompas had hen tot aan de drempel van het doelwit gebracht. Hij borg de kijker weer op en zette zijn Night Vision Goggles (NVG) op. De andere zes deden hetzelfde. Hun zicht veranderde in een helderder, maar bijna onderwaterachtige groene tunnel. Een NVG versterkt het restlicht. De drager verliest zijn ruimtelijk inzicht en moet zijn hoofd draaien om links of rechts van hem iets te kunnen zien.

Nu het doelwit in zicht was, hadden de mannen hun rugzakken niet meer nodig, maar wel de munitie en de granaten die erin zaten. Ze zetten de rugzakken op de grond, maakten de schouderbanden los en stopten hun zakken vol met wapentuig. Hun M4-geweer en pistool waren al geladen.

David en Tracker kropen samen naar voren. Ze zagen precies hetzelfde als ze op een van de foto's van de videobeelden van de Global

Hawk hadden gezien. Vanaf het dorpsplein liep een pad naar dat deel van de woestijn waar zij zich nu bevonden. Verderop links stond het grotere huis dat van het dorpshoofd scheen te zijn, maar nu in beslag was genomen door de Prediker en zijn mannen.

Er kwam een kleine zwerfhond over het pad hun kant op lopen; hij bleef staan en snoof. Hij kreeg gezelschap van een tweede. Ze waren allebei schurftig, waarschijnlijk hondsdol, gewend om in het afval te wroeten en uitwerpselen te eten of, als ze echt geluk hadden, de darmen van een geslachte geit. Ze snuffelden weer, vermoedden dat verderop iets was, maar ze waren niet zo gealarmeerd dat ze begonnen te blaffen en een meerstemmig hondenalarm ontketenden.

Tracker haalde iets uit zijn borstzak en gooide het als een honkbalwerper naar de honden. Het viel met een zacht plofje op het zand van het pad. Beide honden schrokken, maar snoven eerst de geur op voordat ze begonnen te blaffen. Rauwe biefstuk. Ze liepen ernaartoe en snoven weer de lucht op, waarna de voorste hond het stukje vlees in één keer naar binnen schrokte. Even later viel er nog een stukje vlees op de grond, voor zijn vriend. Dat tweede lekkere hapje was ook razendsnel verdwenen. Tracker gooide een heleboel stukjes vlees naar het begin van het pad. Er kwamen meer honden aan, negen in totaal. Ze zagen dat de anderen de lekkernijen naar binnen schrokten en deden hetzelfde. Er waren twintig stukjes, meer dan twee per dier. Elk beest kreeg er minstens één. Daarna liepen ze snuffelend rond om te kijken of er nog meer lag. De eerste eters begonnen te wankelen, zakten even later door hun poten, vielen op hun zij en trokken met hun poten. Ten slotte bewogen ze niet meer. De andere zeven deden hetzelfde. Nog geen tien minuten na de eerste worp waren ze allemaal bewusteloos.

David stond gebukt op en gebaarde naar voren, met zijn geweer in de aanslag, vinger aan de trekker. Vijf van de mannen volgden hem. Barry bleef achter om de buitenkant van de huizen te scannen. Een ezel verderop in het dorp balkte. Niets bewoog. De vijanden sliepen door of lagen in hinderlaag. Tracker dacht het eerste. De mannen uit Marka waren net als zij vreemden, zodat de honden ook zouden hebben geblaft als zij hier rondliepen. Hij had gelijk.

De aanvalsgroep liep het pad op en naderde het huis aan de linkerkant. Het was het derde huis, aan het plein. De gemaskerde mannen zagen een dubbele deur aan de kant van het pad. Hij was gemaakt van dikke oude planken die ooit ergens anders vandaan waren gehaald, want hier vlakbij groeiden alleen sprieterige doornstruiken. De houten deur had twee handgrepen, maar geen slot met een sleutelgat. David duwde er met zijn vingertoppen tegenaan. Hij bewoog niet. Van binnenuit vergrendeld, primitief maar effectief. Ze zouden een stormram nodig hebben. Hij gebaarde naar Tim, de munitieman, wees naar de deur en trok zich terug.

Tim had iets langwerpigs in zijn hand en stopte dat in de spleet tussen de linker- en rechterhelft van de dubbele deur. Als het een metalen deur was geweest, had hij magneten of stopverf kunnen gebruiken, maar omdat het hout was, gebruikte hij punaises; hij kon ze zo met zijn duim in het hout drukken en hoefde niet te timmeren. Toen alles vastzat, activeerde hij het slagpijpje en gebaarde dat de anderen naar achteren moesten. Ze liepen zo'n vijf meter achteruit en bukten zich.

Hij had een holle lading gecreëerd, zodat de explosie niet naar buiten was gericht. De kracht van de lading zou zich alleen naar voren richten en in een fractie van een seconde als een kettingzaag door het hout gaan.

Toen de explosie plaatsvond, verbaasde Tracker zich erover dat het zo weinig lawaai maakte: een gedempt geluid, als een brekend takje. Vlak daarna waren de eerste vier mannen al door de deur geglipt die onder de minste druk openzwaaide, doordat de binnenste kruisbalk versplinterd was. Tim en Dai bleven buiten en dekten het plein met de drie pick-ups, de ezels aan hun touw en de geiten in hun weiland.

David was als eerste binnen, met Tracker vlak achter zich aan. Drie mannen lagen op de grond en kwamen, nog half slapend, overeind. De tot dan toe nachtelijke stilte werd verstoord door twee M4-geweren die automatisch vuurden. Alle drie de mannen hoorden bij de groep uit Marka, de bodyguards van de Prediker. Ze waren al dood voordat ze rechtop zaten. In een kamer achter een deur verderop werd geschreeuwd.

David bleef even staan om te kijken of ze alle drie echt dood waren; Pete en Curly kwamen ook binnen. Tracker trapte de binnendeur open en ging naar binnen. Hij hoopte dat Opaal, waar hij ook was, op de eerste schoten zou hebben gereageerd door zich op de grond te laten vallen, bij voorkeur onder een bed.

Er waren twee mannen in de kamer. Anders dan hun makkers in de hal hadden zij twee bedden van het gezin in beslag genomen, ruwhouten *charpoy's* met kameelharen dekens. Ze stonden al, maar zagen niets in het pikkedonker.

De potige man, de vierde bodyguard, had waarschijnlijk liggen soezen maar niet echt geslapen; hij was kennelijk de nachtwaker die wakker moest blijven. Hij stond rechtop, met een pistool in zijn hand en vuurde. De kogel vloog langs het hoofd van Tracker, maar wat echt pijn deed was de lichtflits uit de loop die door zijn nachtzichtbril vele malen werd versterkt. Het was alsof iemand met een schijnwerper in zijn gezicht scheen. Hij schoot blindelings, het wapen op automatisch, en zwaaide zijn wapen van links naar rechts. Zijn kogelregen doodde de beide mannen, de vierde Pakistaan en de man die Jamma, de privésecretaris, bleek te zijn.

Buiten bij de ingang naar het plein doorzochten Tim en Dai, zoals afgesproken, het huis aan de overkant van het plein, waar de mannen van de Sacad-clan uit Garacad bivakkeerden. De para's schoten heel veel kogels door elk kozijn, waar geen glas in zat, maar waar lakens voor hingen. Ze wisten dat hun kogels liggende mensen niet konden raken, dus stopten ze een nieuw magazijn in hun wapen en wachtten op de reactie. Die kwam al snel.

In het huis van het dorpshoofd was een zacht geschuifel te horen. Tracker sprong eropaf. Een derde laag bed, in de hoek. Er lag iemand onder, hij zag een stukje van een honkbalpet. 'Blijf daar,' riep hij. 'Verroer je niet. Kom er niet onderuit.' Het geschuifel hield op, de pet werd teruggetrokken.

Tracker draaide zich om naar de drie mannen achter hem. 'Veilig hierbinnen. Ga helpen met die groep uit het noorden.'

De zes mannen uit Garacad dachten dat ze waren verraden door de mannen uit Marka. Ze renden met de loop van hun kalasjnikovs naar de grond gericht tussen de ezels die schreeuwden en aan hun halsters trokken en de drie geparkeerde trucks door over het plein.

Maar het was donker buiten, de sterren waren onzichtbaar door het wolkendek. Tim en Dai kozen ieder één man uit en schoten op hem. Het mondingsvuur was genoeg voor de andere vier, en ze hieven hun Russische wapens. Tim en Dai lieten zich voorover vallen, snel. Achter hen kwamen Pete, Curly en David, hun kapitein, het pad op, zagen het mondingsvuur van de kalasjnikovs en doken ook naar de grond.

Vanuit hun liggende positie schakelden de vijf para's nog twee van de rennende mannen uit. De vijfde, die zijn magazijn had leeggeschoten, bleef staan om er een nieuwe in te doen. Hij was duidelijk zichtbaar naast de geitenwei en even later werd hij onthoofd door twee M4-kogels. De laatste man zat gehurkt achter een van de technicals, uit het zicht. Er werd niet meer geschoten. Toen hij probeerde in het donker een doelwit te vinden, stak hij zijn hoofd om de voorkant van de motorkap. Hij was zich er niet van bewust dat zijn vijanden NVG's hadden en zijn hoofd een groene voetbal leek. Een andere kogel blies zijn hersenen weg.

Daarna was het echt stil. Er kwam geen enkele reactie meer uit het huis van de piraten, maar de para's misten nog twee mannen: ze moesten er acht hebben en hadden er zes doodgeschoten. Ze maakten zich klaar om aan te vallen en zelf slachtoffers te riskeren, maar dat was niet nodig. Ver bij het dorp vandaan hoorden ze nog meer schoten, drie in totaal, één seconde na elkaar.

Toen Barry alle actie in het dorp zag, had hij zijn nutteloze wacht opgegeven en was naar de achterkant gerend. Door zijn nachtzichtkijker zag hij dat drie figuren uit de achterdeur van het piratenhuis renden. Twee droegen een wijd gewaad en de derde, die struikelend en smekend door de twee Somaliërs werd meegesleurd, had blond haar.

Barry riep niet eens iets tegen de rennende mannen. Hij stond op toen ze zo'n twintig meter bij hem vandaan waren en schoot. De man met de kalasjnikov, Yusuf met het ene oog, ging als eerste neer; de oudere man, later geïdentificeerd als Al-Afrit, de Duivel, kreeg twee kogels in zijn borst.

De enorme para liep naar zijn slachtoffers. De blonde jongen lag tussen hen in, op zijn zij, in de foetushouding, en huilde zachtjes. 'Het is in orde, jongen,' zei de oudere sergeant. 'Het is voorbij. Het is tijd om je naar huis te brengen.' Hij wilde de jongen helpen opstaan, maar deze zakte door zijn knieën. Dus tilde hij hem op als een pop, wierp hem over zijn schouder en liep terug naar het dorp.

Tracker keek door zijn NVG naar de kamer waar de laatste man van de groep uit Marka was gedood. Hij miste nog iemand. Aan één kant was een deuropening, zonder deur, maar met een laken voor de opening. Hij dook erdoorheen, onder de mogelijke vuurlinie van een eventuele schutter in het vertrek. Eenmaal binnen sprong hij naar één kant van de deurpost en hief zijn M4. Er werd niet geschoten.

Hij keek om zich heen in het vertrek, het laatste van dit huis, het beste, de kamer van het dorpshoofd. Er stond een bed met een sprei erop, maar het was leeg, het laken was opzij gesmeten. Hij zag een open haard met een paar nog steeds gloeiende kooltjes erin, pijnlijk wit door zijn bril. En er stond een grote houten armstoel waar een oude man in zat die naar hem keek. Ze keken elkaar een paar seconden zwijgend aan.

De oude man begon te praten, op heel rustige toon. 'U mag me doodschieten. Ik ben oud en mijn tijd is gekomen.' Hij sprak Somalisch, maar doordat Tracker Arabisch sprak, begreep hij het wel.

Hij antwoordde in het Arabisch: 'Ik wil u niet doodschieten, Sjeik. U bent niet degene die ik zoek.'

De oude man keek hem zonder angst aan. Wat hij zag was natuurlijk een monster in camouflagekleding met kikkerogen. 'U bent een kuffar, maar u spreekt de taal van de Heilige Koran.'

'Dat is waar en ik zoek een man. Een heel slechte man. Hij heeft vele mensen gedood. Ook moslims, vrouwen en zelfs kinderen.'

'Heb ik hem gezien?'

'U hebt hem gezien, Sjeik. Hij was hier. Hij heeft...' – de oude man had natuurlijk nog nooit amber gezien – '... ogen in de kleur van vers geslingerde honing.'

'Ah.' De oude man maakte een geringschattend gebaar, alsof hij iemand wegstuurde die hij niet mocht. 'Hij is gegaan met de vrouwenkleren.'

Even was Tracker diep teleurgesteld. Ontsnapt, gehuld in een boerka, verborgen in de woestijn, onmogelijk te vinden. Toen zag hij dat de oude man omhoogkeek en begreep hij het.

Wanneer de vrouwen van het dorp hun kleren in het water dat ze uit de bron hadden gehaald hadden gewassen, durfden ze die niet op het plein te drogen te hangen uit angst voor de geiten. De beesten zouden zich maar al te graag tegoed doen aan de kameelharen kleren en ze aan flarden scheuren. Daarom stonden er droogrekken op de platte daken.

Tracker verliet het vertrek via de deuropening aan de overkant. Aan de zijkant van het huis was een trap. Hij zette zijn M4 tegen de muur en trok zijn pistool. De rubberzolen van zijn laarzen maakten geen enkel geluid toen hij via de stenen treden naar boven liep. Hij stapte het dak op en keek om zich heen. Er stonden zes van takken gemaakte droogrekken.

In het schemerlicht bekeek hij ze allemaal. Voor de vrouwen *jalabeeb*, voor de mannen katoenen *macawis*. Eén leek groter en smaller, had een lange witte Pakistaanse *salwar kameez*, een hoofd, een warrige baard en bewoog. Toen gebeurden er drie dingen zo snel dat het hem bijna zijn leven kostte.

Opeens kwam de maan vanachter de wolken vandaan. De maan was vol en heel wit, zodat Tracker meteen niets meer zag door zijn nachtzichtbril.

De man op het dak ging in de aanval, Tracker rukte zijn bril af en hief zijn 13-schots Browning. De aanvaller had zijn rechterarm geheven en had iets glanzends in zijn hand. Tracker haalde de trekker van de Browning over. De slagpin viel naar voren, maar in een lege kamer. Alleen een klik en nadat hij de tweede keer de trekker had overgehaald, nog een klik. Heel zeldzaam, maar mogelijk. Tracker wist dat er een volle patroonhouder in zat, hoewel er dus geen kogel in de kamer zat.

Met zijn vrije hand greep hij een katoenen sarong, maakte er een bal van en gooide die naar het neerkomende lemmet. Het staal raakte de dwarrelende stof, maar het materiaal wikkelde zich om het metaal zodat het als een stomp voorwerp zijn schouder raakte. Met zijn rechterhand gooide hij de Browning op de grond en haalde uit de schede op zijn rechterbovenbeen zijn US Marine-vechtmes – bijna het enige wat hij nog bij zich had van alles wat hij uit Londen had meegenomen.

De bebaarde man gebruikte geen *jambiya* – het korte, kromme mes uit Jemen dat vooral als siermes werd gedragen – maar een *billao* – een groot, vlijmscherp mes dat alleen door Somaliërs wordt gebruikt. Met twee houwen van een billao kun je een arm afhakken; één stoot en de scherpe punt gaat van boven naar beneden dwars door een torso.

De aanvaller veranderde zijn greep, draaide zijn pols voor een opwaartse beweging van het mes, zoals een straatvechter een mes zou vasthouden.

Tracker kon weer zien. Hij zag dat de man voor hem blootsvoets was, zodat hij veel grip had op het bakstenen dak. Maar datzelfde gold voor zijn rubberzolen.

De volgende aanval van de billao kwam snel en laag aan zijn linkerkant en was gericht op zijn darmen, maar ook dat had hij verwacht. Zijn eigen linkerhand ging naar beneden naar de omhooggaande pols en blokkeerde hem, terwijl de stalen punt maar een paar centimeter bij zijn lichaam vandaan was. Hij voelde dat zijn eigen pols ook werd vastgepakt.

De Prediker was twaalf jaar jonger en gehard door een ascetisch leven in de bergen. In een gevecht waarbij het alleen op kracht aankwam, zou hij kunnen winnen. De punt van de billao kwam een paar centimeter dichter bij het middenrif van Tracker. Hij dacht aan zijn para-instructeur op Fort Bragg die niet alleen cursussen freefall gaf, maar ook ervaring had met man-tegen-mangevechten. 'Ten oosten van Suez en ten zuiden van Tripoli vind je geen goede straatvechters,' had hij een keer gezegd toen ze een paar biertjes dronken in de officiersclub. 'Ze vertrouwen op hun mes. Ze negeren de ballen en de brug.'

Hij doelde op de brug van de neus. Tracker trok zijn hoofd naar achteren en ramde hem vervolgens naar voren. Hij nam zijn eigen pijn aan zijn voorhoofd op de koop toe en hij wist dat hij daar een dikke bult zou krijgen, maar hij voelde ook de knak toen het neustussenschot van de man knapte.

Meteen verslapte de greep van de hand die zijn pols vasthield. Tracker trok zijn hand los, richtte en haalde uit. Zijn mes ging naar binnen tussen de vijfde en de zesde rib aan de linkerkant. Een paar centimeter bij zijn gezicht vandaan zag hij de met haat vervulde amberkleurige ogen en de ongelovige blik toen het mes van Tracker het hart binnendrong en het levenslicht doofde.

In het maanlicht zag hij dat het amber vervaagde en zwart werd, en hij voelde het gewicht op zijn mes drukken. Hij dacht aan zijn vader in het bed op de intensive care, en boog zich naar voren tot zijn lippen zich vlak boven de volle, donkere baard bevonden. Hij fluisterde: 'Semper Fi, Prediker.'

De Pathfinders vormden een defensieve ring terwijl ze wachtten tot de zon opkwam, maar de kijkers in Tampa konden hen geruststellen. Er kwam geen vijandige interventie hun kant op. De woestijn werd alleen bevolkt door jakhalzen.

Alle rugzakken werden uit de woestijn gehaald, ook Pete's medische spullen. Hij verzorgde de geredde aspirant-officier Ove Carlsson. De jongen zat vol ongedierte die hij tijdens zijn wekenlange verblijf in de kerker in Garacad had opgelopen, en hij was ondervoed en getraumatiseerd. Pete deed wat hij kon en gaf hem onder andere een morfine-injectie. De aspirant-officier viel in een diepe slaap, voor het eerst sinds weken, op een bed voor het opgerakelde vuur.

Curly controleerde in het licht van een zaklamp de drie technicals die op het plein stonden. Eén was doorzeefd met kogels uit M4's en kalasjnikovs en het was wel duidelijk dat hij nooit meer zou rijden. De andere twee konden dat wel als hij ermee klaar was en in de laadbak stonden met benzine gevulde jerrycans, genoeg voor een rit van honderden kilometers.

Bij het eerste ochtendgloren praatte David met Djibouti en verzekerde hun ervan dat het team met de twee technicals naar het westen kon rijden tot aan de Ethiopische grens. Even voorbij deze grens lag de woestijn-airstrip die volgens hen hun beste vertrekpunt was, als ze het zouden halen. Curly schatte dat het driehonderd kilometer of tien uur rijden was, rekening houdend met stops om bij te tanken en een paar keer een band te verwisselen en ervan uitgaande dat ze geen vijanden tegenkwamen. Hen werd verzekerd dat de C-130 Hercules, die allang terug was in Djibouti, op hen zou wachten.

Agent Opaal, de pikzwarte Ethiopiër, was ontzettend opgelucht dat hij was verlost van zijn steeds gevaarlijker wordende maskerade. De para's maakten hun voedselpakketten open en maakten een acceptabel ontbijt klaar met als middelpunt en hoogtepunt een vlammend vuur in de haard, en heel veel bekers sterke, zoete thee met melk.

De lijken werden naar het plein gedragen en daar neergelegd zodat de dorpelingen ze konden begraven. Op het lichaam van de Prediker vonden ze een groot bedrag in de plaatselijke Somalische valuta die ze aan het dorpshoofd schonken voor zijn moeite.

De koffer met één miljoen dollar in contanten werd gevonden onder het bed waar de Prediker op had gelegen voordat hij naar het dak vluchtte. David vroeg, omdat ze parachutes en para-packs ter waarde van een half miljoen dollar in de woestijn hadden achtergelaten en de verkeerde kant op rijden om ze te gaan zoeken geen goed idee was, of ze het regiment niet schadeloos konden stellen met het geld uit die koffer. Goed idee.

Bij zonsopgang zetten ze een veldbed in de open laadbak van een van de technicals voor de nog steeds slapende Ove Carlsson, legden hun zeven rugzakken in de andere laadbak, namen afscheid van het dorpshoofd en vertrokken.

Curly's inschatting bleek vrij nauwkeurig. Na acht uur rijden waren ze bij de onzichtbare Ethiopische grens. Tampa vertelde hun wanneer ze die over waren en waar ze de airstrip konden vinden. Het stelde niet veel voor. Geen betonnen startbaan, maar duizend meter platte, keiharde gravel. Geen luchtverkeerstoren, geen hangars; alleen een windzak die rusteloos in de wind wapperde.

Aan het ene uiteinde stond een C-130 Hercules van 47 Squadron van de RAF. Dat was het eerste wat ze zagen, op een afstand van vijftienhonderd meter. Toen ze dichterbij waren gekomen, ging de achterste laadklep open en kwam Jonah naar buiten om hen te begroeten, samen met de twee andere dispatchers en de twee packers. Ze hadden niets te doen: de zeven parachutes, vijftigduizend pond per stuk, waren weg.

Naast de Herc stond een verrassing: een witte Beech King Air van het World Food Programme van de Verenigde Naties. Ernaast stonden twee diepgebruinde mannen in woestijncamouflagekleding met op elke schouder een insigne met daarop een zeskantige ster.

Zodra de twee trucks tot stilstand waren gekomen, sprong Opaal, die achter in de voorste pick-up had gezeten, eruit en rende naar hen toe. De beide mannen omhelsden hem stevig. Nieuwsgierig liep Tracker naar hen toe.

De Israëlische majoor stelde zichzelf niet voor als Benny, maar hij wist precies wie de Amerikaan was.

‘Eén vraagje,’ zei Tracker. ‘Dan neem ik afscheid. Hoe krijg je een Ethiopiër zover om voor jullie te werken?’

De majoor keek verbaasd, alsof het antwoord voor de hand lag. ‘Hij is *falasha*,’ zei hij. ‘Hij is even joods als ik.’

Tracker kon zich vaag het verhaal herinneren van de kleine stam Ethiopische joden die, een generatie geleden, Ethiopië was ontvlucht om uit de greep te komen van zijn wrede dictator. Hij wendde zich tot de jonge agent en salueerde. ‘Nou, dankjewel, Opaal. *Todah rabah*... en mazzeltof.’

De Beech steeg als eerste op, met net voldoende brandstof om Eilat te bereiken. De Hercules volgde en liet de twee gedeukte pick-ups achter voor de volgende groep woestijnnomaden die toevallig passeerden.

In een bunker onder luchtmachtbasis McDill, Tampa, zag kapitein Orde hen vertrekken. Hij zag ook dat een konvooi van vier voertuigen, ver in het oosten, richting de grens reed. Een groep achtervolgers van Al-Shabaab, maar zij waren veel te laat.

Op de basis in Djibouti werd Ove Carlsson overgebracht naar het uiterst moderne Amerikaanse ziekenhuis, tot het kostbare privévliegtuig van zijn vader arriveerde met de magnaat aan boord om hem op te halen.

Tracker nam afscheid van de zes Pathfinders en vertrok vervolgens met zijn eigen Gulfstream via London Northolt naar Andrews,

Washington. De bemanning had de hele dag geslapen, zij waren klaar om te vliegen zodra het toestel weer was volgetankt.

'Als ik ooit weer zoiets waanzinnigs moet doen, kan ik jullie dan vragen met me mee te komen?' vroeg hij.

'Geen probleem, *mate*,' zei Tim.

De Amerikaanse overste kon zich niet herinneren wanneer een gewone soldaat hem de laatste keer 'mate' had genoemd en kwam tot de ontdekking dat hij dat best leuk vond.

Zijn Gulfstream vertrok iets na middernacht. Hij sliep tot ze de Libische kust bereikten en voor de opkomende zon uit naar Londen vlogen. Het was herfst. In North Virginia zou het blad rood en goud kleuren en hij zou het heerlijk vinden ze terug te zien.

Epiloog

Toen het nieuws van de dood van hun stamhoofd Garacad bereikte, vertrokken de Sacad op de *Malmö* gewoon naar de kust. Kapitein Eklund maakte gebruik van deze onbegrijpelijke kans, liet het anker lichten en voer naar open zee. Twee oorlogsschepen van een rivaliserende clan probeerden hem te onderscheppen, maar ze voeren snel weg toen een helikopter van een Brits fregat verscheen. Het fregat begeleidde de *Malmö* naar de veiligheid van de haven van Djibouti waar hij kon bijtanken en zijn reis kon voortzetten, deze keer in een konvooi.

Ali Abdi hoorde ook dat de piratenbaas dood was en vertelde dat aan Gareth Evans. Dat de jongen was gered was al bekend, maar zodra ze hoorden dat de *Malmö* was ontsnapt hield Gareth Evans meteen de overboeking van de vijf miljoen dollar tegen, net op tijd.

Ali Abdi had zijn tweede miljoen al ontvangen. Hij stopte met zijn werk en kocht een fraaie villa aan de Tunesische kust. Zes maanden later werd er bij hem ingebroken en toen hij de inbrekers stoorde, vermoordden ze hem.

Mustafa Dardari werd vrijgelaten uit zijn tijdelijke verblijf in Caithness. Hij werd teruggebracht, geblinddoekt, en op straat vrijgelaten. Thuis werd hij geconfronteerd met twee dingen. Het ene was een beleefde, maar officiële weigering om te geloven dat hij niet de hele tijd in zijn herenhuis was geweest omdat hij het tegendeel niet kon bewijzen. Zijn verhaal over wat hem was overkomen, werd afgedaan als belachelijk. Het tweede was een deportatiebevel.

De Pathfinders gingen terug naar hun basis in Colchester en gingen verder met hun carrière.

Ove Carlsson herstelde volledig en ging economie studeren. Na zijn afstuderen ging hij in het bedrijf van zijn vader werken, maar hij zou nooit meer naar zee gaan.

Ariel werd beroemd in zijn eigen kleine en voor de meeste mensen onbegrijpelijke wereld toen hij een firewall ontwikkelde waar zelfs hij niet kon binnendringen. Zijn systeem werd op grote schaal gebruikt door banken, beveiligingsbedrijven en overheden. Op advies van Tracker nam hij een slimme en eerlijke agent aan die royaltycontracten voor hem afsloot waar hij goed van kon leven.

Zijn ouders konden verhuizen naar een grotere woning op een eigen stuk grond; hij bleef bij hen wonen en verliet het huis bij voorkeur niet.

Overste Christopher 'Kit' Carson, alias Jamie Jackson, alias Tracker, diende zijn tijd uit, nam ontslag uit het US Marine Corps, trouwde met een bijzonder aantrekkelijke weduwe en startte een bedrijf dat gespecialiseerd was in persoonsbeveiliging voor extreem rijken die naar het buitenland wilden reizen. Hij verdiende hier goed mee, maar hij ging nooit terug naar Somalië.

Dankwoord

Mijn hartelijke dank gaat uit naar iedereen die mij heeft geholpen met de informatie in dit boek. Zoals zo vaak wil ongeveer de helft liever niet genoemd worden. Maar iedereen die in het daglicht leeft en iedereen die in het duister werkt: jullie weten wel wie ik bedoel, heel erg bedankt.